© Editions Gallimard, 1989
Dépôt légal: avril 1989
Numéro d'édition: 45643
ISBN 2-07-051031-X
Imprimé par la Editoriale Libraria en Italie

Illustrations:
Elisabeth Alglave, pp.12,14,15. Nicole Baron, 90, 95 à 101. Myriam Beaumont, 128 à 131. Yves Besnier, 119, 120 à 125. Liliane Blondel, 76, 102, 116 à 118, 127. Paul Bontemps, 10, 11, 12, 13. Louise Brierley, 33. Christian Broutin, 81 à 85, 87, 89. Dorothée Duntze, 61 à 65, 91 à 94. Philippe Fix, 16, 17, 31, 32, 33, 66 à 73, 86, 87, 88, 89. Donald Grant, 9, 126, 127, 132 à 135. Pierre Hézard, 151 à 153. Sophie Kniffke, 10, 11, 13, 164 à 167. Marie Mallard, 78 à 80. Agnès Matthieu, 35 à 37. René Mettler, 136 à 145. Jean-Pierre Moreau, 107, 108, 109, 110, 111, 112. Sylvaine Pérols, 13, 94, 102, 103, 104 à 106, 113 à 115, 146 à 150. Jean-Claude Senée, 74, 75, 76, 77, Etienne Souppart. 110, 119. Dominique Thibault, 17 à 30, 34, 38 à 60. Pierre-Marie Valat, 8, 9, 154 à 163.
© Librairie Larousse, 1988, pour les pp. 168, 169
© Paul List Verlag, München, publié par Südwest Verlag, 1989, pour la cartographie des pp. 174 à 189. Patrick Mérienne pour l'adaptation française

LE LIVRE DE TOUS LES PAYS
ATLAS POÉTIQUE ILLUSTRÉ

Georges Jean, Marie-Raymond Farré
Jacques Drimaracci

Illustrations
Elisabeth Alglave, Nicole Baron, Myriam Beaumont,
Yves Besnier, Liliane Blondel, Paul Bontemps,
Louise Brierley, Christian Broutin, Dorothée Duntze,
Philippe Fix, Henri Galeron, Donald Grant, Pierre Hézard,
Sophie Kniffke, Marie Mallard, Agnès Matthieu,
René Mettler, Jean-Pierre Moreau, Sylvaine Pérols,
Jean-Claude Senée, Etienne Souppart,
Dominique Thibault, Pierre-Marie Valat

GALLIMARD

Offrons le globe aux enfants,
Qu'une journée au moins le globe apprenne la camaraderie,
Les enfants prendront de nos mains le globe
Ils y planteront des arbres immortels.

Nazim Hikmet

Les trois-mâts qui se
balancent
dans ce grand port de la
Manche
n'emporteront pas l'écolier
vers les îles des boucaniers

jamais jamais jamais
il n'eut l'idée de se glisser
à bord du trois-mâts qui
s'élance
vers le golfe du Mexique

il le suit sur la carte
qui bellement se déplace
avalant les longitudes
vers Galveston ou
Tampico

il a le goût de l'aventure
l'écolier qui sait regarder
de si beaux bateaux
naviguer

sans y mettre le pied
sans y mettre le pied

Raymond Queneau

Sommaire

Le monde

Gibbon (Asie)

Ouvrir *Le Livre de tous les pays*, c'est partir pour un voyage au long cours. Nous vous invitons à nous suivre dans ce parcours à travers le monde avec votre imagination dans vos bagages.

Ces cartes, ces images, vous offrent les visages de tous les pays de la Terre, et nous n'avons pas cherché à fuir la réalité! Et nous avons laissé ici ou là des mots de poètes, des visions de vrais voyageurs vous accompagner. Nous n'avons choisi que quelques traces, et nos oublis sont volontaires. C'est vous qui partez; c'est vous qui décidez de vos itinéraires et de vos songes et des saveurs que vous aimerez! La seule passion que nous voudrions vous faire partager, en plus de la poésie et grâce à elle, est notre attachement à la fraternité de tous les hommes de tous les pays!

Voilà la Terre, le monde, la représentation du monde! Il faut bien regarder les cartes et… fermer les yeux.

C'est alors qu'apparaissent:

– des paysages variés à l'infini, vagues de l'océan, dunes des déserts, forêts luxuriantes, prairies tranquilles, montagnes couvertes de neiges éternelles, plaines et savanes...

– des plantes et des fleurs, des arbres : vignes, palmiers, sapins, roses et palétuviers...

– des animaux de toutes sortes : la fourmi, l'éléphant, le chat, le tatou, et le ver luisant...

– et des hommes petits et grands, enfants et vieillards, nus et habillés, noirs et blancs, aux yeux en amande et aux yeux bleus, violents et tendres, les hommes, quoi...

Ce qui fait cinq continents, plus un, l'Antarctique, près du pôle Sud.

Alors nous allons voyager, d'abord comme le poète en restant chez nous, et nous aurons bientôt le vif désir de partir.

Pour l'enfant amoureux de cartes
*   et d'estampes,*
L'univers est égal à son vaste appétit.
Ah! que le monde est grand
*   à la clarté des lampes!*
Aux yeux du souvenir
*   que le monde est petit!...*
Mais les vrais voyageurs sont ceux-là
*   seuls qui partent*
Pour partir ; cœurs légers, semblables
*   aux ballons...*

Charles Baudelaire

Homme bleu
(Afrique du Nord)

Représenter la Terre

«La Terre est bleue comme une orange», écrivit Paul Eluard. Les cartographes aussi traitent notre boule bleue comme un agrume. Leur travail nous permet de nous situer, de nous orienter et d'établir des cartes en plaquant un quadrillage imaginaire sur le globe.

Les lignes analogues à celles qui séparent les quartiers de l'orange, orientées nord-sud, sont les méridiens et déterminent la longitude. Celles qui coupent l'orange en tranches, orientées est-ouest, sont les parallèles et déterminent la latitude. La plus importante est l'équateur, qui coupe la Terre en deux moitiés, les hémisphères Nord et Sud.

Reste un problème important : comment représenter la surface du globe (une sphère) sur une feuille de papier (un plan)? Les cartographes ont recours à divers artifices, projections ou «épluchages» semblables à celui qui figure en haut à droite et qui rappelle la façon dont on débarrasse l'orange de son écorce.

Le passage d'un espace sphérique à un espace plat entraîne diverses déformations : d'angles, de distances, de surfaces.

En fin de compte, la seule façon de représenter notre planète avec exactitude, est de le faire à l'aide d'un globe terrestre.

Les continents ne représentent que

29 % de la surface de la «planète bleue» où océans et mers occupent la plus grande place (71 %).

Il y a quelque 250 millions d'années les continents actuels étaient tous regroupés en une seule vaste plaque, la Pangée, entourée par un seul océan. Puis, le long des fissures, plusieurs plaques se sont formées et écartées les unes des autres, donnant naissance aux mers et aux océans. Cette lente «dérive des continents» continue de nos jours.

Carte du monde, 1527 (5 ans après le premier tour du monde de Magellan). Seule la côte est de l'Amérique y est représentée.

En juxtaposant ces fragments de projection, on obtient le planisphère de Goode, qui conserve assez bien les rapports de surface.

Méridien : demi-cercle imaginaire qui va d'un pôle à un autre. Les méridiens sont perpendiculaires à l'équateur et permettent de mesurer la longitude.
Longitude : distance entre un point du globe et le méridien de Greenwich, appelé aussi méridien-origine. Cette distance se mesure en degrés.
Parallèle : cercle imaginaire parallèle à l'équateur. Les parallèles permettent de calculer la latitude.
Latitude : distance entre un point de la terre et l'équateur, mesurée en degrés.
Equateur : circonférence imaginaire de la Terre, à distance égale des deux pôles, dont le plan est perpendiculaire à l'axe de rotation.

Superficie des océans

Pacifique : 178,7 M km²	Indien : 76,2 km²
Atlantique : 91,6 M km²	Glacial Arctique : 14,8 M km²

Superficie des continents

Asie : 44 M km²	Antarctique : 14 M km²
Amérique : 42 M km²	Europe : 10 M km²
Afrique : 30 M km²	Océanie : 9 M km²

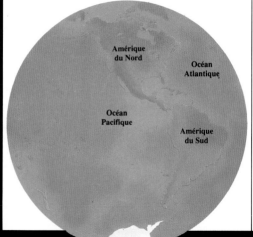

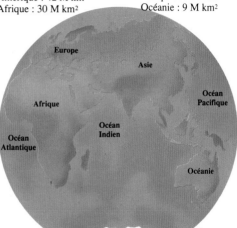

Le climat

Polaire

Continental froid

Continental

Océanique

Méditerranéen

Désertique

Tropical

Equatorial

→ Courants froids

→ Courants chauds

ZONE CHAUDE
Climat équatorial
Chaud et humide toute l'année.
Climat tropical
Chaud toute l'année; une saison humide (correspondant à notre été dans l'hémisphère Nord) et une saison sèche. Celle-ci est d'autant plus longue que l'on s'éloigne de l'équateur (huit à dix mois).
Climat désertique
Chaleur et grande sécheresse. Il faut distinguer :
– les déserts chauds, sans hiver (Afrique, Moyen-Orient, Australie);
– les déserts à hiver froid

(Asie centrale, Amérique du nord-ouest) : - 10 °C de température moyenne en janvier à 30 °C et plus en juillet !

ZONE TEMPEREE
Climat méditerranéen
Eté sec et chaud. Les pluies tombent sous forme d'averses violentes en automne et en hiver.

Climat océanique
Hiver humide et doux; été humide et tiède (amplitude thermique annuelle faible).
Climat continental
Hiver froid et long avec chutes de neige ; été assez chaud (forte amplitude thermique annuelle). Les précipitations les plus abondantes tombent en été, sous forme de pluies orageuses.
Climat continental froid
Hiver très long (sept à huit mois) et très froid, avec très peu de neige. Eté humide et assez chaud (l'amplitude thermique annuelle dépasse souvent 60 °C!).

ZONE FROIDE
Climat polaire
Hiver très froid et très long (huit à neuf mois. La température moyenne du mois le plus chaud ne dépasse pas 10°C).
Les précipitations sont en général assez faibles.

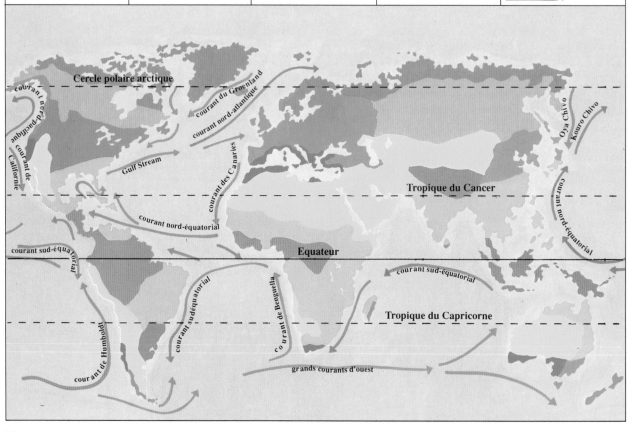

La végétation

D'immenses régions reflètent le vrai visage de la Terre. La toundra, la forêt boréale, le désert, la steppe ou la savane, ou encore la forêt équatoriale et la végétation de haute montagne sont restés en grande partie intacts. En revanche, dans les régions tempérées et dans une partie de la zone intertropicale, ces paysages naturels ont été «gommés» et remodelés par l'action des hommes. Par exemple, le désert fait place, ici et là, aux taches de verdure des oasis, ou bien des défrichements ont transformé la forêt en zone de culture ou en espaces occupés par les villes et leurs usines, par les voies de communication...

Les forêts tropicales et équatoriales
– forêts de mousson : une période de sécheresse par an (Asie du Sud et du Sud-Est);
– forêts équatoriales : forêts denses et vertes toute l'année (Amazonie, bassin du fleuve Congo).

Les formations herbacées
Sur tous les continents sauf l'Antarctique (prairies d'Amérique du Nord, pampas d'Amérique du Sud, savanes d'Afrique, steppes d'Asie centrale, prairies d'Europe orientale, «ceinture verte» de l'Australie).

Les déserts
Steppes de buissons épineux, déserts de sable ou de pierre couvrent 15% de la superficie des continents.

Les forêts tempérées
– forêts de conifères (nord de l'hémisphère Nord);
– forêts mixtes;
– forêts de climat méditerranéen (arbres toujours verts).

Les toundras
Entre les forêts de conifères et les sols nus de l'Arctique. Sol gelé en permanence, sauf l'été en surface (mousses, lichens).

Les milieux montagnards
De bas en haut :
– terres cultivées, forêts mixtes;
– forêts de conifères, alpages;
– landes.

- Forêts tropicales et équatoriales
- Formations herbacées
- Déserts
- Forêts tempérées
- Toundras
- Milieux montagnards

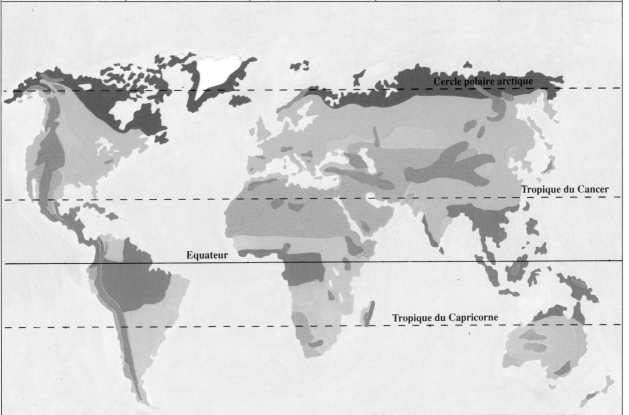

Cercle polaire arctique

Tropique du Cancer

Equateur

Tropique du Capricorne

La population

Nombre d'habitants au km²

(la densité de la population d'un pays se calcule en divisant le nombre d'habitants par le nombre de kilomètres carrés de sa surface)

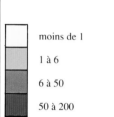

moins de 1

1 à 6

6 à 50

50 à 200

plus de 200

Cinq milliards d'hommes vivent sur la Terre, et la population mondiale atteindra sans doute les six milliards en l'an 2000 : à peine plus d'un milliard pour les pays développés, tandis que l'ensemble des nations en développement regroupera près de cinq milliards d'hommes.

Le peuplement du globe est discontinu. Quelques régions sont très fortement peuplées, telles l'Asie de l'est et l'Asie du sud, l'Europe, le nord-est des Etats-Unis. D'autres zones, fort vastes, apparaissent au contraire comme de véritables déserts humains. Il s'agit le plus souvent de

régions où les conditions de climat et l'hostilité des milieux de vie gênent le développement des activités humaines. C'est le cas, par exemple, de l'Amazonie, du Sahara, des zones polaires, des très hautes montagnes. Les villes se développent

très vite, et, à la fin du siècle, près des deux tiers des humains seront des citadins.

Alors qu'aujourd'hui les agglomérations rassemblant plus de dix millions d'âmes sont au nombre de neuf, on en comptera peut-être une quarantaine vers 2025.

EVOLUTION DE LA POPULATION MONDIALE			
Année	Total (en milliards)	Pays européens	Reste du monde
1750	730	150	580
1900	1610	510	1100
1985	4826	1050	3780
2000	6116	1139	4977
2020	7810	1224	6586
2100	10179	1293	8886

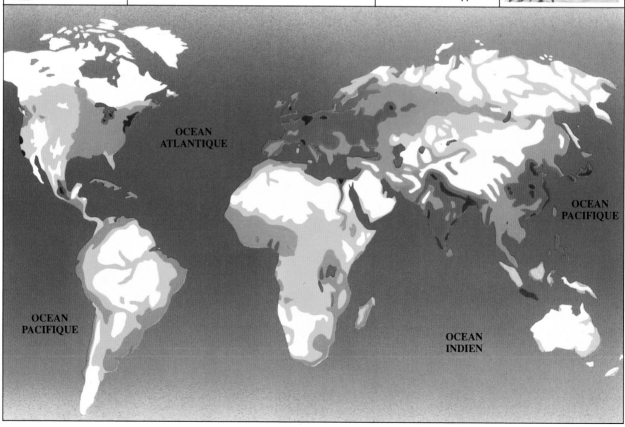

OCEAN ATLANTIQUE

OCEAN PACIFIQUE

OCEAN PACIFIQUE

OCEAN INDIEN

Les pays riches et les pays pauvres

Entre les pays du «Nord», industrialisés, et ceux du «Sud», sous-développés et qui forment ce que l'on appelle le tiers monde, les inégalités sont profondes. La carte ci-dessous permet de localiser les pays pauvres, ceux dont le PNB* par habitant (tableau à droite) est inférieur à 3000 dollars. Dans ces pays du tiers monde, l'espérance de vie est limitée, la mortalité infantile élevée. La population active compte souvent une forte proportion de paysans illettrés et travaillant avec des outils rudimentaires. L'industrie est

insuffisamment développée. La richesse d'un petit nombre de privilégiés contraste avec la misère des masses.
Le tiers monde, il est vrai, n'est pas homogène. Certains des pays qui le composent s'enfoncent

davantage dans les difficultés : ce sont les 33 «PMA», pays les moins avancés. D'autres commencent à se tirer d'affaire. Certains même apparaissent comme des nantis, grâce à leurs ressources en pétrole. Les Emirats arabes unis n'ont-ils pas un PNB par habitant plus élevé que les Etats-Unis (20000 dollars contre 17000) et 200 fois supérieur à celui de l'Ethiopie, «le plus pauvre des pauvres»!

Les flux migratoires
Les mouvements de population les plus

importants se produisent à l'intérieur même du tiers monde. Ce sont des migrations circonstancielles. Les migrations économiques ont lieu d'une part vers les pays grands producteurs de pétrole qui accueillent une forte main-d'œuvre, d'autre part vers les pays industrialisés.

* Voir les *Mots clés* p. 174

PNB par habitant :
Pays à économie capitaliste
- –Pays industrialisé à haut revenu (>3000$)
- –Pays exportateur de pétrole (>3000$)
- –Nouveau pays industriel (1500 à 3000$)
- –Pays en voie de dévelop-pement (500 à 1500$)
- –Pays très pauvre (<500$)

Pays à économie socialiste
- –Pays industrialisé à revenu élevé (>3000$)
- –Pays exportateur de pétrole à revenu élevé (>3000$)
- –Pays à industrie de base développée (1500 à 3000$)
- –Pays en voie de dévelop-pement (500 à 1500$)
- –Pays très pauvre (<500$)

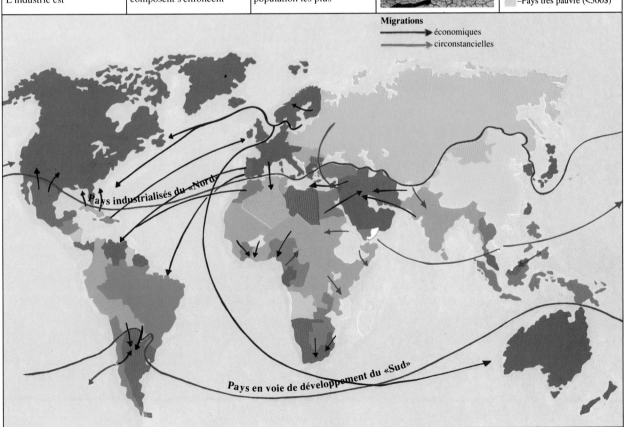

Migrations
→ économiques
→ circonstancielles

Pays industrialisés du «Nord»

Pays en voie de développement du «Sud»

Les langues

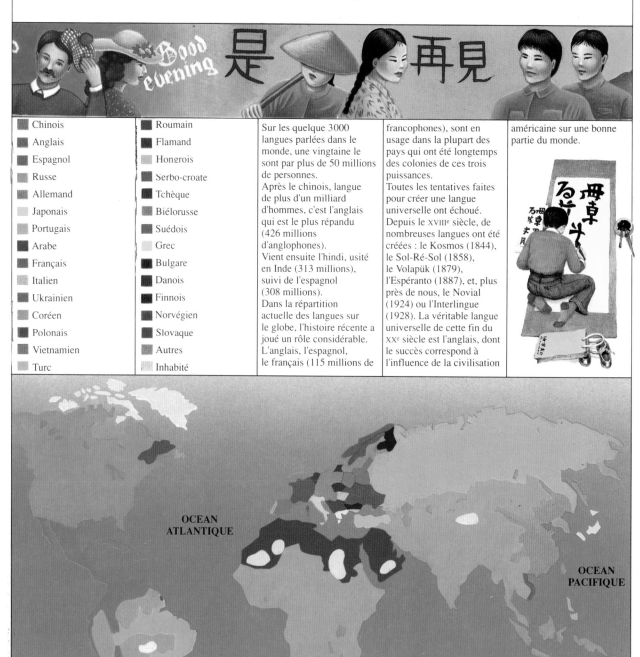

- ▦ Chinois
- ▦ Anglais
- ▦ Espagnol
- ▦ Russe
- ▦ Allemand
- ▦ Japonais
- ▦ Portugais
- ▦ Arabe
- ▦ Français
- ▦ Italien
- ▦ Ukrainien
- ▦ Coréen
- ▦ Polonais
- ▦ Vietnamien
- ▦ Turc
- ▦ Roumain
- ▦ Flamand
- ▦ Hongrois
- ▦ Serbo-croate
- ▦ Tchèque
- ▦ Biélorusse
- ▦ Suédois
- ▦ Grec
- ▦ Bulgare
- ▦ Danois
- ▦ Finnois
- ▦ Norvégien
- ▦ Slovaque
- ▦ Autres
- ▦ Inhabité

Sur les quelque 3000 langues parlées dans le monde, une vingtaine le sont par plus de 50 millions de personnes.

Après le chinois, langue de plus d'un milliard d'hommes, c'est l'anglais qui est le plus répandu (426 millions d'anglophones).

Vient ensuite l'hindi, usité en Inde (313 millions), suivi de l'espagnol (308 millions).

Dans la répartition actuelle des langues sur le globe, l'histoire récente a joué un rôle considérable. L'anglais, l'espagnol, le français (115 millions de francophones), sont en usage dans la plupart des pays qui ont été longtemps des colonies de ces trois puissances.

Toutes les tentatives faites pour créer une langue universelle ont échoué. Depuis le XVIIIᵉ siècle, de nombreuses langues ont été créées : le Kosmos (1844), le Sol-Ré-Sol (1858), le Volapük (1879), l'Espéranto (1887), et, plus près de nous, le Novial (1924) ou l'Interlingue (1928). La véritable langue universelle de cette fin du XXᵉ siècle est l'anglais, dont le succès correspond à l'influence de la civilisation américaine sur une bonne partie du monde.

OCEAN ATLANTIQUE

OCEAN PACIFIQUE

OCEAN PACIFIQUE

OCEAN INDIEN

Les religions

L'époque où nous vivons est moins influencée par la religion que certaines périodes du passé comme le Moyen Age.
La plupart des grands Etats modernes se veulent aujourd'hui laïques : ils refusent de lier leur organisation et leur politique à des principes religieux. Toutefois les grandes religions sont bien vivantes.
Le nombre de leurs adeptes a augmenté au cours du XXᵉ siècle, à mesure que s'accroissait la population mondiale.
Le catholicisme et l'islam sont des religions en progression : le nombre de leurs fidèles se sera respectivement par cinq et par six du début à la fin du siècle.
Dans certaines régions du monde, la vigueur de la foi est d'autant plus grande que la croyance et la pratique religieuses constituent pour un peuple une façon d'affirmer son identité et ses revendications. Ainsi s'expliquent la ferveur catholique des Polonais opposés depuis toujours aux ambitions des Russes orthodoxes.

Les religions dans le monde de 1900 à 2000* (en millions)
*prévisions

	1900	1986	2000
Catholiques	226	886	1 132
Protestants	142	450	590
Orthodoxes	116	171	200
Musulmans	200	840	1 200
Hindouistes	200	661	860
Bouddhistes	127	300	360
Juifs	12	18	20

- Catholicisme
- Protestantisme
- Cath. et Protest.
- Orthodoxie
- Islam (Sunnite)
- Islam (Chiite)
- Judaïsme
- Rel. chinoises
- Lamaïsme
- Hindouisme
- Rel. japonaises
- Rel. coréennes
- Bouddhisme
- Rel. vietnam.
- Autres
- Inhabité

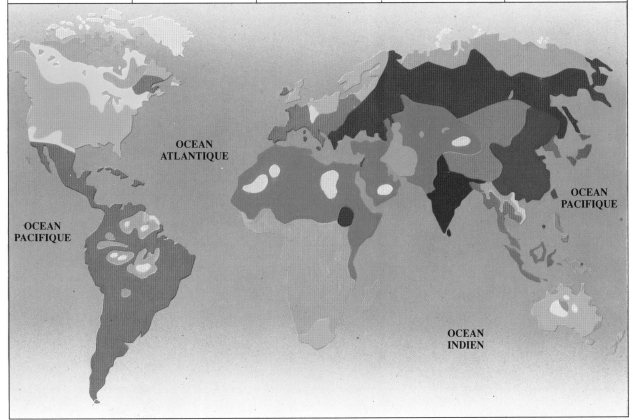

OCEAN ATLANTIQUE

OCEAN PACIFIQUE

OCEAN PACIFIQUE

OCEAN INDIEN

L'EUROPE

Dans le temps d'Agénor, l'éclatant Jupiter
Enlève de Libye au-delà de la mer
Europe, la beauté qu'il aime et qu'il désire.

Avec beaucoup d'adresse, en bœuf il se
*   transforme*
Et l'emporte en ces lieux que mon regard
*   désigne.*
Renaissant de lui-même il retrouve son
*   corps.*

Puis pour rendre la paix au visage troublé
D'Europe, il décida que le tiers de ce
*   monde*
En souvenir d'Europe, Europe fût nommé...

                                    Fazio Degli Alberti

La légende d'Europe

D'après une légende grecque, Europe était la fille du roi de Canaan, ancien nom de la Palestine. Une nuit, elle fit un rêve. Deux continents s'adressaient à elle. L'Asie lui disait : «Tu es née ici, restes-y!» et le continent inconnu : «Viens chez moi!». Le lendemain, Zeus, changé en taureau, enleva Europe et l'emmena en Crète, une île grecque. Ses frères, partis à sa recherche, auraient été les fondateurs de plusieurs cités grecques.

Cette légende, comme beaucoup d'autres, a un sens : la civilisation européenne serait en grande partie née sur les bords de la Méditerranée.

L'enlèvement d'Europe
(Fresque de Pompéi)

Statuette de bronze représentant un empereur carolingien à cheval : Charles le chauve, ou peut-être Charlemagne (771-814).
Ce dernier conquit un vaste empire qui s'étendait sur la Gaule, la Germanie ainsi que sur une partie de l'Italie, de l'Autriche et de la Yougoslavie actuelles.

Au Moyen Age, les guerres sont fréquentes et bouleversent sans cesse les communautés qui composent l'Europe.

Représentation allégorique de l'Europe (XVIᵉ s.)

La Méditerranée, berceau de l'Europe

Ce fut grâce à l'apport des cités grecques que le centre économique et culturel de cette partie du monde se fixa autour de la Méditerranée. Puis l'Empire romain, le développement du christianisme, les invasions germaniques et celles des Vikings venus du nord contribuèrent à donner à l'Europe, déchirée pendant des siècles par les conflits entre les nations naissantes qui la constituaient, une certaine signification, plus culturelle que politique. Peu à peu,

Scène de bataille d'après un manuscrit à enluminures du XIIᵉ s.

cependant, se faisait jour l'idée – ou le rêve – d'une Europe dont l'unité ne serait plus une utopie.

C'est en Europe, à Athènes, que naît la notion de démocratie : l'homme vit libre à condition de respecter les lois de la cité. Ce sont des lois raisonnables, valables pour tous. Voilà les bases de la civilisation occidentale moderne.

Une Europe unie

L'idée d'une Europe unie remonte à la Révolution française. C'était en particulier le projet de Napoléon. Après Waterloo, Saint-Simon souhaitait «rassembler les peuples d'Europe en un seul corps politique, en conservant à chacun son indépendance nationale». En 1850, Victor Hugo s'écria : «Un jour viendra où l'on verra ces deux groupes immenses, les Etats-Unis d'Amérique, les Etats-Unis d'Europe, se tendant la main par-dessus les mers.»

Le Marché commun

Et c'est ainsi qu'en 1957 fut signé à Rome un traité, entre l'Allemagne fédérale, la France, le Benelux (Belgique, Pays-Bas, Luxembourg) et l'Italie, qui instituait le Marché commun et l'Euratom. La Grande-Bretagne, le Danemark, l'Irlande, l'Espagne, le Portugal et la Grèce se joignaient par la suite à la Communauté européenne. Les institutions européennes sont réparties entre Bruxelles, Luxembourg et Strasbourg, où siège le Parlement européen, dont les députés sont élus au suffrage universel dans chaque pays de la Communauté. En 1992, les frontières de tous les pays de la Communauté seront ouvertes : les marchandises, les capitaux et les hommes pourront circuler librement. Dès maintenant, d'ailleurs, les passeports délivrés en France portent la mention «Communauté européenne».

Le Comecon

Parallèlement à la construction de l'Europe occidentale, les pays de l'Est – URSS, démocraties populaires (Bulgarie, Cuba, Hongrie, Mongolie, Pologne, Tchécoslovaquie, Roumanie, République démocratique allemande et Viêt-nam) – constituèrent en 1949 une organisation économique commune : le Comecon.

Malgré d'inévitables difficultés, le rêve d'une grande Europe n'est peut-être pas impossible à réaliser.

Le siège du Conseil de l'Europe à Strasbourg et le drapeau de la Communauté économique européenne

Strasbourg
(La cathédrale)

Bruxelles
(L'hôtel de ville)

Luxembourg
(Les Trois Tours et la Dent Creuse)

Les pays nordiques

ISLANDE
1/Briques de tourbe
(La tourbe est une matière
combustible qui résulte
de la décomposition de
végétaux à l'abri de l'air)
2/Reykjavik (134 000 hab.
Fondée par les Vikings
en 875. Surprenante par ses
constructions très colorées.
Port de pêche actif)
3/Village minier (Mines de
diatomite, roche possédant
des propriétés absorbantes
et abrasives)

NORVEGE
4/Vardø (Forteresse
du début du XIVᵉ siècle,
la plus septentrionale
d'Europe)
5/Trondheim (Cathédrale
gothique où sont encore
couronnés les rois
de Norvège. Fut la capitale
de la Norvège jusqu'en
1380. Port et centre
industriel)
6/Laerdal (Sur le
Sognefjord. Le plus long
des fjords norvégiens,
180 km, et l'un des plus
profonds, 1 250 m. Belle
stavkirke, église de bois,
construction typiquement
norvégienne)
7/Bergen (Port et centre
industriel actif. Important
comptoir de la Hanse du
XIVᵉ au XVIᵉ s. Patrie
du compositeur Grieg)
8/Stavanger (Gros centre
industriel commandant
les activités pétrolières
des gisements offshore
norvégiens de la mer
du Nord)
9/Heddal (La plus belle des
stavkirke de Norvège, bâtie
au XIIIᵉ s. et restaurée au
siècle dernier. A 50 km à
l'ouest, en pleine montagne,
l'usine de Venork, qui
fabriquait l'eau lourde
indispensable à la bombe
atomique et qui fut sabotée
par un groupe de résistants
norvégiens)
10/Oslo (449 200 hab.
4ᵉ capitale du monde par
son étendue : les 3/4 de son
territoire consistent en lacs,
jardins et forêts. Port, centre
industriel, culturel,
universitaire)

Les brochets vinrent gauchement,
Les chiens de l'onde avec lourdeur,
Les saumons quittèrent leurs rocs,
Les lavarets leurs profondeurs,
Les petits ables, les perches,
Les corégones, tous les autres
Se pressèrent dans les ajoncs,
S'entassèrent contre la rive,
Pour entendre chanter Väinö,
Pour écouter cette musique.
Ahti, le puissant roi des vagues,
Le seigneur à la barbe d'herbe,
Gagna la surface de l'eau,
S'étendit sur un nénuphar,
Pour entendre le chant de joie,
Puis il prononça ces paroles :
« Je n'ai rien ouï de pareil,
Pendant le cours de cette vie,
Aux chansons de Väinämöinen,
A la joie du barde éternel! »

Le Kalevala

MER DE NORVEGE

MER DU NORD

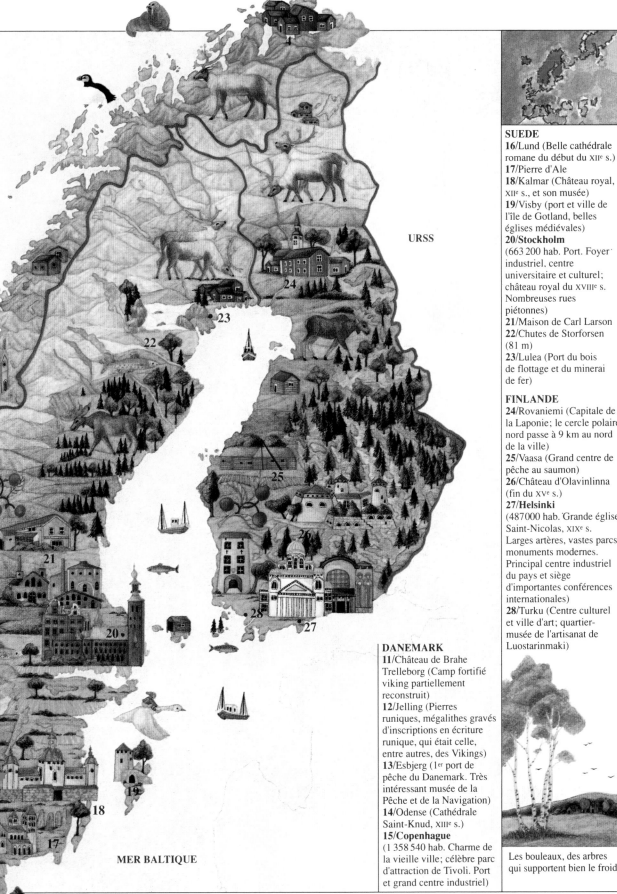

URSS

SUEDE
16/Lund (Belle cathédrale romane du début du XIIe s.)
17/Pierre d'Ale
18/Kalmar (Château royal, XIIe s., et son musée)
19/Visby (port et ville de l'île de Gotland, belles églises médiévales)
20/Stockholm
(663 200 hab. Port. Foyer industriel, centre universitaire et culturel; château royal du XVIIIe s. Nombreuses rues piétonnes)
21/Maison de Carl Larson
22/Chutes de Storforsen (81 m)
23/Lulea (Port du bois de flottage et du minerai de fer)

FINLANDE
24/Rovaniemi (Capitale de la Laponie; le cercle polaire nord passe à 9 km au nord de la ville)
25/Vaasa (Grand centre de pêche au saumon)
26/Château d'Olavinlinna (fin du XVe s.)
27/Helsinki
(487000 hab. Grande église Saint-Nicolas, XIXe s. Larges artères, vastes parcs, monuments modernes. Principal centre industriel du pays et siège d'importantes conférences internationales)
28/Turku (Centre culturel et ville d'art; quartier-musée de l'artisanat de Luostarinmaki)

Les bouleaux, des arbres qui supportent bien le froid.

DANEMARK
11/Château de Brahe Trelleborg (Camp fortifié viking partiellement reconstruit)
12/Jelling (Pierres runiques, mégalithes gravés d'inscriptions en écriture runique, qui était celle, entre autres, des Vikings)
13/Esbjerg (1er port de pêche du Danemark. Très intéressant musée de la Pêche et de la Navigation)
14/Odense (Cathédrale Saint-Knud, XIIIe s.)
15/Copenhague
(1 358 540 hab. Charme de la vieille ville; célèbre parc d'attraction de Tivoli. Port et grand centre industriel)

MER BALTIQUE

Drakkars vikings

Sainte-Lucie :
fête de la lumière.
Le 1er décembre, la plus jeune des filles distribue, dès l'aube, des sucreries à toute la famille.

La Finlande compte quelque 50 000 lacs qui sont le plus souvent d'origine glaciaire.
Les espaces lacustres ou marécageux couvrent au total 11 % du territoire.

Les Vikings

Suède, Norvège et Danemark furent des pays de Vikings. Ils sillonnaient mers et fleuves sur leurs bateaux à la proue sculptée, les drakkars.

Les Vikings ou «rois de la mer» envahirent l'Europe jusqu'à la Russie. Ils furent repoussés de Lutèce (le Paris d'alors) par le comte Eudes en 886, et s'établirent en Normandie, d'où ils devaient repartir conquérir l'Angleterre. Dans le mot Normandie, n'y a-t-il pas «Nord»?

J'ai maintenant vingt ans – le malheur viendra bientôt : la mer a soif de mon sang. Elle le connaît, elle l'a bu tout chaud, dans l'ardeur des combats.

Ainsi, jeté par un naufrage sur l'écueil isolé, le Viking unissait son chant au ressac. Mais l'océan l'entraîna dans ses abîmes. Les vagues reprirent leur murmure, et le vent sa course changeante. De celui qui se perd, la mémoire demeure.

Erik Gustaf Geijer

L'ISLANDE

En islandais, Islande signifie « pays de glace ». L'Islande est en effet en grande partie recouverte par les glaciers. Cependant, ce pays est également un pays de volcans, dont plusieurs sont en activité. Ce qui explique la présence en Islande de nombreuses sources chaudes et de geysers.

République indépendante depuis 1944, l'Islande possède une assemblée nationale, l'Althing, que l'on considère comme le plus vieux parlement du monde puisqu'il a été créé en 930.

LA NORVEGE

Au XIIIe siècle, la Norvège se trouvait à la tête d'un vaste empire s'étendant sur le Groenland et l'Islande : c'est l'époque des sagas, révélatrices du haut niveau de culture de ce pays.

Elle possède aujourd'hui l'une des marines marchandes les plus importantes du monde et dispose, en mer du Nord, du plus grand gisement de gaz naturel d'Europe.

Dans ce pays montagneux, au climat rude, seulement 3 % du territoire est cultivable. L'élevage, l'exploitation du bois et la pêche (premier rang européen) sont les points forts de son économie.

C'est le pays des fjords, longues et profondes vallées glaciaires envahies par la mer. Oslo, la capitale, est un port construit au fond de l'«Oslofjord».

LA FINLANDE

A partir du XIIIe siècle, la Finlande, peu peuplée et sans existence politique, devient un duché suédois. Sa capitale, Helsinski, est fondée en 1550 par Gustave Vasa, roi de Suède.

Conquise par la Russie, en 1809, elle obtient son indépendance lors de la révolution russe.

Disposant de richesses naturelles importantes – bois et produits de pêche –, la Finlande est cependant très dépendante de

Aurore boréale

l'URSS pour la satisfaction de ses besoins énergétiques – gaz et pétrole.

Ce pays de lacs et de rivières, frangées de rochers de granit rouge et de bois de bouleaux, a été évoqué par le grand compositeur finlandais, ou finnois, Sibelius (1865-1957).

En Finlande est née une des plus anciennes épopées nordiques : le *Kalevala*, qui raconte la création du monde et de la musique.

La ville de Moora (Suède) fabrique depuis des siècles des petits chevaux de bois peint.

LA SUEDE

Pays neutre, comme le Danemark et la Finlande, et monarchie parlementaire, la Suède est dotée, sous l'impulsion du parti social-démocrate, d'une législation politique et sociale très avancée désignée sous le nom de «socialisme à la suédoise».

L'hiver suédois est long. Mais les nuits «de la dernière neige», comme les nuits d'été, sont magnifiques.

La dernière neige s'est cachée tels des oiseaux dans la bruyère
Et le printemps approche comme une roue filante :
Le lin des beaux jours gaine de bleu ses rayons.
De tous les côtés les rivières conduisent le regard jusqu'au ciel.

Arthur Lundkrist

LE DANEMARK

Du XIIe à la fin du XVIe siècle, le Danemark a dominé l'Europe scandinave jusqu'à ce que la Suède s'impose à son tour. A partir du XVIIIe siècle, Copenhague devient le centre des courants commerciaux d'Europe du Nord.

Dès le début du XXe siècle, le Danemark est devenu, grâce à une législation sociale très avancée – droit de vote aux femmes, en 1915 – l'une des démocraties parlementaires les plus évoluées.

Pays de plaines au climat tempéré, le Danemark, qui consacre les deux tiers de son territoire à l'agriculture et à l'élevage, est, de plus, l'un des pays les plus riches du monde.

Château de Kronborg (Zélande du Nord) dit « Château d'Hamlet »

«Le Danemark est comme les pièces d'un puzzle que, dans un accès de colère, un géant aurait jetées dans la mer», dit-on parfois. En effet, le Danemark se compose de près de cinq cents îles que des ponts relient les unes aux autres.

Elles étaient six charmantes enfants, mais la plus jeune était la plus belle de toutes, sa peau était d'un blanc éclatant comme une feuille de rose, ses yeux aussi bleus que l'océan le plus profond, mais, de même que ses sœurs, elle n'avait pas de pieds. Son corps se terminait en queue.

Hans Christian Andersen

La Petite Sirène (inspirée d'Andersen) orne le port de Copenhague.

Le sauna, d'origine finlandaise, fait partie de la vie quotidienne de tous les Scandinaves.

Intérieur suédois traditionnel

Nul ne sait quand viendra le matin.
Le soleil se couche! Le loup survient!
Il aime rôder la nuit,
se cacher dans d'obscurs fourrés.
Nul ne sait quand viendra le matin.
Le soleil se couche, Bejten Nejta,
il s'enfuit vers la lumière
et la ramènera aux enfants de Bejve.

Anonyme

Les Lapons
Il ne faut pas confondre Lapons et Esquimaux.
Les Lapons vivent en Europe, au nord du cercle polaire.
Ce sont avant tout des nomades, éleveurs de rennes,
animaux sauvages qu'ils attrapent au lasso.
Une famille lapone mange une bête par semaine!

	NORVEGE	DANEMARK	SUEDE	FINLANDE
Espace et population				
Superficie	324 220 km²	43 070 km²	449 960 km²	337 010 km²
Population	4,17 M hab.	5,12 M hab.	8,36 M hab.	4,93 M hab.
Densité	12,9 hab./km²	118,9 hab./km²	18,6 hab./km²	14,6 hab./km²
Taux de natalité	12,6 ‰	10,8 ‰	12,2 ‰	12,4 ‰
Taux de mortalité	9,8 ‰	11,4 ‰	11,1 ‰	9,6 ‰
Croissance annuelle	0,3 %	0,1 %	0,1 %	0,5 %
Taux de mortalité infantile	8 ‰	8 ‰	7 ‰	7 ‰
Espérance de vie	76 ans	74 ans	76 ans	74 ans
Population urbaine	80,3 %	85,9 %	85,5 %	66,9 %
Capitale	Oslo	Copenhague	Stockholm	Helsinki
	(449 200 hab.)	(1 358 540 hab.)	(663 200 hab.)	(487 000 hab.)
Données culturelles				
Langues	norvégien	danois	suédois	finnois, suédois
Analphabètes				
Scolarisation				
Second degré	97 %	100 %	83 %	100 %
Troisième degré	29,3 %	29,2 %	38,2 %	30,6 %
Postes de TV	319 pour 1000 hab.	369 pour 1000 hab.	390 pour 1000 hab.	432 pour 1000 hab.
Livres publiés par an	5 540 titres	10 660 titres	10 373 titres	8 563 titres
Médecins pour 1000 hab	2,03	2	2,2	1,97
Economie				
Monnaie	couronne	couronne	couronne	mark
	(1 KRN = 0,9 FF)	(1 KRD = 0,88FF)	(1 KRS = 0,94FF)	(1 MF = 1,38 FF)
PIB	68,5 milliards de $	80,4 milliards de $	131,4 milliards de $	70,5 milliards de $
PIB par hab.	16 432 $	15 703 $	15 718 $	14 300 $
Croissance annuelle du PIB	4,25 %	2,75 %	1,3 %	1,5 %
Dette extérieure				
Production d'énergie	104,2 millions de TEC	3,69 millions de TEC	14,68 millions de TEC	5,31 millions de TEC
Consommation d'énergie	27,2 millions de TEC	23,24 millions de TEC	38,96 millions de TEC	24,31 millions de TEC
Importations	20 319 millions de $	22 865 millions de $	32 563 millions de $	15 339 millions de $
Exportations	18 229 millions de $	21 243 millions de $	37 211 millions de $	16 356 millions de $

Nota bene : pour la lecture des tableaux, se reporter aux *Mots clés* de la p. 174.

Le Royaume-Uni*

*En anglais : «United Kingdom of Great Britain and Northern Irland »

Angleterre
joyau de houille serti de craie
couvert d'herbes, coupé de haies
de fleuves lents que meut le pouls de la
marée aux estuaires en forme de conque,
versant ton labeur manufacturé
à la mer.

Paul Morand

L'Angleterre, le pays de Galles, l'Ecosse, constituent à eux trois la Grande-Bretagne. Elle s'appelait jadis la Bretagne, mais les Celtes qui en furent chassés par l'invasion des Saxes et des Angles s'installèrent en Armorique, qui devint notre Bretagne; l'ancienne Bretagne prit le nom de Grande-Bretagne.

Le Commonwealth

Au XIXe siècle, sous la reine Victoria, les Anglais possèdent un grand empire «où le soleil ne se couche jamais». Il en reste aujourd'hui le Commonwealth, dont les principaux Etats membres sont le Canada, l'Australie, la Nouvelle-Zélande, l'Inde. La plupart sont devenus indépendants, mais on y respecte toujours certaines traditions britanniques.

La langue anglaise

C'est la plus répandue dans le monde : elle est parlée dans trente-quatre pays.

Beaucoup de livres pour les enfants ont été écrits par des écrivains anglais : Lewis Carroll, *Alice au pays des merveilles* (1), Rudyard Kipling, *Le Livre de la jungle* (2), Arthur Conan Doyle, *Les Aventures de Sherlock Holmes* (3), Jonathan Swift, *Les Voyages de Gulliver* (4), mais aussi Charles Dickens, Robert Louis Stevenson...

1

L'ANGLETERRE

La campagne anglaise est verte. Un vert scintillant de pluie, comme celui des pommes et des petits pois. Mais certaines régions industrielles sont noires : celles qui se sont développées au XIXe siècle. En ville, cette campagne se retrouve dans les parcs aux grands arbres, et dans le petit jardin que possède toute maison anglaise.

Buckingham Palace. Construit en 1705 pour le duc de Buckingham, il est, depuis 1837, la résidence londonienne des rois et des reines d'Angleterre.

2

3

4

La rue anglaise est bordée de petites maisons individuelles que les Britanniques préfèrent aux habitations collectives. Souvent, ces maisons sont jumelles, construites par groupes de deux et séparées seulement par un mur mitoyen.

PAYS DE GALLES

1/Château de Pembroke (Forteresse du XIIIe s.)

2/Penter Ifan (Alignement de mégalithes, sans doute de 2000 av. J.-C.)

3/Château de Caernarvon (Puissant château du XIIIe s., où naquit le roi Edouard II)

ANGLETERRE

4/Abbaye de Battle (Fondée par Guillaume le Conquérant, sur le lieu de la bataille d'Hastings,1066)

5/Stonehenge (Site préhistorique)

6/Londres (6 767 500 hab. Construite sur la Tamise, qu'enjambe le célèbre Tower Bridge. Palais de Westminster et tour de l'Horloge abritant le fameux carillon Big Ben)

7/Birmingham (Cathédrale du XVIIIe s.)

8/Cambridge (Dès le Moyen Age, important centre universitaire)

9/Manchester (Centre industriel)

10/Liverpool (Grand port; cité industrielle)

11/Région des Lacs (Dix-sept lacs dans une région escarpée et très belle)

ECOSSE

12/Cairholly (Site préhistorique)

13/Threave (Château)

14/Edimbourg (Capitale de l'Ecosse. Son château du XIe s. est bâti sur un tertre volcanique. Son festival d'août et septembre – danse, musique, théâtre – est d'une haute qualité)

15/Glasgow (Cathédrale construite du XIIe au XVe s.)

16/Château de Craigievar (XVIIe s.)

17/Aberdeen (Port et ville universitaire)

18/Loch Ness (Lac)

19/Iles Hébrides (Archipel de 500 petites îles; dans l'une d'entre elles : la fameuse grotte de Fingal, longue de 69 km)

20/Iles Orcades (Centrale électrique éolienne dans la rade de Scapa Flour)

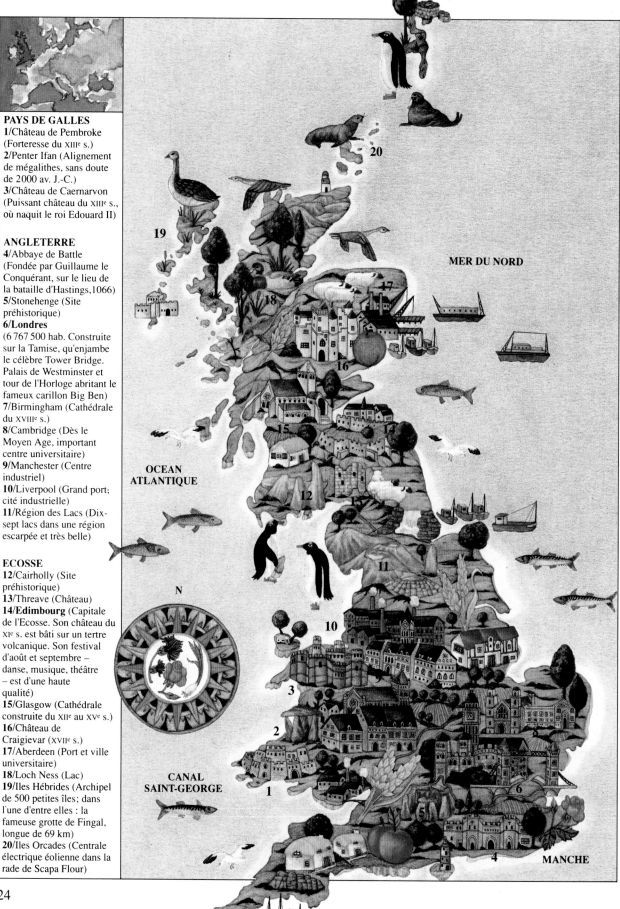

MER DU NORD

OCEAN ATLANTIQUE

N

CANAL SAINT-GEORGE

MANCHE

Château de Carnarvon (XIIIᵉ s.), dans le nord-ouest du pays de Galles

LE PAYS DE GALLES

Au pays de Galles, le gallois, langue celtique, est très répandu. Tous les panneaux indicateurs sont à la fois en anglais et en gallois. Le nom d'un village, le plus long du monde : Llanfairpwllgwyngyllgogerychwyrndrobwllllantysiliogogogoch! signifie Sainte-Marie-de-l'étang-blanc-du-noisetier-près-du-tourbillon-de-Llantysilio-de-la-grotte-rouge.

C'est en 1301 que le titre de prince de Galles fut conféré à l'héritier du trône d'Angleterre, coutume qui se perpétue encore aujourd'hui.

On rattache administrativement au pays de Galles le Monmouthshire, région qui borde le canal de Bristol.

Les Gallois sont des hommes et des femmes forts et exubérants dont la jovialité contraste avec la réserve britannique.

L'ECOSSE

L'Ecosse est un pays de légendes où les fantômes tiennent une grande place. C'est aussi une contrée de landes et de lacs – le monstre du loch Ness se cache, dit-on, dans l'un d'entre eux.

Les jours de fête, les hommes portent une jupe plissée, ou «kilt», en tissu «écossais», ou «tartan». Chaque clan a son tartan. Sur le devant du kilt, se suspend une bourse en peau, le «sporan», et on danse des «écossaises» au son de la cornemuse, ou «bagpipe».

Et cette très belle région, ce très beau pays, diraient les Ecossais – jaloux de leur indépendance culturelle –, est très fréquentée par les touristes, qui peuvent y déguster une cuisine originale ainsi que la boisson nationale écossaise, le «scotch», ou whisky.

Joueur de cornemuse

Espace et population		Scolarisation	
Superficie	244 046 km²	Second degré	86 %
Population	56,6 M hab.	Troisième degré	20,3 %
Densité	232 hab./km²	Postes de TV	479 pour 1 000 hab.
Taux de natalité	13,9 ‰	Livres publiés par an	51 411 titres
Taux de mortalité	11,8 ‰	Médecins pour 1000 hab.	1,7
Croissance annuelle	-0,1 %	**Economie**	
Taux de mortalité infantile	10 ‰	Monnaie	livre sterling
Espérance de vie	73,7 ans		(1 livre = 9,93 FF)
Population urbaine	91,7 %	PIB	547,7 milliards de $
Capitale	Londres (6 767 500 hab.)	PIB par hab.	9 660 $
Données culturelles		Croissance annuelle du PIB	2,4 %
Langue	anglais		(1,1 % pour 1975-1986)
Analphabètes	2 %	Dette extérieure	7 milliards de $
		Production d'énergie	283,3 millions de TEC
		Consommation d'énergie	264,7 millions de TEC
		Importations	126 200 millions de $
		Exportations	107 000 millions de $

Oban, port et station balnéaire du nord-ouest de l'Ecosse.
Dominant la ville, une curieuse bâtisse circulaire, la McCaig's Folly, dont la construction a été financée par un banquier afin de donner du travail aux chômeurs de la ville.

L'Irlande

IRLANDE DU NORD (ULSTER)
1/Chaussée des Géants (Ensemble de hautes colonnes basaltiques s'avançant dans la mer)
2/Londonderry (Rempart de cathédrale protestante du XVIIe s.)
3/Château de Carrickfergus (fin XIIe s.)
4/Belfast (323 000 hab. Capitale de l'Irlande du Nord. Centre industriel. Le «City Hall», construit en style Renaissance en 1906)
5/Florence Court (Très beau château du XVIIIe s.)

REPUBLIQUE D'IRLANDE (EIRE)
6/Killybegs (Port de pêche; aux environs, magnifiques paysages côtiers)
7/Westport House (Villa de style géorgien, dessinée selon les plans du célèbre architecte, du XVIIIe s, James Wyatt)
8/Tour Ballylee (XVIe s.)
9/Bunratty (Château)
10/Castelmatrix
11/Bantry House (XVIIIe s., entourée de beaux jardins)
12/Cork (Port, centre industriel, université)
13/Abbeyleix (Manoir du XVIIIe s.)
14/Rothe House (Demeure de marchand; fin XVIe s., dans la ville de Kilkenny)
15/Kilkenny (Château, reconstruit au XIXe s.)
16/Dublin (6 000 000 hab. Port, foyer industriel. Lernster House, siège du Parlement irlandais depuis 1922; construit en 1745, il aurait, dit-on, inspiré la Maison-Blanche de Washington)
17/Tour James-Joyce
18/Drogheda (Ses habitants furent massacrés en 1649 par les troupes anglaises de Cromwell)

Je suis le vent qui souffle sur la mer,
je suis vague de mer,
je suis mugissement de la mer,(...)
je suis navigateur intelligent,
je suis sanglier cruel,
je suis lac dans la plaine,
je suis parole de science,
je suis une épée aiguë menaçant une armée,
je suis le dieu qui donne le feu à la tête,
je suis celui qui répand la lumière entre les montagnes,
je suis celui qui annonce les âges de la lune,
je suis celui qui enseigne où se couche le soleil.

Anonyme
(XIIIe siècle?)

Harpe celtique

Longtemps dépendante de l'Angleterre, l'Irlande, à la suite d'une histoire longue et tumultueuse, est devenue pour sa plus grande partie une république : l'Eire, dont la capitale est Dublin.

L'IRLANDE DU NORD

L'Irlande du Nord, ou Ulster, est rattachée à la Couronne britannique. Elle a pour capitale Belfast. Son histoire est marquée par l'opposition entre les Irlandais catholiques, évangélisés à l'origine par le saint patron de l'Irlande, saint Patrick, et les Anglais protestants.

Cette opposition a pris depuis 1968 un caractère dramatique, a fait de nombreuses victimes dans les deux communautés, a suscité la naissance d'une armée secrète chez les catholiques républicains, et la présence constante de l'armée britannique. C'est un des conflits les plus douloureux de l'Europe.

LA REPUBLIQUE D'IRLANDE

Les poètes appellent l'Irlande « la verte Erin », tant sont vertes ses prairies trouées de lacs. Au vert de la campagne irlandaise s'ajoutent le gris des murets de pierres qui séparent les champs parfois minuscules, le gris des dolmens et des menhirs de la période celte et le brun de la tourbe, qui sert de combustible dans les maisons. L'Irlande a un climat toujours doux. Mais en un jour peuvent se succéder le froid, le chaud, la pluie, qui tombe fine et laisse des flaques très bleues.

De grands poètes

Dans ce fort beau pays, patrie de très grands écrivains - le poète Yeats (1865-1939), le romancier James Joyce (1882-1941) -, on peut faire de longues randonnées à vélo, à pied ou dans une roulotte que tirent les nerveux petits chevaux irlandais.

Paysage irlandais : ferme et parcelles – champs cultivés ou pâturages – encloses par des murets de pierre

Une famille de «voyageurs» irlandais et sa roulotte.
Il y a dans les deux Irlandes, plus de 3 000 familles de ces nomades, aux conditions de vie difficiles. On les appelle aussi *tinkers*, terme méprisant, en souvenir des rétameurs d'autrefois.

Fume ta pipe et tais-toi : il n'y a que vent, fumée et brume.
Proverbe irlandais

Espace et population				
Superficie	70 280 km²	Postes de TV	249 pour 1000 hab.	
Population	3,58 M hab.	Livres publiés par an	799 titres	
Densité	50,9 hab./km²	Médecins pour 1 000 hab.	1,29	
Taux de natalité	17,4 ‰	**Economie**		
Taux de mortalité	9,5 ‰	Monnaie	livre irlandaise	
Croissance annuelle	0,9 %		(1 livre = 9,70 FF)	
Taux de mortalité infantile	11 ‰	PIB	25,1 milliards de $	
Espérance de vie	73 ans	PIB par hab.	7011 $	
Population urbaine	57 %	Croissance annuelle du PIB	1,9 %	
Capitale	Dublin (600 000 hab.)	Production d'énergie	4,85 millions de TEC	
Données culturelles		Consommation d'énergie	11,54 millions de TEC	
Langues	irlandais, anglais	Importations	11 621 millions de $	
Scolarisation		Exportations	12 654 millions de $	
Second degré	93 %			
Troisième degré	22,1 %			

Croix celtique. Ces croix, disposées dans les cimetières autour des églises, entre le VIIe et le XIe s., sont l'une des expressions de la sculpture romane. Certaines sont des monolithes gigantesques de 6 m de hauteur.

N

MER DU NORD

ALLEMAGNE

PAYS-BAS

1/Iles frisonnes occidentales (Reste d'un ancien cordon littoral qui s'étendait jusqu'au Danemark)
2/Groningue (Principale ville de la région nord des Pays-Bas. Eglise Saint-Martin du XVᵉ s. et sa tour, Marknitoren, haute de 96 m)
3/Iles de la Drenthe (Dolmens)
4/Breda (Centre d'industrie et de commerce. Autrefois une des principales places fortes du pays)

FRANCE

5/Iles de Zélande (Barrages, ponts et digues du récent plan Delta)

6/Rotterdam (1ᵉʳ port du monde, avec un trafic de 250 millions de tonnes par an. En grande partie détruite pendant la Seconde Guerre mondiale)
7/Utrecht (Ville universitaire. Le Domtorer du XIVᵉ s., avec ses 112 m, est le clocher le plus haut des Pays-Bas)
8/La Haye (Siège du gouvernement, du Parlement et centrè diplomatique. Très beau musée de peinture du Mauritshuis)
9/Amsterdam (676000 hab. Construite sur près de cent îlots baignés par l'Ij et l'Amstel et reliés entre eux par plus de mille ponts. Le long des canaux, splendides maisons à pignon. De très grands musées de peinture : Rijksmuseum, Musée national Van-Gogh)
10/Polders de l'ancien Zuiderzee (Depuis le XIIIᵉ s., les Néerlandais ont conquis sur la mer plus de 7 000 km² de terre en créant des polders).
11/Bolsward (Eglise Saint-Martin)

Le Benelux

Avec la mer du Nord pour dernier terrain
*   vague*
Et des vagues de dunes pour arrêter
*   les vagues*
Et de vagues rochers que les marées
*   dépassent*
Et qui ont à jamais le cœur à marée basse
Avec infiniment de brumes à venir
Avec le vent d'ouest écoutez-le tenir
Le plat pays qui est le mien.

Jacques Brel

Bruges : le béguinage (couvent où se regroupent des femmes croyantes, mais ne prononçant pas de vœux)

La Belgique, les Pays-Bas (Nederland) et le Luxembourg constituent depuis 1958 une union économique, le Benelux.

LA BELGIQUE

Royaume indépendant depuis 1830, la Belgique est un petit pays très peuplé dans lequel on parle trois langues : le flamand (ou néerlandais), le wallon (ou français) et l'allemand. Outre le chômage qui sévit dans les régions de mines de charbon, telle la Wallonie, le principal problème belge est l'opposition entre Flamands et Wallons (francophones).

Une grande partie de la Belgique, en bordure de la mer du Nord, est constituée par une plaine immense : la Flandre ou «plat pays».

La Saint-Nicolas

Jour des cadeaux. Le 6 décembre, le cortège de la Saint-Nicolas traverse la ville. Il paraît que saint Nicolas vient d'Espagne, accompagné de son domestique noir.

LES PAYS-BAS

Plats, si plats, ils méritent bien leur nom, les Pays-Bas. Depuis longtemps, les Hollandais luttent contre l'eau : celle de la mer, et celle des fleuves. Ils construisent des digues, des écluses, des canaux. Nombre de leurs champs, les «polders», ont été arrachés à la mer, asséchés et dessalés; les moulins à vent qui bordent les rives des canaux servaient à pomper l'eau.

Delft : faïenceries de renommée mondiale.

Gand : filature (lin, jute, chanvre) et dentelle.

Le langage des moulins
Les meuniers se transmettaient des nouvelles de moulin à moulin : quand les ailes sont juste un peu avant l'horizontale et la verticale, c'est signe de joie. Le meunier a eu un fils ou marie sa fille; pour un bref arrêt de travail, elles s'immobilisent à l'horizontale et à la verticale; en signe de deuil, les ailes sont penchées; pour un arrêt prolongé, les ailes sont bloquées en diagonale.

BELGIQUE
12/Anvers (Port actif, centre industriel)
13/Louvain (Université catholique. Très bel hôtel de ville de style gothique flamboyant)
14/Namur (Citadelle)
15/Château de Vêves (Forteresse médiévale, reconstruite à la Renaissance)
16/Bouillon (Château fort des Xe-XIIIe s., qui avait appartenu à Godefroy de Bouillon, chef de la première croisade)
17/Dinant (Citadelle)
18/Charleroi (Capitale du «Pays noir»; hôtel de ville moderne)
19/Bruxelles (137 000 hab. Résidence royale et siège des Communautés européennes. Magnifique Grande Place avec ses maisons baroques du XVIIe s.)
20/Bruges (Très belle ville, aux vieilles demeures de brique construites au long des canaux. Grande Place avec son beffroi et ses halles et harmonieuse place du Bourg. Riches musées – Groningue, Memling – regroupant des chefs-d'œuvre de peintres flamands)
21/Gand (Château des comtes de Flandre)

LUXEMBOURG
22/Vianden (Château)
23/Luxembourg (86 200 hab.)

Maisons à pignon le long des quais bordant les canaux d'Amsterdam. Les pignons ont des formes très diverses : en cloche, en triangle, à fronton incurvé.

Ce qui est difficile peut être vite fait
et ce qui est impossible demande du temps.
Proverbe néerlandais

Port de Rotterdam
Dans le trafic du 1er port du monde, les importations de pétrole tiennent une place essentielle. Rotterdam peut accueillir des pétroliers géants de 550000 tonnes.

Les maisons de Hollande ont
Le cœur traversé de lumière
Si bien que tête la première
Sans pudeur nous y regardons.

Les cactus et les plantes vertes
La faïence et l'argenterie
Toutes choses de rêverie
Qui nous sont à la vitre offertes...

Louis Aragon

A côté de Rotterdam, le plus grand port du monde, Amsterdam est une ville sillonnée de canaux et de petits ponts, célèbre pour son commerce de produits coloniaux : tabac, chocolat, caoutchouc et diamants.

A l'origine, New York s'appelait la Nouvelle-Amsterdam, et fut dirigée par le Hollandais Peter Stuyvesant.

Spécialités traditionnelles

Les fromages, gouda, édam, mimolette, vendus sur l'eau au marché d'Alkmaar, les poissons crus fumés, les tulipes, les porcelaines de Delft et les vélos à guidon relevé.

LE LUXEMBOURG

«Lucilinburhuc» ou «Petit Château». Le grand-duché de Luxembourg est le plus petit Etat du Benelux. Il est indépendant depuis 1815. Sa capitale, Luxembourg, est le siège de la Cour de justice des Communautés européennes et du Secrétariat général du Parlement européen.

Inspiré de Bruegel l'Ancien (Pieter) *Le Dénombrement de Bethléem.* S'y mêlent les Gilles de Binche, les Chats d'Ypres, les Oignons d'Alost et les Blancs Moussis de Stavelot.

Champs de tulipes aux Pays-Bas : les Hollandais cultivent et vendent leurs tulipes au monde entier depuis le XVIIe s.

	BELGIQUE	PAYS-BAS	LUXEMBOURG
Espace et population			
Superficie	30514 km²	40844 Km²	2586 km²
Population	9,91 M hab.	14,56 M hab.	0,37 M hab.
Densité	324,8 hab./km²	356,5 hab./km²	143,1 hab./km²
Taux de natalité	11,8 ‰	12,7 ‰	11,7 ‰
Taux de mortalité	11,1 ‰	8,6 ‰	10,7 ‰
Croissance annuelle	0,1 %	0,5 %	0,1 %
Taux de mortalité infantile	12 ‰	8 ‰	10 ‰
Espérance de vie	73 ans	76 ans	72 ans
Population urbaine	96 %	88 %	82 %
Capitale	Bruxelles (137 000 hab.)	Amsterdam (676 000 hab.)	Luxembourg (86 200 hab.)
Données culturelles			
Langues	français, flamand	néerlandais	français, allemand, luxembourgeois
Scolarisation			
Second degré	91 %	100 %	68 %
Troisième degré	30,6 %	31,4 %	3,4 %
Postes de TV	303 pour 1000 hab.	450 pour 1000 hab.	256 pour 1000 hab.
Livres publiés par an	8065 titres	13209 titres	341 titres
Médecins pour 1000 hab.	2,5	1,84	1,39
Economie			
Monnaie	franc belge (1 FB = 0,163 FF)	florin (1 FL = 3,029 FF)	franc luxembourgeois (1 FL = 0,16 FF)
PIB	110 milliards de $	117,1 milliards de $	5,1 milliards de $
PIB par hab.	11 201 $	11 751 $	13 784 $
Croissance annuelle du PIB	2 %	1,5 %	2,25 %
Dette extérieure			
Production d'énergie	14,7 millions de TEC	116,2 millions de TEC	0,01 million de TEC
Consommation d'énergie	55,4 millions de TEC	92,6 millions de TEC	4,06 millions de TEC
Importations	69 580 millions de $	77790 millions de $	2729 millions de $
Exportations	68 809 millions de $	84295 millions de $	2482 millions de $

La France

La France a la forme d'un «hexagone». Elle enferme dans cette figure à six côtés des plaines, des montagnes élevées, des montagnes moins élevées, des plateaux, des rivières, des fleuves, des vallées larges, des gorges profondes, des côtes où l'océan a des marées, des côtes où la mer est bleu d'azur, des villages, des petites villes, des grandes villes et une capitale qui est un peu à elle seule toute la France.
Jean Giraudoux

Paris : l'île de la Cité

L'histoire

Les Romains, 50 ans av. J.-C., puis les Germains, venus de l'est, envahissent la Gaule. Parmi les nombreuses tribus d'envahisseurs, les Francs s'imposent peu à peu et donnent leur nom à la France. Ils fondent les premières dynasties, celles des rois mérovingiens, carolingiens et capétiens. Puis les rois et leurs ministres (Henri IV et Sully, Louis XIII et Richelieu, Louis XIV et Colbert) étendent le territoire de la France et lui donnent son nom actuel.

La révolution de 1789 affaiblit la monarchie, puis la renverse, amène la Ire République (1792), à laquelle succède le Ier Empire de Napoléon Ier, qui conquiert une partie de l'Europe et meurt en exil à Sainte-Hélène.

La monarchie revient un moment – Restauration et monarchie de Juillet. La révolution de 1848 amène la IIe République et le IIe Empire de Napoléon III, puis se suivent les républiques, jusqu'à la Ve.

La IIIe République dure de 1875 à 1940. En 1940, après la défaite et l'armistice, le maréchal Pétain institue un régime dit «Etat français». En 1944, sur un territoire libéré par l'action militaire des Alliés aidés par les Forces françaises libres et les Forces françaises de l'intérieur (Résistance), le général de Gaulle rétablit la république. Ce sera la IVe. Puis, en 1958, à la suite des événements et de la guerre d'Algérie sera instituée la Ve République, sous le régime de laquelle nous vivons aujourd'hui.

Grasse : cité des parfums

Chapelle romane du midi de la France

Connaissez-vous l'île
Au cœur de la ville
Où tout est tranquille
Eternellement
Louis Aragon

Le Café de Flore était, dans les années 50, avec le tout proche café des Deux Magots, le lieu de rencontre d'écrivains comme Malraux, Camus, Sartre, de Beauvoir.

Fontaine d'une place de village abritée de platanes, dans le sud de la France.

Bocage normand

Le bocage, caractéristique des régions de l'ouest de la France, est un paysage rural «construit» par l'"homme. Les parcelles – champs cultivés ou prairies – y sont encloses de haies. Parfois, entre ces haies, un chemin creux, plus bas que le niveau des champs.

La France compterait autant de fromages différents que de jours de l'année

Cave à vin

La langue

Les Gaulois parlaient gaulois. Les soldats romains parlaient un latin simplifié. Les Gaulois apprirent le latin des soldats romains, qui, avec l'accent gaulois, devint le gallo-romain, puis le roman, enfin le français...

L'économie

Les épaisses forêts qui couvraient la Gaule cèdent la place à des terres cultivées ou à des prairies. Les Français sont essentiellement paysans jusqu'au XVIIe siècle, quand commence le développement des manufactures, qui précèdent les usines des XIXe et XXe siècles. La France devient alors un pays industrialisé.

Espace et population	
Superficie	547 026 km2
Population	55,4 M hab.
Densité	100 hab./km2
Taux de natalité	14,1 ‰
Taux de mortalité	9,9 ‰
Croissance annuelle	0,5 %
Taux de mortalité infantile	9 ‰
Espérance de vie	74,5 ans
Population urbaine	77,2 %
Capitale	Paris (2 200 000 hab.)
Données culturelles	
Langue	français
Analphabètes	0,8 %
Scolarisation	
Second degré	90 %
Troisième degré	26,8 %
Postes de TV	375 pour 1000 hab.
Livres publiés par an	37 189 titres
Médecins pour 1000 hab.	2
Economie	
Monnaie	franc
PIB	724,2 milliards de $
PIB par hab.	13072 $
Croissance annuelle du PIB	1,9 % (2,4 pour 1975-86)
Production d'énergie	80,3 millions de TEC
Consommation d'énergie	232,5 millions de TEC
Importations	129400 millions de $
Exportations	124900 millions de $

Scène de vendanges

1/Dunkerque (Port, centre industriel)
2/Rouen (Cathédrale Notre-Dame des XIIe-XIIIe s. et sa flèche de 156 m de hauteur)
3/Etretat (Falaises hautes de 80 m à 90 m. Séjour qu'appréciait l'écrivain Guy de Maupassant)
4/Le Havre (2e port de commerce français. Riche musée des Beaux-Arts)
5/Mont Saint-Michel (Construit sur un îlot rocheux, célèbre abbaye bénédictine de style gothique des XIIe-XIIIe s.)
6/Brest (Grand port de guerre depuis Richelieu)
7/Calvaire breton
8/Haras du Pin (Fondés en 1714; aujourd'hui l'Ecole des haras forme des spécialistes de l'équitation)
9/Concarneau (Important port de pêche)
10/Les Rochers (Château de Madame de Sévigné. XVIe-XVIIe s.)
11/Nantes (Port actif à l'estuaire de la Loire, centre industriel. Musée Jules-Verne)
12/Lascaux (Grottes décorées de quelque 1 500 dessins et peintures préhistoriques, véritable «chapelle Sixtine de la préhistoire»)
13/Château Saint-Georges, (Dans le vignoble de Bordeaux – 105 000 hectares, 500 millions de bouteilles par an – le plus grand vignoble de vins fins du monde)
14/Albi (Cathédrale Sainte-Cécile, XIIIe s., construite en briques rouges. Musée Toulouse-Lautrec)
15/Carcassonne (La cité médiévale est remarquablement conservée)
16/La Grande-Motte (Avec ses immeubles en forme de pyramide, une des six stations balnéaires nouvelles du Languedoc-Roussillon)
17/Nice (Capitale de la Côte d'Azur, fameuse Promenade des Anglais plantée de palmiers)

18/Nîmes (Nombreux vestiges gallo-romains, notamment l'amphithéâtre, les «arènes»)
19/Avignon (Pont Saint-Bénézet du XIIe s. et palais des Papes, qui y résidèrent au XIVe s. Festival d'été de renommée mondiale)
20/Lyon (2e ville de France, centre industriel au confluent de la Saône et du Rhône. Le TGV la relie en deux heures à Paris)
21/Vichy (Station thermale)
22/Arc-et-Senans (Salines royales, XVIIIe s.)
23/Vézelay (Basilique romane de la Madeleine)
24/Chartres (Cathédrale, chef-d'œuvre de l'art gothique du XIIIe s.), Chambord (Le plus imposant des châteaux de la Loire, construit par François Ier)
25/Ronchamp (Chapelle Notre-Dame-du-Haut, construite, en 1955, par Le Corbusier)
26/Strasbourg (Cathédrale de grès rouge, XII-XIVe s.)
27/Nancy (Capitale des ducs de Lorraine. Belles constructions du XVIIIe s : place Stanislas et célèbres grilles de Jean Lamour)
28/Reims (Cathédrale Notre-Dame, XIIIe s., ornée d'une statuaire d'une grande beauté, et où étaient sacrés les rois de France)
29/Versailles (Palais du Grand Siècle, construit par Louis XIV)
30/**Paris** (2 200 000 hab. Tour Eiffel, 320 m de hauteur, et aussi Notre-Dame, le musée du Louvre, le musée d'Orsay, le musée Picasso, l'Arc de Triomphe de l'Etoile...)
31/Arras (Hôtel de ville et son beffroi)
32/Bastia (Vieux port pittoresque; musée d'Ethnographie corse)
33/Ajaccio (Réputée pour la douceur de son climat : 17°C de température moyenne annuelle!)
34/Bonifacio (La citadelle)

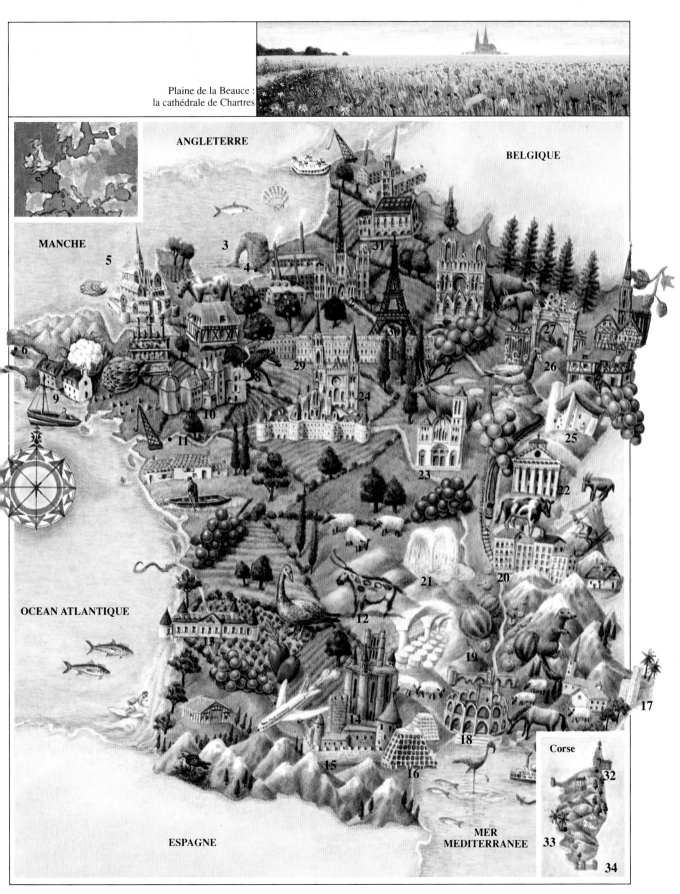

Plaine de la Beauce :
la cathédrale de Chartres

ANGLETERRE

BELGIQUE

MANCHE

OCEAN ATLANTIQUE

ESPAGNE

MER
MEDITERRANEE

Corse

33

ESPAGNE

1/Séville («Giralda» – girouette –, ancien minaret de la mosquée construite par les musulmans au XIIᵉ s. Cathédrale : XVᵉ-XVIᵉ s.)

2/Grenade (Palais mauresque de l'Alhambra et jardins du Generalife)

3/Tolède (Alcazar, forteresse du XIIIᵉ s. dont le premier gouverneur fut le Cid)

4/Mérida (De beaux vestiges romains dans cette ville, dont le nom latin était *Emerita Augusta*)

5/Salamanque (Université de renommée internationale au Moyen Age)

6/Ségovie (Alcazar, château médiéval perché)

7/L'Escurial (Grandiose construction – monastère et palais royal – entreprise par Philippe II)

8/Moulins de la Manche (Dans le célèbre roman de Cervantès, *Don Quichotte de la Manche*, le Chevalier à la Triste Figure les prend pour des géants et leur donne la charge)

9/Madrid (3 190 000 hab. La plus haute capitale d'Europe, 646 m d'altitude. Très riche musée de peinture du Prado)

10/Saragosse (Notre-Dame-du-Pilier, nouvelle cathédrale construite aux XVIᵉ et XVIIᵉ s.)

11/Tarragone (Importante dès l'Antiquité romaine, dont il reste de nombreux vestiges, tel l'aqueduc de Las Ferraras)

12/Barcelone (Ancienne Barcino des Carthaginois. Capitale de la Catalogne, grand port et important centre industriel)

13/Burgos (Sa cathédrale gothique est l'une des plus belles d'Espagne)

14/Bilbao (Centre industriel et port actif)

15/Oviedo (Plusieurs édifices de style «préroman des Asturies», des VIIIᵉ et IXᵉ s.)

16/Saint-Jacques-de-Compostelle (A partir du XIᵉ s., pèlerinage médiéval aussi important que ceux de Rome ou de Jérusalem)

GOLFE DE GASCOGNE

OCEAN ATLANTIQUE

N

DETROIT DE GIBRALTAR

MAROC

L'Espagne, le Portugal

FRANCE

ANDORRE

23

10

12

ILES BALEARES

MER MEDITERRANEE

Ton âme, ce soir,
peut-elle encore apercevoir
ce soleil qui annonçait
les après-midi d'Espagne?
Les chemins dorés
par un soleil perdu.
(...)
En regardant des deux côtés
du champ endormi
il y avait la mélancolie grise
de l'oliveraie.
Et soudain, l'après-midi
avait couleur de tragédie...

Antonio Aparicio

PORTUGAL
17/Porto (Construite sur les bords du Douro; dans le quartier de Vila Nova de Gaia, chais où se «font» les fameux vins de Porto. La cathédrale est une église-forteresse du XIIe s.)
18/Lisbonne (827 800 hab. Port sur l'estuaire du Tage, surnommé la «mer de paille» à cause de ses reflets dorés. Centre industriel. Très beau cloître des Hiéronymites)
19/Tour de Belém (Dans la partie ouest de Lisbonne, forteresse de style manuélin, début du XVIe s.)
20/Estremoz (Cité entourée de remparts et dominée par une forteresse du Moyen Age. Réputée pour ses poteries et ses figurines de terre peintes de couleurs vives)
21/Cheminées sarrasines
22/Gibraltar (28 800 hab. Territoire britannique)

ANDORRE
23/Andorre (Principauté des Pyrénées. Aujourd'hui, le président de la République française est «coprince» d'Andorre avec l'évêque espagnol d'Urgel)

Les moulins
de la Manche (Espagne)

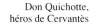
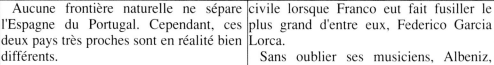

Don Quichotte,
héros de Cervantès

Port de Galice : la Galice est une région qui forme l'angle nord-ouest de la péninsule Ibérique.

Mosquée de Cordoue (salle de prière). Magnifique édifice arabo-islamique, construit du VIIIe au Xe s.

Maisons du Pays basque

Aucune frontière naturelle ne sépare l'Espagne du Portugal. Cependant, ces deux pays très proches sont en réalité bien différents.

Deux pays, deux langues

Il suffit d'entendre parler successivement un Espagnol de Castille – le castillan est la langue espagnole la plus académique – et un Portugais pour apprécier ce qui sépare l'Espagne purement méditerranéenne et passionnée, dont la langue sonne comme une guitare, du Portugal, pays atlantique, et dont le parler est doux, musical, comme rentré, en sourdine et, comme ce peuple, mélancolique.

L'ESPAGNE

Colonisés par les Arabes – les Maures, qui avaient établi leur royaume autour de Cordoue, centre d'une culture très riche, dont on peut voir de nombreuses traces en Andalousie –, les chevaliers espagnols mirent huit siècles pour «reconquérir» leur territoire et un siècle pour se tailler un fabuleux empire colonial en Amérique du Sud.

L'apogée de l'Espagne eut lieu sous les règnes de Charles Quint (1516-1556) et de Philippe II (1556-1598). Puis ce fut la décadence.

En 1931, la république fut proclamée. De 1936 à 1939 se déroula une atroce guerre civile déclenchée par le général Franco, qui refusait le gouvernement de gauche issu des élections. Vainqueur, Franco gouverna le pays en dictateur jusqu'à sa mort, suivie d'un retour à la monarchie, avec un gouvernement démocratique.

L'Espagne et les arts

Peuple tragique, austère, chaleureux, révélé par ses grands peintres, le Greco (1541-1614), Goya (1746-1828), et Picasso (1881-1973), parmi tant d'autres.

Révélé aussi par la révolte de ses poètes, qui ont hurlé pendant la guerre civile lorsque Franco eut fait fusiller le plus grand d'entre eux, Federico Garcia Lorca.

Sans oublier ses musiciens, Albeniz, Granados et Manuel de Falla.

Palais et monastère de l'Escurial, au nord-ouest de Madrid

Le pays de la tauromachie

Quelques expressions en usage dans l'arène :
– un taureau *s'allume aux fers* quand il devient de plus en plus brave pour prendre les piques;
– un torero *cite* quand, d'un mouvement de la cape ou de la muleta, il attire sur lui le taureau;
– il *croise* quand il envoie la muleta vers la gauche et passe l'épée pour tuer.

Le Chevalier à la Triste Figure

Don Quichotte voyage à travers la Castille avec son valet Sancho Pança. Il vit dans le rêve, sans cesse remis en place par le bon sens de Sancho.

Dans son *Don Quichotte de la Mancha*, issu du roman de chevalerie, Cervantès, à la fin du XVIe siècle, inaugure un genre nouveau : le roman qui jette un regard critique sur son époque.

Passant, dans ce tombeau gît un homme de marque,
Le vaillant Don Quichotte; il fut si valeureux
Que, par ses dignes faits grands et chevalereux,
Sa vie a triomphé de l'invincible Parque.
Ce fier épouvantail avait tant de courage
Qu'à lui les gros géants n'étaient que des moineaux :
Il fit à son trépas des miracles nouveaux,
Car s'il vécut en fol, il mourut homme sage.

Cervantès

36

Paysage de Catalogne
(Dans le nord-est de
l'Espagne. Sa capitale
est la grande ville de
Barcelone)

LE PORTUGAL

Royaume indépendant depuis 1143, le Portugal, après une histoire mouvementée, suivie de la dictature de Salazar et celle de Caetano (1932 à 1974), connaît, le 25 avril 1974, la «révolution des Œillets» – les gens du peuple distribuaient dans la rue des œillets aux soldats.

Vers la mer

Du port de Lisbonne, partent, tour à tour, Vasco de Gama, qui gagne les Indes par le cap de Bonne-Espérance en 1498, Fernand de Magellan, qui découvre en 1520 le détroit qui porte aujourd'hui son nom, et entreprend le premier un voyage autour du monde, et Pedro Alvares Cabral, qui conquiert le Brésil au nom du Portugal en 1500.

Le Portugal est un très beau pays, à la fois méditerranéen et atlantique. La lumière y est si particulière que l'on appelle l'embouchure du Tage, à Lisbonne, la «mer de paille». Les paysages y sont variés, les villes très colorées. Au nord, Porto et ses vins célèbres, Coimbra, où se trouve une des plus anciennes universités d'Europe. Au centre, la capitale, Lisbonne, au bord du Tage, bâtie sur des collines, avec de vieux quartiers colorés et une ville nouvelle, reconstruite après le terrible tremblement de terre de 1755.

La saudade

La *saudade* est la mélancolie propre aux Portugais : elle fait toute la nostalgie du *fado* (destin), ce chant populaire qui vient de la nuit des temps...

La saudade est un mal dont on jouit,
un bien dont on souffre.

Francesco Manuel de Melo

En réalité, sans doute, la mélancolie portugaise vient de ce que ce peuple, qui donna au monde de grands navigateurs et fonda l'immense Brésil, est maintenant un des plus pauvres, mais également un des plus nobles de toute l'Europe.

A Lisbonne sur la plage,
Barques neuves, j'ai fait armer,
Ah! ma jolie dame!

Barques neuves, j'ai fait construire
Que sur la mer j'ai fait lancer,
Ah! ma jolie dame!

Barques neuves j'ai fait armer
Que sur la mer j'ai fait aller,
Ah! ma jolie dame!

Denis, Roy de Portugal

Tour de Belém.
Elle surveillait l'entrée du
port de Lisbonne.

	ESPAGNE	PORTUGAL
Espace et population		
Superficie	504 782 km²	92 100 km²
Population	38,82 M hab.	10,29 M hab.
Densité	77 hab./km²	112 hab./km²
Taux de natalité	13 ‰	12,9 ‰
Taux de mortalité	7,6 ‰	9,6 ‰
Croissance annuelle	0,6 %	0,9 %
Taux de mortalité infantile	10 ‰	20 ‰
Espérance de vie	74,3 ans	72,2 ans
Population urbaine	77,4 %	31,2 %
Capitale	Madrid (3 217 500 hab.)	Lisbonne (827 800 hab.)
Données culturelles		
Langue	espagnol	portugais
Analphabètes	5,6 %	16 %
Scolarisation		
Second degré	89 %	47 %
Troisième degré	25,8 %	11,5 %
Postes de TV	258 pour 1000 hab.	151 pour 1000 hab.
Livres publiés par an	30 764 titres	9 041 titres
Médecins pour 1000 hab.	2,6	2,3
Economie		
Monnaie	peseta (1 pta = 0,051 FF)	escudo (1 esc = 0,042 FF)
PIB	226,7 milliards de $	28,9 milliards de $
PIB par hab.	5 840 $	2 809 $
Croissance annuelle du PIB	3 %	4,25 %
Production d'énergie	31,5 millions de TEC	1,7 million de TEC
Consommation d'énergie	89,3 millions de TEC	13,9 millions de TEC
Importations	35 100 millions de $	9 448 millions de $
Exportations	27 200 millions de $	7 200 millions de $

Petit port de pêche au Portugal

FRANCE

MER ADRIATIQUE

MER LIGURIENNE

YOUGOSLAVIE

MER TYRRHENIENNE

N

MER MEDITERRANEE

1/Milan (Capitale
économique de l'Italie)
Château des Sforza, et
Duomo – cathédrale –,
XIVᵉ-XVᵉ s., abondamment
décoré)
2/Gênes (1ᵉʳ port d'Italie,
ville industrielle)
3/Vérone (Palais
communal, XIIᵉ s.,
amphithéâtre romain)

L'Italie

Ainsi, mon cher, tu t'en reviens
Du pays dont je me souviens
Comme d'un rêve,
De ces beaux lieux où l'oranger
Naquit pour nous dédommager
Du péché d'Eve.

Tu l'as vu, ce ciel enchanté
Qui montre avec tant de clarté
Le grand mystère ;
Si pur, qu'un soupir monte à Dieu
Plus librement qu'en aucun lieu
Qui soit sur terre.

Tu t'es bercé sur ce flot pur
Où Naples enchâsse dans l'azur
Sa mosaïque
Oreiller des lazzaroni
Où sont nés le macaroni
Et la musique...

Alfred de Musset

ALBANIE

Ruines d'Ostia Antica, port maritime de Rome, aujourd'hui ensablé

Le Nord et le Sud

L'Italien du Sud vient souvent chercher du travail dans le Nord. Il y trouve des villes plus riches, plus industrialisées, une agriculture plus prospère, mais aussi des hivers plus rudes. L'Italien du Nord vient souvent passer ses vacances dans le Sud, au climat plus méditerranéen. Il y trouve une nature brûlée par le soleil, plus sauvage et plus pauvre.

En fait, il existe plus de deux Italie : dans le passé, notamment au Moyen Age, le pays était divisé en multiples principautés ou petits royaumes – la Lombardie, le Piémont, les Etats pontificaux, la Toscane, la Campanie... L'Italie n'est unifiée que depuis 1870.

L'Italie d'aujourd'hui

L'Italie est un pays de contrastes : contraste entre le Nord et le Sud (Mezzogiorno) qui a beaucoup de peine à se développer sur le plan économique. Contraste entre la puissance de l'Eglise catholique et du parti démocrate-chrétien, qui a longtemps dirigé la politique du pays, et l'importance du parti communiste. Contraste entre l'extraordinaire vitalité de l'économie et de la culture – cinéma, littérature – et la relative faiblesse d'un pouvoir politique aux prises avec le terrorisme, la Mafia et l'instabilité gouvernementale.

Pompéi, dominée par le Vésuve. La ville fut détruite en 79 par une terrible éruption du volcan.

4/Venise (Place et basilique Saint-Marc, campanile, palais des Doges. Sur le Grand Canal et les quelque 150 canaux de la ville circulent gondoles et vaporetti. Venise a été, aux XVe et XVIe s., le foyer d'une brillante école de peinture avec Giorgione, Le Titien, Véronèse, Le Tintoret)
5/Trieste
6/Pise (Baptistère. Tour penchée et Duomo des XIe et XIIe s. en style roman-pisan)
7/Florence (Ponte Vecchio – Vieux Pont –, Duomo – cathédrale –; très riche musée des Offices)
8/Ile d'Elbe
9/Sienne (Palais public; célèbre course de chevaux du Palio le 2 juillet)
10/**Rome** (2 900 000 hab. Temple de la Fortune divine, Vatican, Colisée)
11/Naples (Musée archéologique national : Antiquité gréco-romaine)
12/Vésuve (Volcan en activité, 1 277 m d'altitude)
13/Paestum (Temples grecs des VIe et Ve s. av. J.-C.)
14/Tarente
15/Détroit de Messine
16/Etna (Volcan en activité, 3 340 m d'altitude)
17/Sicile (La plus grande des îles méditerranéennes, 25 709 km²)
18/Palerme
19/Sardaigne
20/**République de Saint-Marin** ou San Marino (22 000 hab.)

Les toits de Florence. La coupole du Duomo (la cathédrale, XIIIe - XVe s.) et le beffroi du Palazzo Vecchio (le Palais vieux).

Les villes italiennes sont inimitables. Vivantes et marquées par le passé : peintures étrusques, monuments romains, édifices médiévaux, palais et sculptures de la Renaissance, églises baroques... Et, dans ces villes, le voyageur trouve toujours des places, des rues à arcades, et des bars dans lesquels on sert le meilleur café qui soit au monde, et le délicieux *cappuccino* (café crème et chocolat)!

O Sicile, ô Toscane où j'ai passé mon enfance, ô douce plaine de Lombardie arpentée de mûriers, éventée par la cime des peupliers, je ne foulerai plus vos chemins en levant mes yeux vers les bourgs bruns sur les coteaux au-delà des oliviers, de retour à la sérénité des soirs cherchant tes flèches de marbre, Milan que le souffle des prés attendrissait de nuages changeants.

G.A. Borgese

Rome

Se promener dans Rome, c'est voyager à travers le temps. On traverse la Rome antique, on revit les premiers temps du christianisme, un peu de Moyen Age, beaucoup de Renaissance. Et lorsque des ouvriers creusent le métro, ils découvrent des fresques de la Rome antique qui ensuite pâlissent à l'air libre.

Venise

Ville unique, construite sur une foule d'îles au centre d'une lagune, Venise, avec ses canaux, ses ponts, ses palais qui témoignent du temps où, République sérénissime, elle tenait tête aux Turcs et était la porte de l'Orient : Venise et l'immense «salon de marbre» de la place Saint-Marc séduisent les visiteurs du monde entier. Mais, malheureusement, elle s'enfonce lentement dans des eaux de

Antéfixe à tête de Silène : un motif à répétition ornant le versant d'un toit.

plus en plus polluées et des efforts internationaux sont actuellement entrepris pour sauver la Cité des doges.

L'haleine froide et humide de la Venise automnale m'assaille. Maintenant que l'été, lourd de sueur et de sirocco, par enchantement s'en est allé, glaciale, la lune de septembre resplendit, menaçante de funestes présages sur la ville de pierre et d'eau qui révèle son visage de méduse aux contagieux maléfices.

Vincenzo Cardarelli

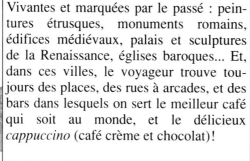

Lecce : basilique Sainte-Croix, XVIe- XVIIe s. (Pouilles, Italie du Sud)

Eglise romane de la Santissima Trinita di Saccargia (Sardaigne)

La Maison de la Fontaine (Pompéi)

Venise : le Grand Canal et l'église Santa Maria della Salute, construite au XVIIe s. pour célébrer la fin d'une épidémie de peste.

Les tours
de San Gimignano

Florence

Entre la galerie des Offices, le palais Pitti, le Duomo, Sainte-Marie-des-Fleurs, le tombeau des Médicis et les sculptures de Michel-Ange, le couvent San Marco, où se trouvent les œuvres de Fra Angelico, Florence offre une profusion de témoignages artistiques de la fin du Moyen Age et de la Renaissance. Mais on ne pourrait cependant oublier que cette cité est une grande ville industrielle et que les luttes sociales y furent ardentes et dures au XIXᵉ siècle.

Florence (en italien Firenze, la «ville des fleurs») est la capitale de la province de Toscane. Construite sur le fleuve Arno, elle fut la ville des Médicis, de très riches banquiers. Elle est, en même temps qu'une grande cité industrielle, une ville musée où abondent les chefs-d'œuvre.

Montesquieu

Naples

Naples est une ville sans pareille; avec sa baie, le Vésuve, les îles de Capri et d'Ischia, que l'on voit au loin par temps clair. Mais il faut se promener dans ses rues étroites, avec le linge qui sèche entre les maisons, sa foule grouillante et ses enfants aux yeux de braise. Il faut voir les paniers descendre des fenêtres et remonter garnis de pizzas ou de fruits, les mille petits commerces, les innombrables statues de la Madone avec leurs petites lampes.

La misère dans le vieux Naples est aussi intense que la vie des Napolitains, amateurs par-dessus tout de *bel canto*. Le musée contient quelques-uns des plus grands chefs-d'œuvre de l'art grec et de l'art romain ainsi que de nombreux témoignages de la vie quotidienne de Pompéi et d'Herculanum.

La commedia dell'arte

Pour les Italiens, le geste et la farce ont une grande importance. Les comédiens ambulants de la *commedia dell'arte* qui sautaient, gesticulaient, mimaient : Arlequin, Pierrot et Colombine, c'étaient eux... Ces personnages ont inspiré des auteurs français comme Molière et Marivaux.

San Gimignano, en Toscane, a été surnommée «la ville des belles tours». Enserrée dans ses remparts, elle a conservé 14 de ses 72 hautes tours seigneuriales. Bâties au Moyen Age, celles-ci témoignent des troubles violents qui agitaient les villes au temps des luttes entre les seigneurs.

Cap Zebino
(Personnage de la commedia dell'arte)

Rue de la vieille ville de Naples

Fresque de Piero della Francesca (*la Reine de Saba rend visite à Salomon*)

Espace et population				
Superficie	301 225 km²		Scolarisation	
Population	57,30 M hab.		Second degré	74 %
Densité	190 hab./km²		Troisième degré	26,3 %
Taux de natalité	10,1 ‰		Postes de TV	409 pour 1000 hab.
Taux de mortalité	9,5 ‰		Livres publiés par an	14 312 titres
Croissance annuelle	0,3 %		Médecins pour 1000 hab.	2,9
Taux de mortalité infantile	13 ‰			
Espérance de vie	74,4 ans		**Economie**	
Population urbaine	71,7 %		Monnaie	lire (1 lire = 0,046 FF)
Capitale	Rome		PIB	504 milliards de $
	(2 900 000 hab.)		PIB par hab.	8 796 $
			Croissance annuelle du PIB	2,5 % (2,2 pour 1975-1986)
Données culturelles			Production d'énergie	28,3 millions de TEC
Langue	italien		Consommation d'énergie	178,4 millions de TEC
Analphabètes	3 %		Importations	99 900 millions de $
			Exportations	97 800 millions de $

La Suisse

1/Bâle (Centre d'affaires, d'industries. Cathédrale du XIIᵉ reconstruite aux XIVᵉ et XVᵉ s., bâtie en grès rouge. Très riches collections de peinture du musée des Beaux-Arts)

2/Zurich (Centre industriel et commercial le plus important de la Suisse. Cathédrale des XIᵉ-XIIᵉ s. Musée national suisse : civilisation helvétique de la préhistoire aux temps modernes)

3/Lac de Constance (Appelé aussi Bodensee, long de 64 km, large de 12, un peu moins étendu que le lac Léman. Alimenté par le Rhin, qui «s'assagit» après l'avoir traversé)

4/Rhin (N'est suisse que sur 388 km, soit le quart environ de son cours)

5/Lucerne (Kappellbrücke, pont, du XIVᵉ s., flanqué d'une grosse tour octogonale)

6/Lac Majeur

7/Rhône (Prend sa source dans le massif du Saint-Gothard)

8/Genève (Palais de l'ONU)

9/Lac Léman (72 km de long, 13 de large; 58 000 hectares de superficie)

10/Château de Chillon (XIIᵉ s.)

11/Lac de Neuchâtel

12/Berne (301 000 hab. Tour de l'Horloge, au bout de la vieille rue de la Kramgassé)

LIECHTENSTEIN

13/Vaduz (4 900 hab.)

Je me le représente tirant sa diagonale de Genève à Constance et des cloches de Bâle à la forêt grisonne et tout se recommence sur la carte d'Europe avec un astre moindre, une sonnaille moindre et quelque chose en plus.

Albert Trolliet

La Suisse, ou Confédération helvétique, occupe au centre de l'Europe une position privilégiée. Malgré son relief tourmenté et grâce à des vallées transversales – comme la vallée du Rhône –, elle constitue un carrefour routier et ferroviaire. Sa neutralité en fait également un pays de rencontres internationales.

Tous pour chacun, chacun pour tous.
Maxime de la Confédération

Village de Guarda,
dans les Grisons, le plus
étendu des cantons suisses.

Alors que la petite Autriche est tout ce qui reste de l'immense Empire austro-hongrois d'avant la Première Guerre mondiale, la Suisse regroupe plusieurs régions, ou «cantons», réunis pour proclamer leur indépendance, contre l'Autriche précisément. Guillaume Tell est le symbole de cette lutte pour la liberté.

La première particularité de la Suisse est de constituer un pays très uni dans lequel on parle quatre langues : l'allemand, le français, l'italien et le romanche. Les cantons sont actuellement au nombre de 23, chacun symbolisé par un écusson que l'on reconnaît sur les voitures immatriculées CH (Confédération helvétique).

Les cantons ont une vie politique autonome. Les systèmes d'enseignement, par exemple, diffèrent d'un canton à l'autre. Mais les Suisses sont d'abord suisses.

La Suisse est également un pays dans lequel la vie sociale et associative est intense. Mais calme, l'une des devises de la Suisse étant : «Propre et en ordre».

La Suisse :
– pays sans accès à la mer qui possède pourtant une «marine suisse»;
– pays de montagnes moyennes (le Jura) et hautes (les Alpes);
– pays de grands lacs (le Léman, le lac de Zurich, le lac des Quatre-Cantons...) et de petits lacs...;
– pays des mélèzes vert tendre, des épicéas vert-bleu pré, des sommets enneigés et des sapins;
– pays où l'on protège les fleurs rares, edelweiss, gentianes, et la faune alpestre, marmottes, chamois...;
– pays du vrai gruyère (du nom de la ville de Gruyères), de la fondue, du fendant, vin blanc du pays de Vaud (Lausanne), pays des montres de précision, de l'industrie fine, du chocolat...

L'horlogerie suisse, renommée dans le monde entier, est une activité qui remonte au XVe s. – malgré la concurrence étrangère, l'industrie horlogère a un rôle important dans l'économie du pays.

Espace et population		Scolarisation	
Superficie	41 288 km²	Second degré	95 %
Population	6,37 M hab.	Troisième degré	21,2 %
Densité	154,3 hab./km²	Postes de TV	378 pour 1000 hab.
Taux de natalité	11,7 ‰	Livres publiés par an	11 806 titres
Taux de mortalité	9,2 ‰	Médecins pour 1000 hab.	2,45
Croissance annuelle	0,00 %	**Economie**	
Taux de mortalité infantile	8 ‰	Monnaie	franc suisse
Espérance de vie	76 ans		(1 fr. suisse = 3,80 FF)
Population urbaine	60,4 %	PIB	134 milliards de $
Capitale	Berne (301 000 hab.)	PIB par hab.	21 036 $
Données culturelles		Croissance annuelle du PIB	1,8 %
Langues	allemand, français, italien, romanche	Production d'énergie	6,3 millions de TEC
		Consommation d'énergie	25,3 millions de TEC
		Importations	41 039 millions de $
		Exportations	37 471 millions de $

Seillon : petit baquet pour le transport du lait.

Paysage des Alpes bernoises.
On trouve dans ce massif des sommets comme la Jungfrau (4 158 m), l'Eiger (3 974 m) et la station de ski très prisée de Grindelwald.

L'Autriche

1/Vienne (1 745 000 hab. La Hofburg a été pendant des siècles le palais impérial et la résidence des Habsbourg; édifiée du XIIIᵉ au début du XXᵉ s. Très riches collections de peinture au musée des Beaux-Arts)

2/Eisenstadt (Château des princes Esterhazy et maison du musicien Joseph Haydn, 1732-1809)

3/Graz (Grand-Place, dominée par les vestiges de la forteresse du Schlossberg, démantelée par Napoléon Iᵉʳ, sauf la tour de l'Horloge et la tour de la Cloche)

4/Klagenfurt (La fontaine du Dragon évoque la fondation légendaire de la ville par un géant vainqueur du monstre)

5/Innsbruck (Capitale administrative et intellectuelle du Tyrol, non loin du col du Brenner. Maisons dans la vieille ville; cathédrale Saint-Jacques du XVIIᵉ s., important édifice baroque)

6/Salzbourg (Dominée par la forteresse du Hohensalzburg, la cathédrale - Dom - de style baroque, XVIIIᵉ s. Maison natale de Mozart)

7/Linz (Important centre industriel. Dans les environs, abbaye de Saint-Florian, de style baroque)

L'ancienne grandeur de l'Autriche se révèle surtout à travers sa capitale, Vienne, une des plus belles villes du monde, traversée par le Danube.

L'Autriche, avant de devenir elle aussi un pays neutre, a subi bien des bouleversements : chute de l'Empire austro-hongrois en 1918, invasion par les troupes de Hitler en 1938, puis occupation par les troupes alliées. Depuis 1955, l'Autriche est une république indépendante et neutre.

Vienne est la ville des valses (les Strauss père et fils) et des grands musiciens : W.A. Mozart, né à Salzbourg en 1756, y est mort en 1791 à 35 ans; J. Haydn (1732-1809), F. Schubert (1797-1828), G. Mahler (1860-1911) et A. Schönberg, qui est, avec d'autres, à l'origine de la musique d'aujourd'hui.

Arnold Schönberg (1874-1951) ainsi que ses élèves Alban Berg (1885-1935) et Anton Webern (1883-1945) sont des compositeurs qui, avec l'«école de Vienne», ont grandement contribué à la naissance de la musique moderne. Mais on reconnaît aujourd'hui que, dans de nombreux domaines culturels (et pas seulement en musique), l'Autriche, au début de sa décadence politique, à la veille de la Première Guerre mondiale, joua un rôle de tout premier plan. Et Vienne était alors une des capitales intellectuelles de l'Europe.

Salut, terre de glaces, amante des nuages,
Terre d'hommes errants et de daims
*   en voyage,*
Terre sans oliviers, sans vignes,
*   sans moissons.*
Ils sucent un lait dur, mère,
*   tes nourrissons...*
Tu n'as rien, toi, Tyrol, ni temple
*   ni richesse,*
Ni poètes ni dieux; tu n'as rien,
*   chasseresse!*
Mais l'amour dans ton cœur
*   s'appelle du beau nom,*
*   La Liberté!...*

Alfred de Musset

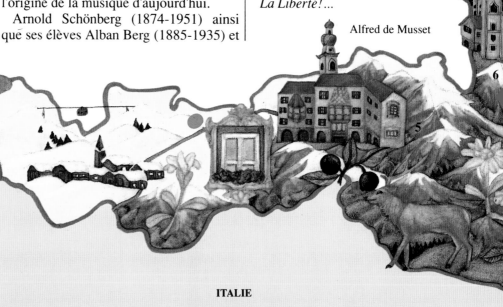

ITALIE

> *A Vienne, l'air que l'on respire est musical,*
> *et même le silence chante.*
> Jean Cocteau

Salzbourg, le château fort des princes-archevêques

Espace et population			
Superficie	83 850 km²	Postes de TV	311 pour 1000 hab.
Population	7,56 M hab.	Livres publiés par an	9 059 titres
Densité	90,2 hab./km²	Médecins pour 1000 hab.	2,27
Taux de natalité	11,4 ‰	**Economie**	
Taux de mortalité	11,4 ‰	Monnaie	schilling
Croissance annuelle	0,00 %		(1 SCH = 0,484 FF)
Taux de mortalité infantile	12 ‰	PIB	94 milliards de $
Espérance de vie	73 ans	PIB par hab.	12 434 $
Population urbaine	56,1 %	Croissance annuelle du PIB	1,9 %
Capitale	Vienne (1 745 000 hab.)	Production d'énergie	9,2 millions de TEC
Données culturelles		Consommation d'énergie	30 millions de TEC
Langues	allemand, slovène	Importations	26 851 millions de $
Scolarisation		Exportations	22 508 millions de $
Second degré	76 %		
Troisième degré	25,9 %		

Décoration en trompe-l'œil d'une ferme tyrolienne

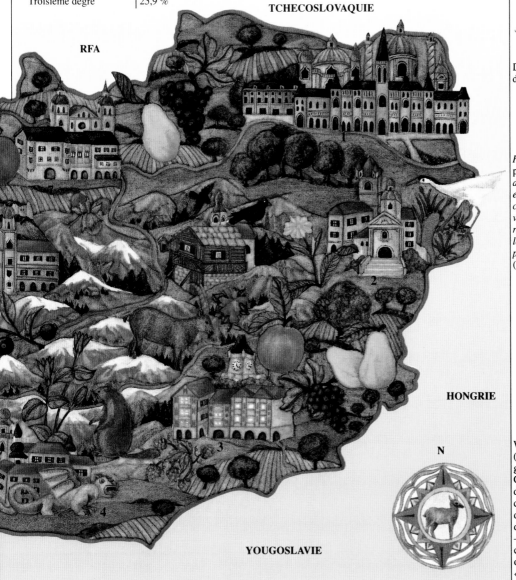

TCHECOSLOVAQUIE

RFA

HONGRIE

YOUGOSLAVIE

N

Hier, écrit Mozart à son père, *je puis vraiment le dire, j'ai été extraordinairement content du public viennois... J'ai dû tout recommencer parce que les applaudissements ne prenaient pas fin .*
(7 avril 1788)

Wolfang Amadeus Mozart (1756-1791), l'un des génies de la musique. Compositeur dès l'âge de 8 ans, il a écrit des centaines d'œuvres – de la sonate au concerto, de l'opéra à la symphonie –, souvent considérées comme parfaites, et qui lui ont valu l'appellation de «divin Mozart».

45

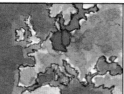

L'Allemagne de l'Ouest, l'Allemagne de l'Est

RFA

1/Lübeck (Cofondatrice de la Hanse avec Hambourg en 1241. «Holstentor», porte fortifiée aux deux imposantes tours jumelles, XVᵉ s. Eglise gothique Sainte-Marie, construite en brique)

2/Hambourg (1ᵉʳ port de RFA sur l'estuaire de l'Elbe. Eglise Sainte-Catherine, au clocher baroque couronné d'un bulbe)

3/Emden (A l'embouchure de l'Ems, port de commerce)

4/Brême (Port actif sur l'estuaire de la Weser. Place du Marché dans la vieille ville)

5/Celle (Maisons à colombages des XVIᵉ et XVIIᵉ s.)

6/Münster (Capitale historique de la Westphalie, centre universitaire. Sur le Prinzipalmarkt, maisons à pignon de la Renaissance)

7/Cologne (Ancienne Colonia Agrippina des Romains. Centre industriel; célèbre carnaval. Le Dom est la première cathédrale gothique de Rhénanie. A son pied, très intéressant Musée romain-germanique)

8/Bonn (292000 hab. Château de Poppelsdorf, XVIIIᵉ s., et maison natale de Beethoven)

9/Francfort (Métropole financière, commerciale, industrielle. Noyau ancien du Römerberg)

10/Trèves (Porta Nigra, élément de l'enceinte romaine)

11/Karlsruhe

12/Heidelberg (Ville universitaire. Château XIVᵉ-XVIIᵉ s. dominant le Neckar et le pont Vieux)

13/Cascades de Tirburg

14/Stuttgart (Industrie active : automobile, chimie, informatique)

DANEMARK

PAYS-BAS

FRANCE

TCHECOSLOVAQUIE

AUTRICHE

N

Hôtel de ville de Francfort

Toi, pays du noble et du grave génie
Toi, pays de l'amour ! Bien que je sois tien,
J'ai pleuré de rage à toujours
Te voir renier absurdement ton âme.
Mais tu ne peux me cacher tes beautés.
Souvent, dominant la tendre verdure
De tes vastes jardins je me dressais
  haut dans ton
Ciel sur la montagne claire,
  pour te contempler...

Friedrich Hölderlin

Iles de tourbe de l'extrême nord de la RFA
souvent menacée par les tempêtes de la mer du Nord

L'unité à refaire

La guerre de Trente Ans (1618-1648) avait laissé l'Allemagne divisée en trois cent cinquante Etats. Autour du royaume de Prusse, et après la guerre franco-prussienne de 1870-1871, Bismarck organise une Allemagne unifiée. En 1933, Adolf Hitler instaure une dictature brutale, appuyée sur le parti national-socialiste – d'où vient le mot «nazi». A la fin de la Seconde Guerre mondiale, l'Allemagne vaincue est partagée en deux Etats : la République fédérale d'Allemagne (Allemagne de l'Ouest) et la République démocratique allemande (l'Allemagne de l'Est). En 1961, Berlin, l'ancienne capitale, est coupée en deux par un mur : la partie occidentale de la ville appartient à la RFA, la partie orientale à la RDA.

L'ALLEMAGNE DE L'OUEST
(ou République fédérale d'Allemagne)

La Loi fondamentale du 8 mai 1949 définit l'Allemagne de l'Ouest comme une fédération *(Bund)* de dix Etats *(Länder)*, auxquels il faut ajouter Berlin-Ouest, qui a un statut spécial.

Chaque Etat *(Land)* possède son assemblée élue, son gouvernement, sa cour des comptes... Il décide seul dans plusieurs domaines : la vie culturelle, la politique énergétique, l'enseignement...

Le pouvoir fédéral a autorité pour les grandes questions de politique générale. Le pouvoir exécutif appartient au chancelier fédéral assisté de ses ministres. Les lois sont votées par un parlement composé de deux chambres :

– le *Bundestag* (ou Diète fédérale) est composé de 520 députés élus pour 4 ans au suffrage universel;

– le *Bundesrat* (ou Conseil fédéral) regroupe 45 représentants des *Länder* et de Berlin-Ouest.

Un géant économique

En 1945, l'Allemagne est en partie ruinée, son territoire est réduit, de nombreuses villes sont détruites.

Aujourd'hui, la RFA est la première puissance économique d'Europe et la

15/Fribourg
16/Neuschwanstein (Château néo-féodal, 1869)
17/Munich (Marienplatz, très riche musée de peinture : l'ancienne pinacothèque)
18/Nuremberg
19/Bayreuth (Théâtre)
20/Berlin-Ouest (Enclave en RDA)

RDA
21/Erfurt (Ancien couvent des Augustins où vécut Luther)
22/Dresde (Rasée par les bombardements alliés de février 1945, qui firent quelque 250 000 victimes)
23/Leipzig (Centre industriel et universitaire. Hôtel de ville du XVIᵉ s.)
24/Potsdam
25/Berlin-Est
(1 215 600 hab.)
26/Rostock (1ᵉʳ port de la RDA et foyer d'industries)

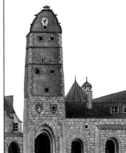

Dinkelsbühl (Bavière, RFA), clocher roman de l'église Saint-Georges

Chapelle à triple abside de San Bartholomä, sur les bords du lac de Königssee (Bavière, sud de la RFA)

L'âme de l'homme ressemble à l'eau : elle vient du ciel,
elle monte au ciel, et sans trêve ni repos
il lui faut retomber à terre,
cycle éternel.
Goethe

Dresde (Saxe, RDA)

quatrième dans le monde. Son industrie est puissante; sa monnaie, le deutsche Mark, compte parmi les plus fortes du monde; ses exportations en font l'un des tout premiers pays commerçants. Ce redressement spectaculaire a été appelé le «miracle allemand».

Eglises et châteaux

Pour le voyageur curieux, l'Allemagne foisonne d'églises baroques et de châteaux fantastiques : tels ceux de Louis II de Bavière (1852-1886) inspirés des légendes allemandes et des opéras de Wagner dont il fut le protecteur et l'admirateur passionné.

Mainau, résidence en plein lac des Chevaliers teutons, Heiligenberg, qui surplombe les collines de Souabe, Linderhoh, Neuschwanstein, Chiemsee, étonnantes créations tardives de l'esprit dégénéré de Louis II...

Joseph Rovan

Maisons à colombages
de Wernigerode
(Saxe-Anhalt, RDA)

Il existe, en Allemagne, une grande variété de pains, le plus souvent à base de seigle. Chaque région a ses préférences dans la composition et dans la forme.

L'ALLEMAGNE DE L'EST (ou République démocratique allemande)

La République démocratique allemande est la cinquième puissance industrielle d'Europe et la deuxième du groupe socialiste, après l'Union soviétique. Citons la ville de Leipzig, où vécut Jean-Sébastien Bach, où le philosophe Leibniz naquit en 1646, et qui abrite actuellement la plus importante université de RDA.

Pays fortement industrialisé, la République démocratique allemande est réputée pour la qualité des produits de ses entreprises de mécanique de précision, et entre autres d'optique. Le système éducatif y est l'un des plus remarquablement organisés de toute l'Europe. Et l'on connaît l'exceptionnelle réussite de ses sportifs en natation, athlétisme, aux diverses compétitions mondiales et aux jeux Olympiques.

Depuis quelques années, les relations politiques, économiques et culturelles entre les deux Allemagnes, tout en constituant toujours une source de problèmes humains et familiaux, se sont quelque peu améliorées.

O Allemagne, comme tu es déchirée,
Et tu n'es pas seule chez toi!
Dans les ténèbres, dans le froid.
Chacune veut oublier l'autre.
Tu aurais de si belles plaines
Et tant de villes bien vivantes;
Si tu te fiais à toi-même,
Tout ne serait qu'un jeu d'enfant.

Bertolt Brecht

	RFA	RDA
Espace et population		
Superficie	249 147 km²	108 178 km²
Population	61 M hab.	16,62 M hab.
Densité	244,4 hab./km²	153,6 hab./km²
Taux de natalité	10 ‰	13,4 ‰
Taux de mortalité	12 ‰	13,4 ‰
Croissance annuelle	-0,2 %	–0,1 %
Taux de mortalité infantile	10 ‰	11 ‰
Espérance de vie	74 ans	72,7 ans
Population urbaine	86,1 %	76,6 %
Capitale	Bonn (292 000 hab.)	Berlin (1 215 600 hab.)
Données culturelles		
Langue	allemand	allemand
Scolarisation		
Second degré	100 %	87 %
Troisième degré	29,1 %	30,3 %
Postes de TV	378 pour 1000 hab.	365 pour 1000 hab.
Livres publiés par an	11 806 titres	7 794 titres
Médecins pour 1000 hab.	2,45	3
Economie		
Monnaie	Mark (1 DM = 3,34 FF)	Ostmark (1 DMDR = 3,396 FF)
PIB	897 milliards de $	82,1 milliards de $
PIB par hab.	14 737 $	4 946 $
Croissance annuelle du PIB	2,4 % (1,4 % pour 1979-1986)	4,4 %
Dette extérieure	8 milliards de $	
Production d'énergie	171 millions de TEC	101,3 millions de TEC
Consommation d'énergie	357,6 millions de TEC	129,3 millions de TEC
Importations	191 071 millions de $	24 440 millions de $
Exportations	243 327 millions de $	24 810 millions de $

La Pologne, la Tchécoslovaquie, la Hongrie

Malgré ce passé tumultueux de vaisseau-fantôme, c'est aujourd'hui un navire à l'ancre que le voyageur découvrira au bout de son trajet vers la Pologne. Par 54° 50' de latitude nord et 24° 08' de longitude est, il y trouvera même – s'il le trouve – un point fixe : le centre géométrique de l'Europe. Selon les jours, on lui montrera une petite colonne à Varsovie, ou un arbre à Bielany et on lui dira : « Ici, kilomètre zéro, l'axe de l'Europe.» Quand un pays se déplace de 200 km d'un coup, on ne sait plus très bien, il faut le dire, où se trouve ce fameux kilomètre zéro. On le trouvera certainement un jour, et on lui fera un joli poteau indicateur, que les touristes consciencieux viendront admirer.

Eva Fournier

Une ferme en Mazurie

LA POLOGNE

Les premiers Polonais se nommaient les « polanes », habitants des *pola*, les champs.

En 960, la Pologne devient un royaume, déjà « coincé » entre les « Germains » à l'ouest et les « Slaves » à l'est. De tout temps, la Pologne fut sans cesse partagée, déchirée, envahie.

Après la Seconde Guerre mondiale, la Pologne, qui avait été envahie en 1939 à l'ouest par les Allemands et à l'est par les Soviétiques, renaît de ses cendres. Varsovie, la capitale, est reconstruite pierre à pierre, comme autrefois.

Ajoutons que la Pologne a connu ces dernières années de profonds mouvements sociaux et politiques, sous l'impulsion, en particulier, du syndicat Solidarité dont l'origine se situe dans les chantiers navals de Gdansk (ancienne Dantzig). Son leader, Lech Walesa, obtint le prix Nobel de la paix en 1983.

La religion

Pays de langue slave – s'écrivant en caractères latins, à la différence du russe –, la Pologne est un pays catholique.

Dans la langue polonaise, « miracle » rime avec « peuple » (…) La Résurrection, l'Indépendance, n'était-ce pas un miracle? Dieu lui-même semble nous encourager. Comme en réponse au slogan du parti, « Le Polonais réussit », il montre du doigt Wadowice*. Devenir pape? Un Polonais le réussit.

Kazimierz Brandys

*Petite ville aux environs de Cracovie, lieu de naissance de Jean-Paul II.

Le cardinal-poète Karol Wojtyla incarne bien la foi des Polonais. C'est lui qui, sous le nom de Jean-Paul II, devint pape le 18 octobre 1978.

Forêt de Bialowieza (réserve de bisons)

Les paysages

Au nord de la Pologne, la Mazurie est surnommée « région des 1 000 lacs ». En fait, il y en a 2 700, qui se touchent. On peut passer de l'un à l'autre en bateau au milieu des bouleaux.

A la frontière de l'URSS et de la Pologne se trouve la plus vaste forêt européenne, la forêt de Bialowieza. Les derniers bisons d'Europe y galopent, ainsi que de petits chevaux sauvages, les tarpans.

Malbork, ancienne capitale des chevaliers Teutoniques

Nicolas Copernic (1473-1553)

Frédéric Chopin (1810-1849)

Varsovie (la tour de l'Horloge)

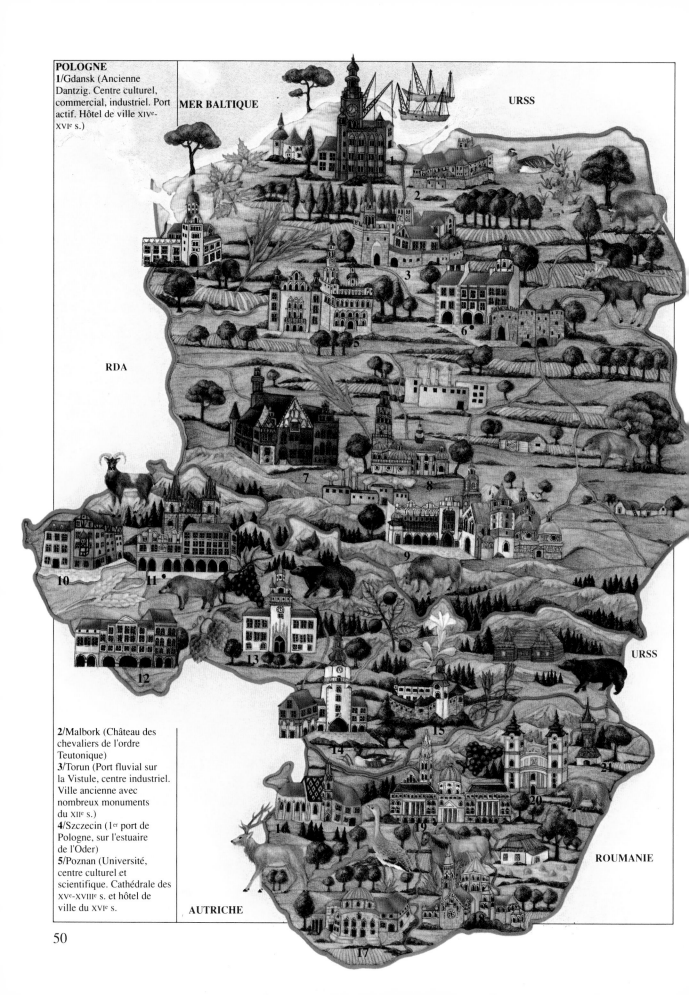

POLOGNE
1/Gdansk (Ancienne Dantzig. Centre culturel, commercial, industriel. Port actif. Hôtel de ville XIVe-XVIe s.)

MER BALTIQUE

URSS

RDA

2/Malbork (Château des chevaliers de l'ordre Teutonique)
3/Torun (Port fluvial sur la Vistule, centre industriel. Ville ancienne avec nombreux monuments du XIIe s.)
4/Szczecin (1er port de Pologne, sur l'estuaire de l'Oder)
5/Poznan (Université, centre culturel et scientifique. Cathédrale des XVe-XVIIIe s. et hôtel de ville du XVIe s.

URSS

ROUMANIE

AUTRICHE

50

Prague : le pont Charles

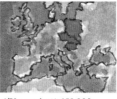

LA TCHECOSLOVAQUIE

Longtemps intégrés à l'Empire austro-hongrois, les Slaves de Bohême et de Slovaquie constituent un Etat indépendant en 1918. La Tchécoslovaquie devient démocratie populaire après la dernière guerre.

La Bohême et la Moravie

Région de plateaux, de forêts et de plaines, la Bohême est traversée par la Vltava (la Moldau, en allemand).

Pays de musique (le *Don Giovanni* de Mozart a été créé à Prague), la Bohême a également vu naître Anton Dvorak (1841-1904) et Leos Janacek (1854-1928), ainsi que de nombreux poètes :

Violon, violon ouvre la danse
Mon amoureuse est là
Elle penche sa tête sur moi
Ses cheveux sentent la camomille
Elle les a rincés dans la prairie...

Miroslav Florian

Prague

La capitale de la Tchécoslovaquie est une des plus belles villes d'Europe. Située sur la rivière Vltava, elle est dominée par le palais Hradcany, siège du gouvernement. On y voit de nombreuses églises baroques et le fameux pont Charles, orné de statues monumentales. De grands écrivains, Franz Kafka, Rainer Maria Rilke, sont nés à Prague.

La Slovaquie

Région de montagnes (les Tatras) et plaine du Danube où s'élève la ville de Bratislava (anciennement Presbourg).

Maisons hongroises dans la puszta (vastes étendues où l'on élève des chevaux)

LA HONGRIE

Durant des siècles, la Hongrie a lutté pour son indépendance, contre les Turcs d'abord, puis contre les Autrichiens.

Royaume indépendant après la Première Guerre mondiale, la Hongrie devint une démocratie populaire après la Seconde.

La «puszta»

Les cent mille hectares de la puszta (prononcez «pousta» et comprenez «nu, vide, néant») de Hortobagy ne sont devenus désertiques que parce que les Tartares rasèrent en 1242 ses douze villages et, de leurs églises, ne laissèrent que des monticules de terre recouvrant leurs assises. Et si le regard se perd ici dans un infini horizontal, c'est parce que les Turcs, ensuite, abattirent les forêts et qu'elles ne repoussèrent jamais.

Georges Aranyossy

Une mer intérieure

Le lac Balaton est le lac d'Europe le plus vaste – 80 km de long sur 15 de large. C'est certainement aussi le moins profond : on y a pied partout. Et le plus chaud. D'où les stations thermales et balnéaires qui le bordent.

6/**Varsovie** (1 659 000 hab. Place du Marché, la Barbacane. Dans le «ghetto» furent isolés les Juifs, dont 500000 furent exterminés de 1942 à 1945 par les hitlériens)
7/**Wroclaw** (Centre industriel, commercial, universitaire)
8/**Czestochowa** (Lieu sacré pour les catholiques polonais : ils s'y rendent en pèlerinage adorer la Vierge noire)
9/**Cracovie** (Halle aux Draps. Cathédrale de Wawel)

TCHECOSLOVAQUIE
10/**Cheb**
11/**Prague** (1 193 000 hab. Centre industriel important. Nombreux monuments gothiques et baroques. Basilique romane Saint-Georges)
12/**Ceské Budejovice** (Place du Marché)
13/**Brno** (Non loin se déroula, en 1805, la bataille d'Austerlitz)
14/**Bratislava** (Tour Saint-Michel)
15/**Bauska Stiavnica**

HONGRIE
16/**Sopron** (Place de la Cathédrale et maisons des XVIe-XVIIe s.)
17/**Pecs** (Anciennes mosquées turques)
18/**Szeged** (Ancienne capitale des Huns, actuelle capitale du paprika)
19/**Budapest** (2 076 000 hab. Sur une colline dominant le Danube, le château de Buda. Résidence royale jusqu'en 1944 et aujourd'hui centre culturel – édifié du XVe au XIXe s.)
20/**Eger** (et ses vins)
21/**Zsurk**

*Les montagnes ne bougent pas,
mais les hommes bougent*
Proverbe tzigane

Rue de Sarköz (Hongrie)

Décor de fenêtre en bois gravé des chalets, dits de style «Zakopane» (Pologne)

Rochers du «Paradis de Bohême» (Tchécoslovaquie)

Budapest

La capitale de la Hongrie est, en réalité, formée de deux agglomérations, Buda et Pest, séparées par le Danube. La ville comporte de nombreux monuments qui datent pour la plupart de l'époque où la Hongrie était une partie de l'Empire austro-hongrois.

Les tziganes

Nom hongrois, de ceux qu'on appelle aussi romanichels, gitans. Venus du nord-ouest de l'Inde, vers la fin du XIIIe siècle, beaucoup vivent en Hongrie et en Roumanie, mais la plupart courent le monde. Ils ont conservé leurs coutumes, leur musique et leurs danses.

	POLOGNE	TCHECOSLOVAQUIE	HONGRIE
Espace et population			
Superficie	312677 km²	127 880 km²	93 030 km²
Population	37,46 M hab.	15,53 M hab.	10,63 M hab.
Densité	120 hab./km²	121,4 hab./km²	114,3 hab./km²
Taux de natalité	16,9 ‰	14,2 ‰	12,1 ‰
Taux de mortalité	10 ‰	11,8 ‰	13,8 ‰
Croissance annuelle	0,9 %	0,2 %	-0,1 %
Taux de mortalité infantile	19 ‰	16 ‰	20 ‰
Espérance de vie	72 ans	71 ans	70 ans
Population urbaine	60,2 %	74,3 %	56,8 %
Capitale	Varsovie	Prague	Budapest
	(1 659 400 hab.)	(1 193 500 hab.)	(2 076 000 hab.)
Données culturelles			
Langues	polonais	tchèque, slovaque	hongrois
Scolarisation			
Second degré	77 %	42 %	73 %
Troisième degré	15,9 %	15,9 %	15,2 %
Postes de TV	254 pour 1 000 hab.	282 pour 1 000 hab.	274 pour 1 000 hab.
Livres publiés par an	9 649 titres	6 956 titres	9 389 titres
Médecins pour 1 000 hab.	2,4	3,6	3,2
Economie			
Monnaie	zloty	couronne	forint
	(1 zl = 0,019 FF)	(1 c = 1,11 FF)	(1 Fo = 0,127 FF)
PIB	78 milliards de $	85,9 milliards de $	20,72 milliards de $
PIB par hab	2 120 $	5 550 $	1 940 $
Croissance annuelle du PIB	0,2 %	2,1 %	0,5 %
Dette extérieure	33,5 milliards de $	2 milliards de $	7,8 milliards de $
Production d'énergie	191 millions de TEC	67,4 millions de TEC	22,7 million de TEC
Consommation d'énergie	183,9 millions de TEC	96,6 millions de TEC	40,9 millions de TEC
Importations	11 700 millions de $	21 200 millions de $	9 599 millions de $
Exportations	12 230 millions de $	20 350 millions de $	9 165 millions de $

Sur un monticule escarpé, la château médiéval de Sümeg, une des forteresses de Transdanubie. Les danses villageoises et les chants folkloriques ont inspiré et enrichi l'œuvre du grand compositeur hongrois Béla Bartok (1881-1945).

La Yougoslavie, la Roumanie, la Bulgarie, l'Albanie

LA YOUGOSLAVIE

Le pays géographiquement le plus compliqué d'Europe; il comprend six républiques :

- la Slovénie, capitale Ljubljana;
- la Croatie, capitale Zagreb;
- la Bosnie-Herzégovine, capitale Sarajevo;
- la Serbie, capitale Belgrade;
- le Monténégro, capitale Titograd;
- la Macédoine, capitale Skopje.

Un Etat de vingt-trois millions d'habitants; deux alphabets (latin et cyrillique), trois religions (catholique, orthodoxe, musulmane), quatre langues slaves (serbe, croate, slovène, macédonien) et une bonne dizaine de minorités nationales...

L'ensemble forme une république fédérale socialiste, indépendante de l'URSS, appartenant aux «pays non alignés».

Sur le tranchant d'une crête
Le soleil commence à danser.
Les petites jambes timides de l'été
  sortent
De la petite jupe bariolée du printemps.

Aleksandar V. Djordjevitch

LA ROUMANIE

Un pays latin dans le monde slave.

Descendants des Daces, colonisés par les Romains (qui envoyèrent leur poète Ovide mourir en exil sur les bords de la mer Noire), les Roumains eurent à lutter contre les Turcs, puis les Autrichiens.

On sait que les Roumains mangent du paîne, *de la* carne, *des* legume, *des* fructe, *qu'ils boivent du* vin, *qu'en Roumanie, ce Portugal oriental, un homme est un* om, *un monsieur un* domm, *et une dame une* doama.

Michel Louyot

Dubrovnik, port et ville pittoresque de la côte dalmate, en Yougoslavie, très appréciée par les touristes.

Dans une petite église, un petit saint est grand.
Proverbe slovène

Eglise recouverte d'écailles de bois

Monastère de Sucevita, en Moldavie (région du nord-est de la Roumanie). Construit en 1585, on y trouve un mélange d'influences occidentales et orientales, notamment dans la décoration peinte.

53

YOUGOSLAVIE
1/Ljubljana (Slovénie. Cathédrale Saint-Nicolas, XVIe s.)
2/Pula (Centre industriel et touristique. Amphithéâtre romain)
3/Zagreb (Croatie. Ville industrielle, commerciale, universitaire)
4/Ours brun
5/Mouflon
6/Belgrade (Serbie. 1 500 000 hab. Au confluent de la Save et du Danube. Port fluvial, centre industriel. Parlement yougoslave et église Saint-Marc)
7/Sarajevo (Bosnie-Herzégovine. Mosquée d'origine turque d'Husref Bey et son élégant minaret)
8/Split (Ancienne Spalatum romaine)
9/Mostar (Pont du XVIe s.)
10/Dubrovnik (Dalmatie. Remparts protégeant la ville et le port. Fort Saint-Jean)
11/Monastère de Pristina
12/Sanglier
13/Skopje (Autrefois une des plus importantes bases turques des Balkans. Pont de pierre de Dusan sur le Vardar. Mosquée Mustafa Pasina et tour Sahat-Kula)
14/Monastère d'Ohrid (Macédoine. Très belles fresques byzantines)
15/Lynx
16/Stobi

ALBANIE
17/Shkodër (Autrefois important centre religieux catholique, orthodoxe, musulman)
18/Tirana (198 000 hab. Mosquées)
19/Berat

ROUMANIE
20/Cimetière de Sapinta
21/Baia Mare (Centre industriel. Sources minérales)
22/Monastère de Sucevita
23/Iasi (Monastère du XIIIe s.)
24/Monts Bucegi (2 507 m)
25/Brasov (Hôtel de ville du XVe s.)
26/Delta du Danube (Héron cendré, pélican)
27/Vestiges grecs et romains d'Istria
28/Constanta (Fondée par des colons grecs, au VIe s. av.J.-C. Centre industriel et station balnéaire)
29/Adamclisi (Monument élevé par l'empereur Trajan)
30/Bucarest (1 900 000 hab. Nombreux monuments des XVe, XVIe et XVIIe s.)
31/Tîrgoviste
32/Sibiu
33/Chamois
34/Timisoara (Château XIVe-XIXe s.)
35/Cerf
36/Monastère de Curtea de Arges
37/Craiova

AUTRICHE

HONGRIE

MER ADRIATIQUE

N

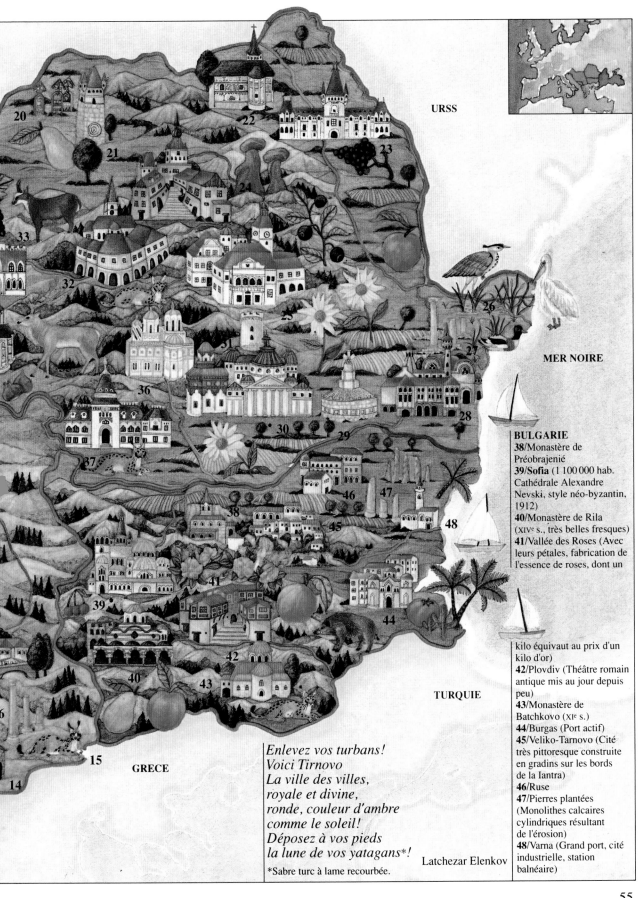

URSS

MER NOIRE

BULGARIE
38/Monastère de
Préobrajenié
39/**Sofia** (1 100 000 hab.
Cathédrale Alexandre
Nevski, style néo-byzantin,
1912)
40/Monastère de Rila
(XIVe s., très belles fresques)
41/Vallée des Roses (Avec
leurs pétales, fabrication de
l'essence de roses, dont un

kilo équivaut au prix d'un
kilo d'or)
42/Plovdiv (Théâtre romain
antique mis au jour depuis
peu)
43/Monastère de
Batchkovo (XIe s.)
44/Burgas (Port actif)
45/Veliko-Tarnovo (Cité
très pittoresque construite
en gradins sur les bords
de la Iantra)
46/Ruse
47/Pierres plantées
(Monolithes calcaires
cylindriques résultant
de l'érosion)
48/Varna (Grand port, cité
industrielle, station
balnéaire)

TURQUIE

GRECE

Enlevez vos turbans!
Voici Tirnovo
La ville des villes,
royale et divine,
ronde, couleur d'ambre
comme le soleil!
Déposez à vos pieds
la lune de vos yatagans*!

*Sabre turc à lame recourbée.

Latchezar Elenkov

55

Veliko Tarnovo
(Bulgarie centrale)

Les maisons de Tarnovo sont accrochées le long des falaises qui dominent la rivière Jantra.

Maison de style «renaissance nationale» de Koprivshtitsa (Bulgarie)

Maison «à placard» de bois. (Albanie)

LA BULGARIE

Ancien royaume devenu démocratie populaire après la Seconde Guerre mondiale, la Bulgarie s'est industrialisée à partir de 1948 selon le modèle soviétique, accordant la priorité aux industries lourdes, en particulier les aciéries et les constructions mécaniques. Les quatre activités essentielles de l'agriculture bulgare sont la production de coton, de tabac ainsi que la viticulture et l'élevage.

Le pays de la rose

Les Bulgares, à la campagne aussi bien qu'à la ville, sont restés très attachés à leurs coutumes. Chaque région a ses costumes, ses danses qui célèbrent la fertilité, les moissons, les vendanges, etc.

A Kazanlak, dans la vallée des Roses, a lieu chaque année, entre le 15 mai et le 15 juin, le festival de la rose. Cette fleur, avec laquelle on fabrique des confitures, des loukoums, des parfums, est devenue l'un des symboles de la Bulgarie.

L'ALBANIE, ou le «pays des aigles»

Ce tout petit pays de montagnes et de mers, recouvert pour plus d'un tiers de sa surface par des forêts, est une démocratie populaire.

Gouvernée de 1945 à 1985 par Enver Hodja, l'Albanie, aujourd'hui sans religion officielle, est un pays de tradition musulmane.

Citadelle de Gjirokaster (XIIIᵉ-XIIIᵉ siècle), dans le sud de l'Albanie

Espace et population	YOUGOSLAVIE	ALBANIE	ROUMANIE	BULGARIE
Superficie	255804 km²	28748 km²	237500 km²	110912 km²
Population	23,3 M hab.	3,02 M hab.	23,18 M hab.	8,98 M hab.
Densité	91 hab./km²	105,1 hab./km²	97,6 hab./km²	81 hab./km²
Taux de natalité	15,4 ‰	26,2 ‰	16 ‰	13 ‰
Taux de mortalité	9,1 ‰	5,8 ‰	11 ‰	12 ‰
Croissance annuelle	0,7 %	2,1 %	0,7 %	0,2 %
Taux de mortalité infantile	30 ‰	45 ‰	26 ‰	18 ‰
Espérance de vie	70 ans	71 ans	71 ans	72 ans
Population urbaine	46,3 %	33,8 %	51 %	68 %
Capitale	Belgrade (1 500 000 hab.)	Tirana (198 000 hab.)	Bucarest (1 900 000 hab.)	Sofia (1 100 000 hab.)
Données culturelles				
Langues	serbo-croate, slovène	albanais	roumain	bulgare
Scolarisation				
Second degré	82 %	63 %	73 %	90 %
Troisième degré	20,2 %	7 %	11,7 %	16,8 %
Postes de TV	211 pour 1000 hab.	69 pour 1000 hab.	171 pour 1000 hab.	190 pour 1000 hab.
Livres publiés par an	10 918 titres	1 130 titres	5276 titres	5171 titres
Médecins pour 1 000 hab.	1,5	1,39	2,1	3,5
Economie				
Monnaie	dinar (1 din = 0,006 FF)	lek (1 lek = 2,38 FF)	leu (1 leu = 0,41 FF)	lev (1 lev = 7,89 FF)
PIB	41,7 milliards de $	1,93 milliard de $	39,7 milliards de $	25,04 milliards de $
PIB par hab	1804 $	950 $	1738 $	2793 $
Croissance annuelle du PIB	3,6 %	2,8 %	7,3 %	5,5 %
Dette extérieure	19,38 milliards de $		5,8 milliards de $	1 milliard de $
Production d'énergie	34,6 millions de TEC	7,39 millions de TEC	92,33 millions de TEC	20,07 millions de TEC
Consommation d'énergie	54,6 millions de TEC	4,43 millions de TEC	106,15 millions de TEC	50,98 millions de TEC
Importations	11 800 millions de $	312 millions de $	11410 millions de $	15 060 millions de $
Exportations	10 400 millions de $	305 millions de $	12 190 millions de $	14 240 millions de $

La Grèce

Les Anciens

Les anciens Grecs, cinq ou six siècles avant J.-C., ont découvert l'arithmétique et la géométrie, et ont développé quelques-unes des valeurs essentielles du monde occidental :

– la démocratie, forme de gouvernement adopté principalement à Athènes, dans laquelle les hommes du peuple participent aux décisions politiques et à l'administration de la cité. Ils sont alors

Ulysse méditait devant la mer déserte…
Homère

« citoyens ». Les esclaves, très nombreux, n'étaient pas citoyens ;

– la philosophie, recherche et amour de la sagesse. Des Grecs comme Platon, disciple de Socrate, ou Aristote, ont beaucoup réfléchi et beaucoup écrit sur la morale et la place de l'homme dans le monde ;

– le théâtre. Tragédies et comédies étaient représentées en plein air, dans de grands théâtres pouvant parfois contenir plus de 5 000 spectateurs;

– le sport. Tous les quatre ans, depuis 776 avant J.-C., les Grecs organisaient des compétitions sportives, appelées jeux Olympiques parce qu'elles se déroulaient

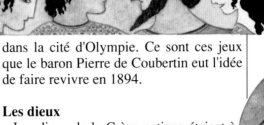

dans la cité d'Olympie. Ce sont ces jeux que le baron Pierre de Coubertin eut l'idée de faire revivre en 1894.

Les dieux

Les dieux de la Grèce antique étaient à l'image des hommes et intervenaient souvent dans leur vie : Zeus (Jupiter, pour les Romains), « père des dieux et des hommes » selon Homère, Apollon, dieu de la lumière et de la raison, Aphrodite (Vénus), déesse de l'amour et de la fertilité, Hermès (Mercure), dieu du commerce et des voyageurs, Athéna (Minerve), déesse de la guerre, mais aussi de la raison, qui donna son nom à Athènes.

Athènes

La capitale conserve sur l'Acropole des monuments prestigieux – le Parthénon –, mais la pollution de l'air et l'afflux des touristes dégradent ces pierres illustres.

La religion

Les Grecs pratiquent aujourd'hui la religion chrétienne orthodoxe; leurs prêtres sont des « popes », que l'on reconnaît à leur robe noire, leur calotte et leur grande barbe. Les monastères sont souvent retirés au sommet de montagnes très escarpées, dans le nord du pays surtout, comme au mont Athos.

De gauche à droite :
Apollon, Hermès, Zeus, Aphrodite, Athéna.

Je me retrouve maintenant tous les matins sur les hauteurs de l'isthme de Corinthe, et mon âme, comme l'abeille parmi les fleurs, vole souvent de-ci de-là entre les mers qui, à droite et à gauche, baignent de fraîcheur le pied de mes montagnes brûlantes.

Hölderlin

Paysage de la Grèce. La montagne est toute proche de la mer. Villages aux maisons d'un blanc éclatant. Cyprès et oliviers, sécheresse des collines.

1/Thessalonique ou Salonique (Grande ville, port important. Eglise Sainte-Sophie, sans doute du VIIIᵉ s.)
2/Mont Athos (Depuis le Xᵉ s., constitue une sorte de principauté monastique orthodoxe; quelque 1500 moines y vivent dans une vingtaine de monastères)
3/Les Météores (Une «forêt de rochers» de grès sur lesquels, dès le XIVᵉ s., sont fondés plusieurs monastères)
4/Corfou (Ile des Phéaciens de l'*Odyssée* où Ulysse rencontre Nausicaa)
5/Leucade
6/Delphes (Dans l'Antiquité, sanctuaire d'Apollon, où le dieu, par l'intermédiaire de la Pythie et des prêtres, rendait ses oracles)
7/**Athènes** (1 000 000 hab. Temples construits sur l'Acropole, notamment le Parthénon)
8/Céphalonie (La plus grande des îles Ioniennes)
9/Corinthe (Temple d'Apollon et nombreux vestiges antiques)
10/Epidaure (Théâtre grec antique d'une grande beauté)
11/Zante
12/Olympie (Tous les 4 ans s'y déroulaient les jeux Olympiques, en l'honneur de Zeus)
13/Mycènes (Porte des Lionnes, XIVᵉ-XIIIᵉ s. av. J.-C.)
14/Mistra
15/Cythère
16/Hêraklion (Crète. Enceinte vénitienne XVIᵉ-XVIIᵉ s.)
17/Krista
18/Karpathos
19/Rhodes
20/Cyclades (Iles)
21/Naxos
22/Délos
23/Mykonos
24/Lesbos
25/Sporades (Iles)

BULGARIE

ALBANIE

GOLFE DE SALONIQUE

MER IONIENNE

N

MER MEDITERRANEE

TURQUIE

TURQUIE

MER EGEE

MER DE CRETE

Un village en Grèce

Nos maisons sont bâties
  sur d'autres maisons
  en marbre et bien droites,
et celles-ci le sont sur d'autres.
  Leurs fondations reposent
  sur des têtes de statues
  debout et sans mains.
Ainsi, dans la plaine,
  sous les oliviers,
  aussi bas que soient
  abritées nos chaumières,
étroites, enfumées, une seule cruche
  près de la porte,
tu crois habiter tout en haut
  et à l'entour le vent t'éclaire,
ou bien tu crois vivre
  en dehors des maisons, n'avoir
aucune maison, et tu marches nu,
solitaire, sous un ciel d'un bleu
  ou d'un blanc effrayant,
et une statue, parfois,
  pose légèrement la main sur
ton épaule.

Yannis Ritsos

La porte aux lions à
Mycènes

*Quel est l'être qui a
quatre pieds le matin,
deux à midi, et trois le
soir?*
*L'homme. Il marche à
quatre pattes quand il est
tout enfant, sur deux pieds
quand il est adulte, et
avec une canne quand il
est vieux.*

L'énigme du sphinx

Mer et montagnes

La Grèce est un pays très montagneux, même si ses montagnes s'appellent des îles. Les chèvres courent parmi les oliviers et les figuiers sauvages. Des rangées de cyprès se dressent sur les collines pour arrêter le vent. Les orangers et les citronniers poussent sur les terres les plus fertiles.

La mer est toujours présente dans ce pays de navigateurs aux innombrables îles. Certaines îles, comme Ithaque, la patrie d'Ulysse et de Pénélope, ne sont plus peuplées que de femmes, d'enfants et de vieillards. Les hommes travaillent en mer, ou bien ont émigré au loin, et envoient de l'argent au foyer.

De nombreuses vallées et de petites plaines compartimentent le pays en autant de régions dont l'isolement relatif explique la naissance et le développement des cités autonomes, très souvent en guerre les unes contre les autres dans l'Antiquité. Et le touriste d'aujourd'hui, malgré la mer, le ciel bleu et le soleil, découvre avec étonnement la variété et le charme de paysages uniques au monde.

L'Etat grec

Les cités ont été successivement dominées par les empires hellénistique, romain, byzantin et ottoman. L'unité grecque n'apparaît qu'au XIXᵉ siècle avec la création d'un Etat libre et indépendant : après avoir subi plusieurs régimes autoritaires, la Grèce est proclamée République en 1973, revient à la démocratie en 1974 et entre dans la Communauté économique européenne en 1980.

Certains plats grecs sont délicieux : *taramosalata* (crème d'œufs de poisson), *keftédès* (boulettes de viande), *dolmadakia* (feuilles de vigne farcies), *souvlakia* (brochettes), *arni souvlas* (agneaux à la broche).

Branches d'oranger et de citronnier

Douces colonnes, aux
Chapeaux garnis de jour
Ornés de vrais oiseaux
Qui marchent sur le tour.
Paul Valéry

Espace et population	
Superficie	131944 km²
Population	9,99 M hab.
Densité	75,7 hab./km²
Taux de natalité	11,3 ‰
Taux de mortalité	9,2 ‰
Croissance annuelle	0,6 %
Taux de mortalité infantile	17 ‰
Espérance de vie	74 ans
Population urbaine	65,9 %
Capitale	Athènes (1 000 000 hab.)
Données culturelles	
Langue	grèc

Analphabètes	7,7 %
Scolarisation	
Second degré	85 %
Troisième degré	17,7 %
Postes de TV	178 pour 1 000 hab.
Livres publiés par an	4048 titres
Médecins pour 1000 hab.	2,55
Economie	
Monnaie	drachme
	(1 drachme = 0,05 FF)
PIB	39,1 milliards de $
PIB par hab.	3 914 $
Croissance annuelle du PIB	1 %
Dette extérieure	18,64 milliards de $
Production d'énergie	8,6 millions de TEC
Consommation d'énergie	22,2 millions de TEC
Importations	11339 millions de $
Exportations	5644 millions de $

Panorama d'Athènes : les colonnes du temple de Zeus olympien et, sur la colline de l'Acropole, le Parthénon

L'URSS

Une terre poignante,
une terre qui danse et chante
Et sait vivre et sait mourir.

Volga, fleuve d'un poème
de milliers d'ans,
Berçant de steppe cent patries,
Maternelle mer du monde entier.

Porteurs de pain, loqueteux merveilleux,
Ce n'est plus une patrie, c'est un chant
De gel, de vent, de neige, de courage.

Armand Robin

L'UNION DES RÉPUBLIQUES SOCIALISTES SOVIÉTIQUES

L'URSS est quarante fois plus grande que la France, et deux fois et demie plus grande que les Etats-Unis. C'est l'Etat le plus vaste du monde.

Un quart du pays est situé en Europe; c'est une grande plaine qui s'étend à l'est jusqu'à l'Oural, au sud jusqu'aux monts du Caucase. Le reste appartient à l'Asie et comprend la vaste plaine de Sibérie occidentale, les chaînes montagneuses de Sibérie orientale et de l'Extrême-Orient soviétique, et l'Asie centrale soviétique, semi-désertique.

Composée de quinze républiques, l'URSS possède des frontières avec douze pays et touche le Grand Nord. Plus de cent peuples y cohabitent, dont les Ukrainiens, les Géorgiens, les Arméniens, les Mongols, les Chinois de religion musulmane.

Après quatre ans de guerre mondiale, suivis de quatre ans de guerre civile, l'ancien empire des tsars devint le 30 décembre 1922 l'Union soviétique, union de quinze républiques socialistes soviétiques (URSS).

Le communisme

En 1917, après la révolution d'Octobre, les partisans de Lénine – les bolcheviks – avaient pris le pouvoir. Ils se réclamaient du communisme, doctrine exposée au milieu du XIXᵉ siècle par les Allemands Marx et Engels.

Ouvriers, paysans et soldats de l'armée Rouge élisaient des délégués au Soviet, nom donné par la suite au parlement.

Longtemps fermée au reste de l'Europe, l'URSS s'ouvre progressivement, et les échanges économiques et surtout culturels avec l'Europe de l'Ouest et le reste du monde se développent progressivement. Il semble même que, sous l'impulsion d'un nouveau dirigeant, Gorbatchev, commence une transformation profonde des structures économiques et politiques de cet immense pays.

Le 1er mai, la foule se rassemble sur la place Rouge, à Moscou, pour la fête du Travail et du Printemps.

Icône à l'image du Christ et de la Vierge, caractéristique du rite chrétien oriental (orthodoxe)

Sur l'île de Kiji (lac Onega, près de Leningrad), les religieuses de l'un des monastères se rendant aux champs. Dans cette île, ensemble exceptionnel d'architecture en bois du XVIIIᵉ s., en particulier l'église de la Transfiguration et ses 22 coupoles.

OCEAN GLACIAL ARCTIQUE

MER DU NORD

FINLANDE

POLOGNE

MER NOIRE

TURQUIE

MER CASPIENNE

IRAN

MER D'ARAL

N

AFGHANISTAN

CHINE

URSS
1/Mourmansk (Bien que situé au-delà du cercle polaire nord, port libre de glace toute l'année)
2/Tallin (Capitale de l'Estonie; remparts des XIIIe-XIVe s.)
3/Riga (Capitale de la Lettonie. Centre industriel)
4/Pskov (Remparts et cathédrale)

5/Leningrad (Ancienne Saint-Pétersbourg des tsars, joue un grand rôle dans la révolution d'octobre 1917. Amirauté et sa célèbre flèche, cathédrale Saint-Isaac du XIXe s. Centre industriel et culturel; plusieurs musées, dont celui de l'Ermitage)

6/Lac Ladoga
7/Moscou (8 714 000 hab. Palais du Kremlin XIIe - XVIIe s.; 28 hectares, 19 tours et nombreux monuments, telle la cathédrale de la Dormition, où étaient couronnés les tsars)
8/Kiev (Cathédrale Sainte-Sophie, XIIe s., de style byzantin)

9/Odessa
10/Crimée (Climat méditerranéen)
11/Rostov
12/Kamenka
13/Volgograd (Ex-Stalingrad)
14/Koutaïssi (Cathédrale XIIe s.)

15/Tbilissi (Capitale de la Géorgie)
16/Bakou (Grand centre pétrolier)
17/Khiva (Oasis d'Ouzbékistan. Dans l'Itchankala – «ville intérieure» –, mosquées, médersas, minarets, dont le Kalta Minor, «minaret court»)
18/Boukhara
19/Samarkand (Une des plus vieilles cités du monde. «Gour-Emir», tombeau de l'émir, XVe s.)

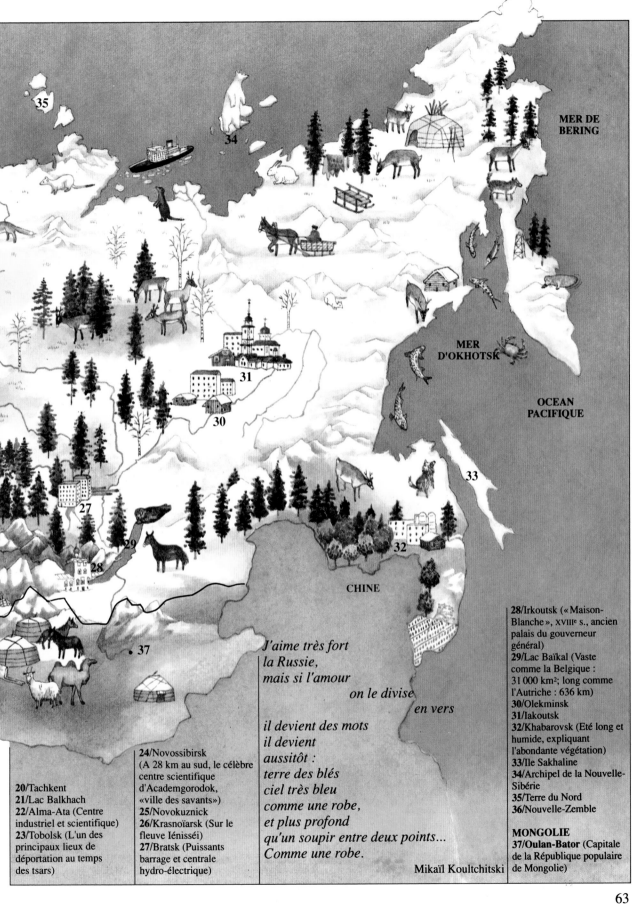

MER DE
BERING

MER
D'OKHOTSK

OCEAN
PACIFIQUE

CHINE

35

34

31

30

27

29

28

37

33

32

J'aime très fort
la Russie,
mais si l'amour
on le divise
en vers

il devient des mots
il devient
aussitôt :
terre des blés
ciel très bleu
comme une robe,
et plus profond
qu'un soupir entre deux points...
Comme une robe.

Mikaïl Koultchitski

20/Tachkent
21/Lac Balkhach
22/Alma-Ata (Centre
industriel et scientifique)
23/Tobolsk (L'un des
principaux lieux de
déportation au temps
des tsars)

24/Novossibirsk
(A 28 km au sud, le célèbre
centre scientifique
d'Academgorodok,
«ville des savants»)
25/Novokuznick
26/Krasnoïarsk (Sur le
fleuve Iénisséi)
27/Bratsk (Puissants
barrage et centrale
hydro-électrique)

28/Irkoutsk («Maison-
Blanche», XVIIIe s., ancien
palais du gouverneur
général)
29/Lac Baïkal (Vaste
comme la Belgique :
31 000 km2; long comme
l'Autriche : 636 km)
30/Olekminsk
31/Iakoutsk
32/Khabarovsk (Eté long et
humide, expliquant
l'abondante végétation)
33/Ile Sakhaline
34/Archipel de la Nouvelle-
Sibérie
35/Terre du Nord
36/Nouvelle-Zemble

MONGOLIE
37/Oulan-Bator (Capitale
de la République populaire
de Mongolie)

Elevage de rennes
dans la toundra

Toundra : paysage végétal, caractéristique des régions polaires et composé de mousses, de lichens et d'arbres nains.

Troïka : grand traîneau tiré par trois chevaux attelés de front.

Bulbes de l'église Saint-Basile, à Moscou

Un village au XIXᵉ siècle

Le long du ravin – d'un côté, de petites granges, bien propres, des resserres à provisions aux portes soigneusement closes; de l'autre côté, cinq ou six isbas de sapin couvertes de lattes. Sur chacun de ces toits, une haute perche, avec une cage pour le sansonnet; et au-dessus de chaque perron, un cheval raide, découpé dans le fer. Les vitres bosselées des fenêtres reflètent toutes les couleurs de l'arc-en-ciel.

Ivan Tourgueniev

Un pays sans mi-saison

L'hiver est glacial et sec. Le printemps survient brutalement. Le dégel est si rapide que les rivières débordent. Puis s'installe l'été, chaud et orageux, suivi d'un automne souvent pluvieux, où la terre devient boueuse... L'hiver est alors très attendu.

Moscou

Le Kremlin était comme un immense gâteau tartare
Croustillé d'or,
Avec les grandes amandes des cathédrales toutes blanches
Et l'or mielleux des cloches...
Un vieux monde me lisait la légende de Novgorod
J'avais soif
Et je déchiffrais des caractères cunéiformes
Puis, tout à coup, les pigeons du Saint-Esprit s'envolaient sur la place

Blaise Cendrars

Leningrad

Il faut venir à Leningrad au dégel, lorsque la Néva semble se soulever comme sous le choc d'un brise-glace, sur un fond bleu sombre incomparable, pour se heurter aux piliers, si larges qu'ils semblent relier le passé à l'avenir.

Jean Marabini

Leningrad, sur la Néva, s'appelait autrefois Saint-Pétersbourg

Novgorod

Au sud de Leningrad, Novgorod, indépendante jusqu'au XVᵉ siècle, fut, au XIIIᵉ siècle, l'un des plus brillants centres de la culture russe. La ville conserve de nombreux édifices religieux du Moyen Age.

La Sibérie

République du Froid qui (...) vous tamponne de son sceau glacial dès qu'on y accède. L'obscurité, presque éternelle, moins 60°l'hiver, un été torride où la température monte à plus de 40°(soit un écart de 100°), une terre gelée sur des centaines de mètres de profondeur, truffée de mammouths*, tel est cepen-

Matriochkas
(poupées gigognes)

dant ce laboratoire... où l'U.R.S.S. élabore silencieusement sa conquête prométhéenne des pommes d'or du soleil.

Jean Marabini

*Fossilisés depuis la préhistoire.

La Sibérie est une région très vaste, dont les ressources, en particulier minérales – houille, pétrole –, sont loin d'être totalement exploitées. Les Soviétiques ont construit en Sibérie des villes adaptées au climat, très rude. La forêt sibérienne couvre plus de la moitié du territoire, et on estime qu'il faudrait plus de quatre siècles, au rythme actuel, pour exploiter ce fonds forestier.

Paysage de la taïga (bouleaux et conifères)

Le Transsibérien

Ce train effectue le plus long trajet du monde, Moscou-Vladivostok, en 7 jours et 7 nuits. Il traverse les paysages les plus variés et... 11 fuseaux horaires (il est 19 heures à Moscou quand il est déjà 5 heures du matin à Vladivostok).

*De tous côtés, la plaine immense
   et monotone,
Quelques bois de sapins et quelques
   flaques d'eau;
Le ciel est déjà sombre et gris,
   comme en automne,
Et le vent froid pénètre à travers mon
   manteau...*

Xavier Marmier

LA MONGOLIE

La République populaire de Mongolie est un Etat grand comme environ trois fois la France. Son indépendance a été reconnue par l'URSS en 1924 et la Mongolie a été admise à l'ONU en 1961.

Son climat continental est rude, avec des étés chauds et des hivers rigoureux. Il est marqué aussi par une sécheresse assez grande : il ne tombe pas plus de 300 mm d'eau par an, et dans le Sud du pays s'étend le redoutable désert de Gobi.

Isba : petite maison rectangulaire faite de rondins de sapin et caractéristique de la Russie du Nord, celle des forêts

Espace et population		Scolarisation	
Superficie	22 402 200 km²	Second degré	100 %
Population	281,4 M hab.	Troisième degré	21,4 %
Densité	13 hab./km²	Postes de TV par an	308 pour 1 000 hab.
Taux de natalité	19 ‰	Livres publiés par an	83 976 titres
Taux de mortalité	11 ‰	Médecins pour 1000 hab.	4,2
Croissance annuelle	1 %	**Economie**	
Taux de mortalité infantile	25 ‰	Monnaie	rouble (1 RBL = 9,51 FF)
Espérance de vie	70,9 ans	PIB	949,9 milliards de $
Population urbaine	65,6 %	PIB par hab.	3376,17 $
Capitale	Moscou (8 714 000 hab.)	Croissance annuelle du PIB	4,1 %
Données culturelles		Dette extérieure	12,8 milliards de $
Langue	russe	Production d'énergie	2 233 millions de TEC
		Consommation d'énergie	1 733 millions de TEC
		Importations	90 400 millions de $
		Exportations	25 800 millions de $

Ouzbek : habitant de l'Ouzbékistan (république fédérée du sud de l'URSS située au sud-est de la mer d'Aral) fortement islamisé.

Eleveurs nomades kirghizes : montés sur des yacks, ils migrent des pâturages d'été, à travers la steppe.

L'ASIE
L'Asie orientale

Récolte des plants de riz

Les pays de la mousson

La mousson – « saison » en arabe – est un système de vents tropicaux qui soufflent pendant plusieurs mois, alternativement vers la mer – mousson d'hiver : vent sec – et vers la terre – mousson d'été : vent humide qui apporte la pluie. L'Asie orientale – ou Asie des moussons – est caractérisée par l'alternance régulière d'une saison très sèche et d'une saison très humide, attendue impatiemment.

L'été, un vent violent souffle, entraînant des pluies torrentielles. Les eaux des fleuves montent. Cette saison chaude et pluvieuse permet l'existence de forêts tropicales exubérantes, et favorise la mise en valeur agricole.

Les pays du bambou

De toutes les plantes, la plus précieuse est certainement l'universel bambou. On le trouve dans toutes les provinces de la Chine. On en fait des ombrelles, des montants d'échafaudage, des mesures, des paniers, des cordes, des manches de pinceau.(...) De ses feuilles on remplit des coussins et des oreillers, on tisse une sorte de manteau pour les jours de pluie, un «soï», ou habit de feuille, et l'on fait des cannes à pêche, des paniers à poisson, divers ustensiles de pêcheur, des catamarans, espèce de bateaux, ou plutôt de radeaux, tiges de bambou solidement liées ensemble, et des aqueducs pour amener les filets d'eau dans les champs (...). Les jeunes pousses, au moment même où elles sortent de terre, sont un excellent régal estimé d'un chacun, on les mange bouillies ou en sucreries et bonbons (...). Enfin, dernier et non moindre bienfait, il donne les «chopsticks* », si fameux en Chine, l'objet le plus important de la vie domestique, d'un usage universel à la maison et aux champs, sur terre et sur l'eau; et l'on obtient du papier à tous les degrés de qualité (...). Bref, il est tout, il sert à tout.

E. et O. Reclus

*Baguettes

Plant de riz à maturité   Feuilles et fleurs de thé

Même une bonne ménagère ne peut, sans riz, préparer son repas.
Proverbe chinois

Les pays du riz et du thé

Ces pays de mousson sont aussi ceux des civilisations du riz. Le petit village s'organise autour de la pagode et des rizières, champs de riz alimentés par l'eau de pluie. Petites, les rizières sont exploitées en famille. Le riz, base de chaque repas, se mange dans des bols avec des baguettes. Le thé accompagne le repas.

Le subcontinent indien

Shiva qui versa les moissons et qui fit
*   souffler les vents,*
Assis aux portes en fleurs d'un jour des
*   anciens temps,*
Donnait à chacun sa part : vivre, labeur,
*   destinée,*
Du mendiant sur le seuil à la tête
*   couronnée.*

Rudyard Kipling

L'INDE

Peuplé de plus d'un milliard d'hommes, le subcontinent indien est, sur tous les plans, d'une extraordinaire complexité : géographie, ethnies, religions, castes, cultures, politique... Sept Etats principaux constituent ce subcontinent : l'Inde ou Union indienne, le Pakistan, le Népal, le Bhoutan, le Bangladesh, le Sri Lanka, les îles Maldives.

L'histoire de l'Inde

Elle est marquée du Xe au XIVe siècle par des invasions musulmanes, et entre le XVe et le début du XIXe siècle, par la domination de l'Empire moghol. Puis elle est colonisée par la France et l'Angleterre.

La reine Victoria est proclamée impératrice des Indes le 1er janvier 1877.

L'action non violente de Gandhi conduit à la proclamation, le 15 août 1947, de l'indépendance de l'Inde et du Pakistan.

La religion

Il ne faut pas confondre Indien – habitant de l'Inde – et hindou – adepte de la religion hindouiste.

Les Indiens sont en grande majorité hindouistes. Ils croient qu'après la mort l'âme renaît dans un autre corps, peut-être même un corps d'animal. C'est pourquoi ils s'interdisent de tuer les animaux. Ils vénèrent d'innombrables dieux, comme Brahma, Vishnou et Shiva, le dieu au troisième œil.

Les castes

Par leur naissance, les Indiens appartiennent à des castes. En haut, les brahmanes, prêtres. Puis les militaires; ensuite, les bourgeois. En bas, les travailleurs manuels et les parias, ou intouchables, qui font les besognes impures – vidangeurs, boueux, blanchisseurs – et ne peuvent être «touchés».

Quelques dieux hindous :
1/Ganesh (dieu du Savoir et de l'Intelligence)
2/Shiva (dieu de la Destruction)
3/Brahma (le créateur de toute chose)
4, 5/Vishnou et Varaha, une des incarnations de Vishnou.

Gandhi (1869-1948)
Par la résistance passive et la non-violence, il obtint des Anglais l'indépendance de son pays.

Vue de Bombay, ville la plus peuplée de l'Inde avec 8 240 000 habitants. Premier port de l'Inde, elle importe du pétrole. L'industrie (chimique, pétrochimique, textile...) y est fort active.

PAKISTAN
1/Statue funéraire
2/**Islamabad** (201 000 hab. Ville nouvelle au plan en damier qui remplace Karâchi comme capitale en 1967. Non loin, tombe de Shah Bari Latif)
3/Lahore (Fort rouge construit par l'empereur moghol Akbar au XVIᵉ s.)
4/Multän (Tombe de Baha-ud-din-Zakaria, XIIIᵉ s.)
5/Buste de Mohenjo-Dâro (Un des sites principaux de la «civilisation de l'Indus»)
6/Coton
7/Karâchi

INDE du Nord
8/«Stûpa» (Monument de l'architecture bouddhique)
9/Amritsar (Cité sainte des Sikhs. Célèbre Temple d'Or, XVIᵉ-XVIIIᵉ s.)
10/Delhi (Minaret, XVIIᵉ s.)
11/**New Delhi** (5 729 290 hab.)
12/Tabac
13/Agra (Taj-Mahal, XVIIᵉ s., mausolée de l'impératrice Mumtaz-I Mahal)
14/Fort de Chitor
15/Ahmedabad

URSS

N

AFGHANISTAN

IRAN

MER D'OMAN

68

Rizière du nord de l'Inde : l'essentiel de la production de riz indienne (la deuxième du monde) est fourni par l'Inde du Nord-Ouest.

Par toute la cathédrale, touffue et ordonnée, qui est l'âme immense de l'Inde, s'affirme le même esprit de synthèse souveraine. Aucune négation. Tout est harmonisé. Toutes les forces de la vie se groupent comme une forêt aux mille bras agités, que mène Natorâja, le maître de la Danse.

Chaque chose a sa place, chaque être sa fonction, et tous associés au concert divin, faisant de leurs voix diverses et des dissonances mêmes, selon le mot d'Héraclite, la plus belle harmonie.

Romain Rolland

16/« Stûpa » de Sanchi (Important pèlerinage bouddhiste)
17/Khajurâho (Temple bouddhiste des Xe-XIe s., dominé par une *shikhara* – pointe, sommet – de 31 m de hauteur)
18/Shillong
19/Calcutta (1er port de l'Inde, centre industriel. Riches collections de l'Indian Museum)
20/Bhubanesvar (Temple Mukteswar)

CHINE

21

17

18

24

19

20

BIRMANIE

GOLFE
DU BENGALE

NEPAL
21/Katmandou (235 000 hab.)

BHOUTAN
22/Punakha et
23/Thimbu (2 capitales, une d'hiver, l'autre d'été; respectivement 10 000 et 20 000 hab.)

BANGLADESH
24/Dacca (3 950 000 hab.)

69

Route du Pakistan

Costume du Pakistan

Statue funéraire et animal fétiche (mouflon) des Kalash (Pakistan)

Les Sherpas, peuple du Népal, sont des montagnards : ils transportent le matériel des conquérants de l'Himalaya.

Le Gange

Se baigner dans le Gange, fleuve sacré, lave de tous les péchés. On a remarqué, sans pouvoir l'expliquer, qu'à Bénarès, la ville sainte, l'eau du fleuve détruit le virus du choléra.

En juin arrive la mousson. Le Gange inonde la plaine, et les habitants quittent leurs maisons pour se réfugier dans des barques.

L'INDE des plaines, le Nord-Ouest

Grenier à blé de l'Inde, les trois quarts de la population du pays y sont concentrés. Dans cette région se trouve New Delhi, la capitale administrative, et, sur la côte ouest, Bombay.

Bombay, les taudis se ressemblent : des bâtiments de cinq à six étages, avec des fenêtres en façade, mais aucune ouverture pour éclairer les nombreuses pièces de l'intérieur, si ce n'est quelques étroites cheminées d'aération. A l'intérieur, de petites cellules donnent sur de longs corridors. Chaque cellule ne s'aère que par la porte ; elle loge une famille au moins ; on se relaie pour y dormir, parce qu'il y a trop peu de place pour que chacun y ait son lit (le cinquième de la population de Bombay vit dans de petites chambres où s'entassent plus de six personnes).

Béatrice Pitney Lamb

LE PAKISTAN

Le Pakistan fut fondé en 1947. Il comprenait une province occidentale : le Pakistan actuel, et une province orientale. Cette dernière fit sécession en 1971 et devint, avec l'appui de l'Inde, l'Etat indépendant du Bangladesh.

Le Pakistan est un pays montagneux à l'ouest. A l'est, se trouve la vallée de l'Indus, dans laquelle se pratique une agriculture intensive : riz, sorgho, blé, coton. La canne à sucre est cultivée dans la région du Pendjab, au nord.

En perdant la province orientale, devenue l'Etat du Bangladesh, le Pakistan a perdu ses débouchés économiques principaux. Et ses rapports sont difficiles avec l'Union indienne.

*Ainsi qu'aux rayons du soleil levant
S'évapore la rosée du matin,
A la vision de l'Himalaya
S'évanouissent les péchés des humains...*

Purana

LE NEPAL

Ce pays montagneux, le plus haut du monde – 8 848 m à l'Everest –, dont l'histoire est riche de multiples légendes, est universellement connu par les alpinistes et les amateurs d'aventures.

Les premiers y installent leurs bases de départ et leurs camps, et y recrutent les fameux sherpas, porteurs très vigoureux qui accompagnent parfois les grimpeurs jusqu'aux sommets les plus élevés.

Yack

La coque du coco est dure, la chair, un délice.
Pourquoi scruter le dehors quand le pur est au-dedans?
Toukaram

Les seconds sont allés rechercher à Katmandou, la capitale du Népal, le dépaysement total. C'est dans les hautes montagnes du Népal que vivait, selon une légende tenace, l'« Abominable Homme des neiges », une espèce de monstre à forme humaine, recouvert d'une épaisse toison.

LE BHOUTAN

Le Bhoutan, ou « pays du dragon », est un pays himalayen, situé entre la Chine, la Birmanie et l'Inde. Ses très hautes montagnes (3 000 à 7 000 m) sont entaillées de profondes vallées.

Il est gouverné par un roi; des seigneurs religieux et laïcs administrent les vallées. La langue est un dialecte tibétain; la religion, une forme de bouddhisme. Ce pays en grande partie encore inconnu possède deux petites capitales, Punakha et Thimbu.

LE BANGLADESH

Bangladesh signifie « pays du Bengale ». Ce pays est l'ancien Pakistan oriental. Il est devenu indépendant en 1971 après une guerre qui opposa l'Union indienne et le Pakistan, consécutive à une révolte contre le Pakistan des habitants du Bengale. Le Bangladesh est un des pays les plus pauvres du monde, d'autant plus démuni que les crues du Gange et de son principal affluent, le Brahmapoutre, sont terribles au moment de la mousson, dévastant les cultures et entraînant des épidémies mortelles.

Le Bangladesh est une république populaire. Sa capitale est Dacca. On y parle principalement deux langues : le bengali et l'ourdou. Dans les immenses marécages du sud du pays croissent des forêts impénétrables de palétuviers, ou mangroves.

Femmes du Rajasthan

Le bharata-natyam, danse du Tamil Nadu (Etat du Tamil Nadu et du Kerala, extrême sud-est de l'Inde). Style de danse dynamique et précis : le corps repose sur des positions bien campées des membres inférieurs, ce qui permet aux mains de tracer des figures linéaires harmonieuses.

La sarinda, « violon » indien

	INDE	PAKISTAN	SRI LANKA
Espace et population			
Superficie	3287580 km²	803943 km²	65 610 km²
Population	769,7 M hab.	99,16 M hab.	16,06 M hab.
Densité	234 hab./km²	123 hab./km²	244,8 hab./km²
Taux de natalité	29,6 ‰	41,4 ‰	23,9 ‰
Taux de mortalité	11,5 ‰	14,8 ‰	6,2 ‰
Croissance annuelle	2,5 %	3,1 %	1,4 %
Taux de mortalité infantile	103 ‰	111 ‰	38 ‰
Espérance de vie	52,5 ans	50 ans	68 ans
Population urbaine	25,5 %	29,8 %	21,1 %
Capitale	New Delhi	Islamabad	Colombo
	(5729290 hab.)	(201 000 hab.)	(643000 hab.)
Données culturelles			
Langues	hindi, anglais	ourdou	cingalais, tamoul, anglais
Analphabètes	56,5 %	70,4 %	12,9 %
Scolarisation			
Second degré	27,3 %	16 %	62,2 %
Troisième degré	8,6 %	2 %	4,1 %
Postes de TV	4 pour 1000 hab.	12 pour 1000 hab.	3,3 pour 1000 hab.
Livres publiés par an	9 954 titres	1 600 titres	1 951 titres
Médecins pour 1000 hab.	0,4	0,44	0,2
Economie			
Monnaie	roupie	roupie	roupie
	(1 R = 0,47 FF)	(1 R = 0,34 FF)	(1 R = 0,21 FF)
PIB	188 milliards de $	29,7 milliards de $	6,5 milliards de $
PIB par hab.	244 $	304 $	399 $
Croissance annuelle du PIB	4 %	7,5 %	5,2 %
Dette extérieure	35,5 milliards de $	12,7 milliards de $	3,53 milliards de $
Production d'énergie	179,5 millions de TEC	17,2 millions de TEC	0,28 million de TEC
Consommation d'énergie	190,5 millions de TEC	26,1 millions de TEC	1,92 million de TEC
Importations	14 800 millions de $	5 400 millions de $	1 948 millions de $
Exportations	9 100 millions de $	3 400 millions de $	1 215 millions de $

INDE du Sud

1/Haidarâbâd (Centre universitaire)
2/Bombay (Grand port et centre industriel)
3/Poivre
4/Bijâpur (Mosquée Gol Gumbad, XVIIe s.)
5/Café
6/Nanda (Taureau sacré, sur la colline de Chamundi)
7/Madras

OCEAN INDIEN

8/Mahâbalipuram (Rochers en granit sculptés en forme de temples)
9/Kathakali (Théâtre, danse classique)
10/Mâdurai (Gopura – tour d'entrée – du grand temple de Shiva, XVIIe s. Les neuf *gopura* comporteraient au total 33 millions de sculptures)

SRI LANKA (CEYLAN)

11/Anurâdhapura (*Dagoba* – reliquaire bouddhiste – du IIIe s. av. J.-C., plusieurs fois restauré)
12/Colombo (643 000 hab. Musée national et bibliothèque de 500 000 volumes : histoire et civilisation du Sri Lanka)

GOLFE DU BENGALE

DETROIT DE PALK

Si un homme rit, c'est d'autrui,
s'il pleure, c'est sur lui-même.
Proverbe hindoustani

L'INDE des rizières, le Sud et le Centre

Le nord de l'Inde est surtout peuplé d'Indo-Européens à peau claire ; dans le sud de l'Inde, au contraire, la plupart des gens ont la peau sombre. Ils parlent des langues très différentes de l'hindi, répandu dans le Nord.

Depuis la plus haute Antiquité, l'Inde du Sud est le pays du riz, des forêts aux essences précieuses : ébène, teck, acajou, santal, et du thé.

LE SRI LANKA (CEYLAN)

Au Sri Lanka cohabitent plusieurs ethnies : des Cinghalais de religion bouddhiste, majoritaires dans l'ouest et le sud de l'île, et des Tamouls hindouistes.

Ainsi vivent quinze millions d'hommes et de femmes, au bord des eaux tièdes de l'océan Indien. Entre le Bouddha, le thé, les hommes à tête de cobra, les cocotiers, les éléphants, le riz, la pauvreté, la dignité, la chaleur, la mousson, les touristes... avant d'atteindre le nirvana, plénitude ou néant ? En attendant, il faut continuer de récolter les pousses de thé, de tamiser l'eau boueuse, de piquer les buffles, de labourer la rizière...

François Roche

Dans ce très beau pays, producteur d'un des meilleurs thés du monde, s'est développé un tourisme très intense, et les visiteurs européens y étaient nombreux avant que les rivalités entre Tamouls et Cinghalais ne dégénèrent, au cours de ces dernières années, en affrontements très meurtriers et en massacres sanglants. En effet, ces deux groupes ethniques se sont opposés dans une guerre civile qui a duré quatre ans (1983-1987).

L'île fut successivement colonie portugaise, puis hollandaise. Elle fut cédée à l'Angleterre en 1802. Elle est indépendante depuis 1948. La capitale, Colombo, est un très grand port, que mit en valeur l'ouverture du canal de Suez.

Les jaquiers portent d'énormes fruits vert pâle, de la taille d'une pastèque, ils renferment une pulpe jaune dont on fait d'excellentes compotes. (...) Les branches du kapokier font un angle presque parfait avec le tronc. Des fruits en forme de fuseaux y sont accrochés. Quelquefois ils éclatent, laissant apparaître des fibres blanches, qui servent à bourrer matelas et oreillers.

P. Kaplanian

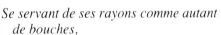

*Se servant de ses rayons comme autant
  de bouches,*
*Le soleil cracha le jour et illumina
  l'univers immense ;*
*Puis il reprit ce jour pour regagner les
  monts.*
*Et, tel un guerrier plein de bravoure, se
  glissa*
*Dans l'obscurité aussi sombre que le
dieu au chakra ;*
*Mais bientôt apparut la lune radieuse et
  triomphante*
*Les nelombos aux fortes tiges se
  refermèrent*
Comme les yeux de l'épouse qui s'endort
En paix, au côté de l'époux.
*Tels les sages gênés d'entendre vanter
  leurs vertus,*
*Les arbres baissèrent leur tête et
  s'accroupirent.*

Mallanduvanar

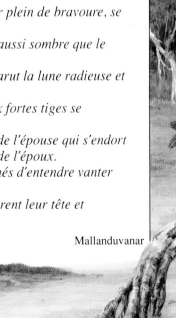

Village du Rajasthan (Nord-ouest de l'Inde)

1/Jaque, fruit du jaquier (il peut atteindre 15 kg)
2/Mangoustan, fruit du mangoustanier
3/Noix de cajou, ou anacarde, fruit de l'anacardier
4/Kapok (son duvet très léger et imperméable est utilisé pour rembourrer les coussins)

La Malaisie, l'Indonésie, les Philippines

MALAISIE
1/Kuala Lumpur
(1 103 200 hab. Industrie
de l'étain, universités)

SINGAPOUR
2/Singapour (2 616 000
hab. République constituée
de l'île de Singapour et de
54 autres îlots. L'hôtel
Raffles City, avec ses 73
étages, est le plus haut du
monde : 226 m)

PHILIPPINES
3/Mindanao (Riche
gisement de nickel. Bordée
à l'est par une fosse marine
de plus de 11 000 m de
profondeur)
4/Davao (Une des villes les
plus étendues du monde)
5/Palawan (Ile)
6/Iloilo (Intéressant Musée
préhistorique)
7/Samar (Ile)
8/Mindoro (Ile)
9/Luçon (Principale île de
l'archipel, nombreuses
cultures, dont celles du riz,
en terrasses soigneusement
aménagées)
10/Quezón City (Faubourg
nord-est de Manille)
11/Manille (1 728 400 hab.
Sur le fleuve Pasig, qui se
jette dans la baie de
Manille. Occupée par les
Japonais en 1942 et
reconquise 3 ans plus tard
par les Alliés après de
violents combats)

INDONESIE
12/Détroit de Malacca
13/Sumatra (Ile. Importante
production de riz : couvre
les 2/3 des besoins de
l'Indonésie. Gisements de
charbon, de pétrole, de gaz
naturel)
14/Palembang (1er port
indonésien)
15/Détroit de la Sonde
16/Java (Ile; 14 volcans y
dépassent les 3 000 m
d'altitude)
17/Djakarta (7 829 900
hab. Récent et intéressant
musée d'Indonésie)
18/Temple de Borobudur
(Monument bouddhiste le
plus grand du monde –
140 m de côté, 52 m de
hauteur –, VIIIe-IXe s.)

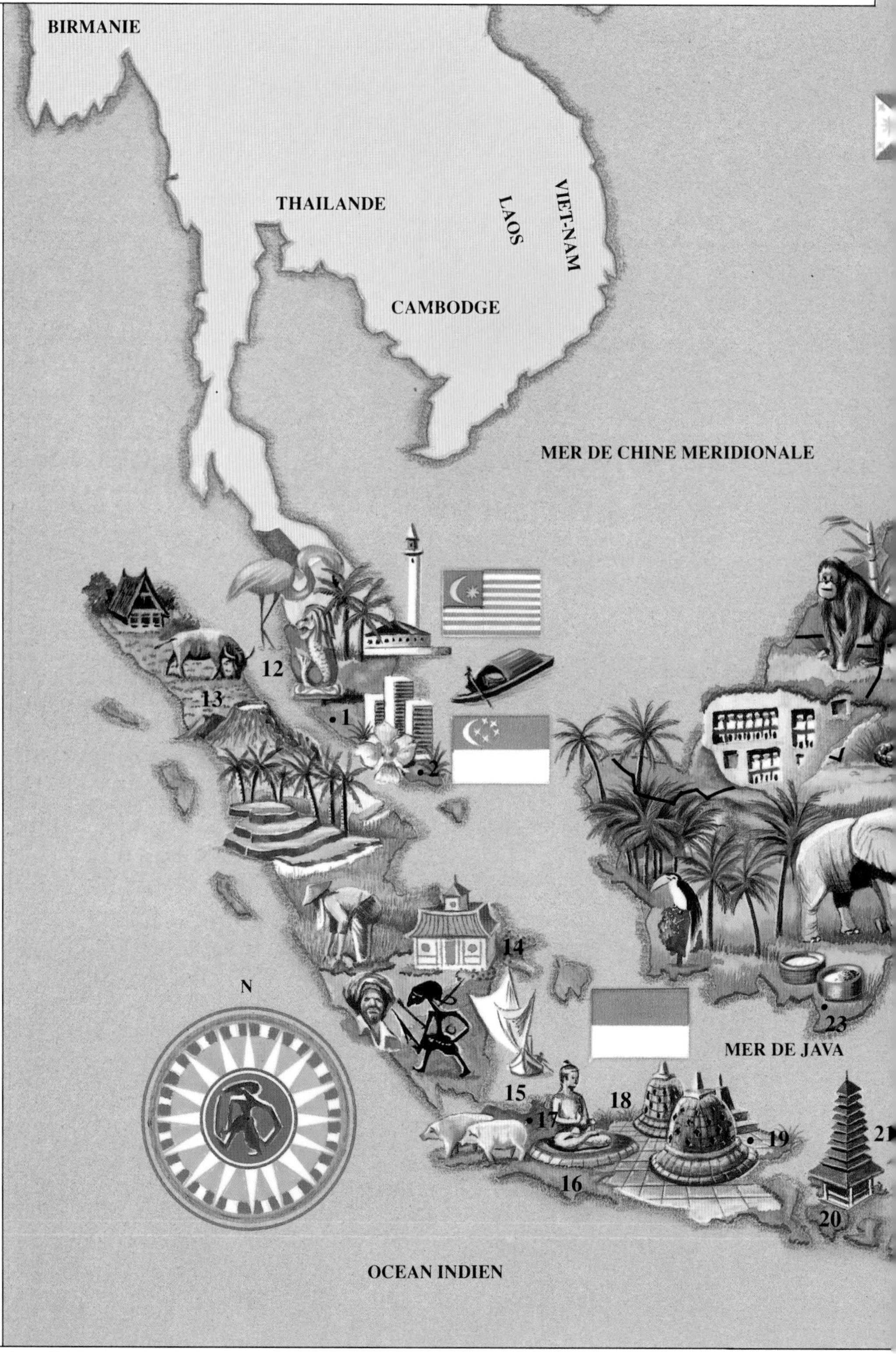

BIRMANIE

THAILANDE

LAOS

VIÊT-NAM

CAMBODGE

MER DE CHINE MERIDIONALE

MER DE JAVA

N

OCEAN INDIEN

Fièrement croît, fièrement, l'arbre
lambari.
De ses branches il balaye le ciel.
Tout est fini, vaine a été ma quête.
Semblable à la colombe privée de sa
compagne.

La Lune donne sa lumière et les étoiles
brillent.
La corneille picore le jeune riz.(...)

Si tu dois remonter les rivières
Cherche ma trace en chaque village.
Et si tu dois mourir quand je languis
encore,
Attends-moi à la porte du ciel.

Pantoun indonésien

19/Surabaya (Base navale, centre industriel)
20/Bali (Ile réputée pour la splendeur de ses danses)
21/Temple royal de Kehen
22/Florès («Lacs aux trois couleurs» sur le cratère du Gilimutu. On trouve dans cette région les plus grands reptiles du monde, les varans, cousins des dinosaures : ils peuvent atteindre 3 m de long et peser 150 kg)
23/Bandjarmasin (Dans l'île de Bornéo)
24/Donggala (Dans les îles Célèbes)
25/Makasar
26, 27, 28/Iles de Halmahera, Buru, Céram (Dans l'archipel des Moluques)
29/Irian Jaya (Partie occidentale de la Nouvelle-Guinée faisant partie de la République indonésienne)
30/Jayapura (Ancienne Hollandia, où MacArthur établit pendant un temps son quartier général durant la Seconde Guerre mondiale)

MER DES CELEBES

OCEAN PACIFIQUE

MER DE BANDA

MER DE TIMOR

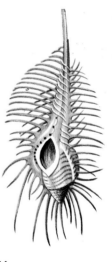

Murex ou
«coquillage-peigne»

75

Rizières en terrasses

Dans les régions montagneuses très peuplées de l'Indonésie ou des Philippines, les paysans ont aménagé les versants en terrasses. Les rizières sont alimentées en eau par les sources et les torrents.

Orchidée

Oiseaux et singes, tapirs et porcs-épics, ours et léopards, reptiles et insectes sont les hôtes courants de cette forêt vierge...

Michel Dominik

Les Etats de Sabah et Saravak, dans l'île de Bornéo, sont dans la ceinture des typhons, et le parc national de Kinabalu, avec le mont Kinabalu 4175 m, appelé Aki Kinabalu, «foyer des esprits défunts») constitue, dans l'Etat du Sabah, un véritable paradis botanique et ornithologique.

LA MALAISIE

Ce pays comprend deux parties :
– la péninsule malaise, qui touche presque l'équateur et dont le sommet le plus élevé est le Gunung Tahan, 2 164 m ;
– la Malaisie orientale, contrée montagneuse – le mont Kinabalu culmine à 4 175 m – constituée par la région nord-ouest de l'île de Bornéo. Une des régions du monde où il pleut le plus. C'est pourquoi les versants des montagnes sont recouverts d'une jungle impénétrable.

La Malaisie, ou Malaysia, est un des premiers fournisseurs du monde en étain, en huile de palme et en caoutchouc. Pays de *kampungs* – villages –, de jungles, d'immenses plages de sable blanc, de rizières, la péninsule malaise est peuplée d'une population d'origines très diverses et variées : aborigènes, Malais venus du Viêt-nam, Chinois, etc. Les religions sont nombreuses, mais l'islam est prépondérant. La capitale, Kuala Lumpur, est célèbre pour ses mosquées et ses temples.

C'est la plus grande, la plus riche, la plus ancienne des forêts primaires au monde... Arbres colossaux, lianes tentaculaires, fougères de l'aube des temps, frondes lacérantes, plantes carnivores, épiphytes aériennes, se superposent sur trois étages, que dominent quelques géants de plus de 60 mètres, isolés çà et là, et qui, grâce à leur taille, sont sortis de la lutte éperdue que se livrent des milliers d'essences pour la conquête de la lumière...

Michel Dominik

La Fédération malaise fut créée en 1948 et l'indépendance fut proclamée le 31 août 1957. Singapour en fit partie et quitta la Fédération en 1965. Les diverses influences des occupants et colonisateurs : Hindous, Portugais, Hollandais, Anglais, Japonais – qui occupèrent la Malaisie pendant la dernière guerre jusqu'en 1945 –, ont laissé d'innombrables vestiges qui font de ce pays un des plus étranges et un des plus fascinants de l'Asie du Sud-Est.

Maisons sur pilotis dans l'archipel indonésien des Célèbes (appelé aussi Sulawesi)

L'INDONESIE

La république d'Indonésie est constituée de plus de treize mille îles, dont les principales sont : Java, Sumatra, Sulawesi, Bali, et comprend en outre le sud de Bornéo et l'ouest de la Nouvelle-Guinée. Le climat est chaud et humide toute l'année et les différences de température y sont insignifiantes. La forêt équatoriale recouvre la moitié des terres.

D'où vient l'oiseau dans son vol d'éclair?
Du haut du ciel il fonce vers la rizière.
D'où vient l'amour, et où mon désir est-il né?
C'est l'éclair de ses yeux qui atteindra mon cœur.

Poésie populaire d'Indonésie

Pays de volcans, très anciennement peuplé – puisque l'on y retrouva le squelette de l'«homme de Java», un humanoïde âgé d'environ 1,7 million d'années –, les îles indonésiennes sont réputées pour la délicatesse et la beauté des habitants, leur culture raffinée : la poésie, le théâtre d'ombres, les danses et les coutumes singulières de Bali.

LES PHILIPPINES

Découvertes en 1521 par Magellan, qui y fut assassiné, les Philippines furent d'abord colonisées par les Espagnols – qui leur donnèrent le nom de l'infant Philippe, futur Philippe II. Elles furent ensuite annexées par les Etats-Unis en 1898 et devinrent indépendantes en 1946. Depuis, les Philippines ont connu plusieurs bouleversements politiques; en particulier, le tout-puissant chef de l'Etat, Ferdinand Marcos, a été chassé et remplacé par une jeune femme, Corazon Aquino, qui se heurte à de nombreuses difficultés, tant le pays est déshérité et sont grandes les inégalités sociales et la misère des villes.

Le théâtre de marionnettes et le théâtre d'ombres, très populaires à Java, racontent les aventures des héros mythiques.

	MALAISIE	INDONESIE	PHILIPPINES
Espace et population			
Superficie	329 750 km²	2 027 087 km²	300 000 km²
Population	16 M hab.	166,94 M hab.	55,58 M hab.
Densité	48,5 hab./km²	82,4 hab./km²	185 hab./km²
Taux de natalité	30,6 ‰	29,8 ‰	33,8 ‰
Taux de mortalité	5,7 ‰	11,7 ‰	8,2 ‰
Croissance annuelle	2,6 %	2,2 %	2,4 %
Taux de mortalité infantile	30 ‰	79 ‰	49 ‰
Espérance de vie	67 ans	52,2 ans	64,5 ans
Population urbaine	31,5 %	25,3 %	39,6 %
Capitale	Kuala Lumpur (1 103 200 hab.)	Djakarta (7 829 900 hab.)	Manille (1 728 400 hab.)
Données culturelles			
Langues	malais	indonésien	anglais, tagalog
Analphabètes	26,6 %	25,9 %	14,3 %
Scolarisation			
Second degré	66,1 %	47,2 %	65,5 %
Troisième degré	6,1 %	6,5 %	29,1 %
Postes de TV	106 pour 1 000 hab.	23 pour 1 000 hab.	38 pour 1 000 hab.
Livres publiés par an	3 975 titres	5 254 titres	542 titres
Médecins pour 1 000 hab.	0,32	0,11	0,88
Economie			
Monnaie	ringgit (1 R = 2,35 FF)	rupiah (1 R = 0,036 FF)	peso (1 P = 0,295 FF)
PIB	31,93 milliards de $	98,4 milliards de $	30,4 milliards de $
PIB par hab.	2 048 $	589 $	547 $
Croissance annuelle du PIB	0,0 %	-0,5 %	0,1 %
Dette extérieure	17,97 milliards de $	35,8 milliards de $	26,18 milliards de $
Production d'énergie	51,3 millions de TEC	135,4 millions de TEC	2 millions de TEC
Consommation d'énergie	17,7 millions de TEC	43 millions de TEC	18,3 millions de TEC
Importations	10 829 millions de $	10 300 millions de $	5 374 millions de $
Exportations	13 875 millions de $	14 800 millions de $	4 771 millions de $

Récolte du latex produit par l'hévéa, arbre originaire de Guyane; le latex sert à fabriquer le caoutchouc naturel.

L'Asie du Sud-Est

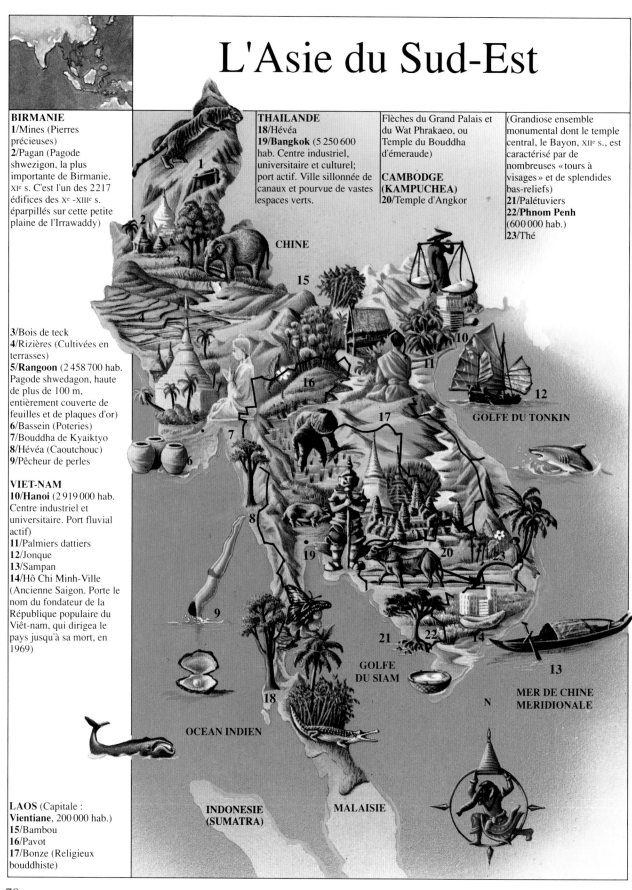

BIRMANIE
1/Mines (Pierres précieuses)
2/Pagode (Pagode shwezigon, la plus importante de Birmanie, XIᵉ s. C'est l'un des 2217 édifices des Xᵉ-XIIIᵉ s. éparpillés sur cette petite plaine de l'Irrawaddy)

3/Bois de teck
4/Rizières (Cultivées en terrasses)
5/**Rangoon** (2 458 700 hab. Pagode shwedagon, haute de plus de 100 m, entièrement couverte de feuilles et de plaques d'or)
6/Bassein (Poteries)
7/Bouddha de Kyaiktyo
8/Hévéa (Caoutchouc)
9/Pêcheur de perles

VIET-NAM
10/**Hanoi** (2 919 000 hab. Centre industriel et universitaire. Port fluvial actif)
11/Palmiers dattiers
12/Jonque
13/Sampan
14/Hô Chi Minh-Ville (Ancienne Saigon. Porte le nom du fondateur de la République populaire du Viêt-nam, qui dirigea le pays jusqu'à sa mort, en 1969)

LAOS (Capitale : **Vientiane**, 200 000 hab.)
15/Bambou
16/Pavot
17/Bonze (Religieux bouddhiste)

THAILANDE
18/Hévéa
19/**Bangkok** (5 250 600 hab. Centre industriel, universitaire et culturel; port actif. Ville sillonnée de canaux et pourvue de vastes espaces verts.

Flèches du Grand Palais et du Wat Phrakaeo, ou Temple du Bouddha d'émeraude)

CAMBODGE (KAMPUCHEA)
20/Temple d'Angkor

(Grandiose ensemble monumental dont le temple central, le Bayon, XIIᵉ s., est caractérisé par de nombreuses «tours à visages» et de splendides bas-reliefs)
21/Palétuviers
22/Phnom Penh (600 000 hab.)
23/Thé

CHINE

GOLFE DU TONKIN

GOLFE DU SIAM

OCEAN INDIEN

MER DE CHINE MERIDIONALE

N

INDONESIE (SUMATRA)

MALAISIE

Vu d'avion, durant la saison des pluies qui s'étend de juin à novembre, le cœur de la Thaïlande n'est plus qu'une immense plaine d'eau. Plat pays de rizières, toute la plaine centrale offre alors un reflet du ciel, au bleu peu à peu chargé de nuages, qui éclatent souvent, en fin d'après-midi, en une violente ondée de mousson. Mais de minute en minute, l'image change, car du miroir émergent les doigts dorés des chedis – avatars siamois du stoupa* indien –, les villages aux maisons de bois sur pilotis, et les routes, digues rectilignes ourlées des chevelures ébouriffées des palmiers.

Didier Gonin

*Monument funéraire.

LA THAÏLANDE

A partir du IXe siècle, le sud de la Thaïlande appartient à l'Empire khmer. En 1220, deux princes thaïs, descendus de Chine, fondent le premier royaume du Siam. En 1932, le Siam se dote d'une constitution et d'un parlement et, en 1939, prend le nom de Thaïlande. Monarchie constitutionnelle, la Thaïlande est aujourd'hui gouvernée principalement par l'armée.

Dans la plaine centrale, drainée par la Chao Phraya, les Thaïs pratiquent la culture intensive du riz – la Thaïlande en est le premier exportateur mondial. Les régions montagneuses, du Nord et de l'Ouest, fournissent le bois de teck nécessaire à la construction des maisons sur pilotis, au toit sculpté.

LE CAMBODGE (KAMPUCHEA)

Le Cambodge fut, entre le IXe et le milieu du XIIe siècle après J.-C., gouverné par des rois puissants qui favorisèrent le développement de la splendide civilisation khmère, dont témoignent les ruines de cités somptueuses, comme celles d'Angkor, de Koh-Ker et de Sambor Prei Kuk. La religion dominante est le bouddhisme.

Le Cambodge fut le lieu de querelles nombreuses entre les Vietnamiens et les Siamois. Puis, à partir de 1863, il devint un protectorat français. Indépendant en 1953, il quitta l'Union française en 1955, et fut le théâtre d'une expérience marxiste sanglante avec les Khmers rouges du général Pol Pot. L'ancien souverain Norodom Sihanouk, qui séjourne en Chine ou en Europe, tente de retrouver son pays, actuellement occupé par l'armée du Viêtnam.

Un pays rural

Situé à l'intérieur des terres de la péninsule indochinoise, le Cambodge – Kampuchéa, en langue khmère – est un pays très sec au nord, très humide au sud et à la température très élevée. Il est traversé par le fleuve Mékong. Rural à 90%, ses principales ressources sont le riz et le caoutchouc.

Marché flottant en Thaïlande

La ville d'Angkor Thom, la « grande ville », fut construite au XIIe siècle. Elle comprend un grand nombre de monuments en grès ou en latérite, et englobe des « temples montagnes » ayant appartenu à des civilisations antérieures. Son temple central est le Bayon, immense temple caractérisé par de nombreuses « tours à visages » et des galeries aux murs ornés de splendides bas-reliefs.

Dict. Robert

Cyclo-pousse
A la saison des pluies – de mai à octobre –, les habitants se déplacent en pirogue; et à vélo pendant la saison sèche.

Cases de pêcheurs birmans
construites en roseau sur
des pieux de bambou

LE VIET-NAM

Le Viêt-nam a une longue histoire, tumultueuse et complexe. Il connut notamment la colonisation française (1862-1885), puis deux guerres d'indépendance, la première contre les Français, la seconde contre les Américains.

Le Viêt-nam est devenue une république démocratique socialiste à la suite de la réunion du Viêt-nam du Sud, capitale Hô Chi Minh-Ville – ex-Saigon – et du Viêt-nam du Nord, capitale Hanoi.

LE LAOS

Son histoire ancienne est mal connue. On sait qu'en 1353 le souverain Phraya Fa Ngum fonda le royaume de Lan Xang – « million d'éléphants ». Puis, après de nombreuses péripéties, le Laos fut protectorat français de 1893 à 1945. Théâtre de la guerre franco-vietnamienne, puis de la guerre entre les Etats-Unis et le Viêt-

Pagode de Luang Prahang (Laos)

nam, le Laos – la capitale est Vientiane – est actuellement une démocratie populaire.

Pays situé au centre-ouest de la péninsule indochinoise. Pays de montagnes et de plateaux au climat tropical chaud et humide, presque entièrement recouvert de forêts.

Danseuse siamoise
*Les gestes des doigts
sont d'une rare beauté :
les doigts de chaque main,
joints, ne forment plus
qu'une seule courbe
harmonieuse, les mains
s'ouvrent alors comme des
fleurs dont chaque pétale
serait un doigt, puis le
pouce rejoint l'index, bec
d'oiseau qui pique l'air, ou
bien une main vient butiner l'autre dont les
mouvements sont
symétriques et opposés.*

Didier Gonin

	BIRMANIE	VIETNAM	THAILANDE
Espace et population			
Superficie	676552 km²	329556 km²	514000 km²
Population	37,15 M hab.	60,9 M hab.	52,33 M hab.
Densité	54,9 hab./km²	184,8 hab./km²	101,8 hab./km²
Taux de natalité	33,2 ‰	32,2 ‰	25,3 ‰
Taux de mortalité	13,7 ‰	9,8 ‰	7,4 ‰
Croissance annuelle	1,9 %	2,2 %	2 %
Taux de mortalité infantile	69 ‰	73 ‰	46 ‰
Espérance de vie	55 ans	66 ans	62,7 ans
Population urbaine	30 %	20,3 %	15,6 %
Capitale	Rangoon (2458700 hab.)	Hanoi (2919000 hab.)	Bangkok (5250600 hab.)
Données culturelles			
Langues	birman	vietnamien	thaï
Analphabètes	82 %	16 %	9 %
Scolarisation			
Second degré	19 %	66,7 %	40,6 %
Troisième degré	5,1 %	2,2 %	22,5 %
Postes de TV	0,1 pour 1000 hab.	0,4 pour 1000 hab.	66 pour 1000 hab.
Livres publiés par an	14 titres	2225 titres	8 633 titres
Médecins pour 1000 hab.	0,3	0,32	0,16
Economie			
Monnaie	kyat (1 k = 0,90FF)	dông (1 D = 0,075FF)	bath (1 B = 0,23 FF)
PIB	7,97 milliards de $	5,78 milliards de $	42,10 milliards de $
PIB par hab.	215 $	101 $	821 $
Croissance annuelle du PIB	3,7 %	7,1 %	4,3 %
Dette extérieure	3,10 milliards de $	4,9 milliards de $	17,44 milliards de $
Production d'énergie	3,92 millions de TEC	5,03 millions de TEC	5,92 millions de TEC
Consommation d'énergie	6,36 millions de TEC	7,16 millions de TEC	23,79 millions de TEC
Importations	306 millions de $	1 823 millions de $	9 154 millions de $
Exportations	300 millions de $	763 millions de $	8 794 millions de $

La Chine, la Corée du Nord, la Corée du Sud

Le vent d'automne siffle, siffle,
Et fait fraîchir le temps.
Il secoue; il abat herbes et feuilles;
Déjà la rosée gèle.
Un grand vol d'hirondelles nous quitte
 et rentre en son pays;
Au sud volent les oies.
Je pense à vous, ô lointain exilé;
La tristesse me brise...
Si la nostalgie vous assiège,
Et l'amour du pays,
Pourquoi, Seigneur, tant prolonger
Votre lointaine absence?
Votre servante, solitaire,
Garde sa chambre vide.
Je m'inquiète en pensant à vous,
Comment vous oublier?
A mon insu, mes larmes coulent,
Mouillant mes vêtements.
Je prends mon luth, pince les cordes,
Lance des notes claires;
Mon chant reste court, ma voix basse :
Je m'arrête, sans force.
Un clair de lune éblouissant
Inonde notre lit.
Le Fleuve d'Astres coule à l'Ouest;
La nuit est encor noire.
Le Bouvier et la Tisserande
Se regardent de loin.
Avez-vous aussi mérité
Qu'un Fleuve nous sépare?

Ts'ao P'ei

L'Empire du Milieu

Les Chinois ont longtemps considéré leur empire comme le centre d'un monde carré sur les bords duquel étaient rejetés «monstres et barbares». Cet Empire du Milieu avait pour empereur le Fils du Ciel.

L'histoire de la Chine ancienne est longue et morcelée; différentes dynasties s'y sont succédé : la période des «Royaumes combattants» (453-221 av. J.-C.), la période des T'ang (618-907), la période des Song (960-1279), la période des Ming (1368-1644), la période des Ching (1644-1911).

Vers la république populaire

Le 1er janvier 1911, la République chinoise est proclamée.

Entre 1919 et 1949, l'histoire chinoise est dominée par la rivalité entre les nationalistes de Tchang Kaï-chek et les communistes de Mao Tsé-toung. Ces derniers, fuyant les troupes de Tchang, se réfugient à Yenan au prix d'une épopée terrible : la Longue Marche.

Puis le Japon envahit la Chine, et c'est le «front unique» entre les troupes de Mao et celles de Tchang. La guerre civile reprend dès la défaite du Japon, en 1945.

Paysage chinois (estampe). L'estampe – gravure sur papier – est originaire d'Extrême-Orient.

Vase k'ienLong (XVIIIe s.) à décor de dragon. Dans la mythologie chinoise, le dragon symbolise la puissance céleste, créatrice, ordonnatrice : c'est l'emblème des pouvoirs de l'empereur.

Sampans, aux voiles rectangulaires, sur le lac Dianchi (province du Yunnan)

CHINE

1/Ouroumtsi (Important centre industriel du Xin Jiang, proche des gisements de pétrole de Karamai)
2/Kouldja
3/Tourfan (Riche oasis, ancien centre caravanier de la Route de la soie)
4/Khotan (Oasis; Marco Polo la visita en 1275)
5/Poteries peintes néolithiques
6/Dunhuang (460 grottes sculptées. Les plus anciennes l'ont été au VIᵉ s.)

7/Stupâ et bodhisattva (Statue qui représente un sage ayant franchi tous les degrés de la perfection, sauf le dernier, qui fera de lui un bouddha)
8/Chasse à l'aigle
9/Shorten
10/Tibet (Très vaste plateau dont l'altitude dépasse souvent 5 000 m)
11/Yack
12/Lhassa (Centre culturel et religieux. Palais du Potala, XVIIᵉ s., résidence des grands lamas ou dalaï-lamas, souverains spirituels et temporels du Tibet jusqu'en 1959)
13/Xining
14/Désert de Gobi (Un des plus grands du monde, torride en été, glacial en hiver)
15/La Grande Muraille (2 400 km, achevée en 204 av. J.-C., pour stopper les envahisseurs barbares d'Asie centrale. La seule construction humaine visible depuis la lune)
16/Zao ling (Tombeau du Gal Liji)
17/Panda

18/Xian (Tombeau du premier empereur enterré avec 6 000 soldats, et chevaux de terre cuite, réplique exacte de son armée)
19/Riz
20/Gorges du Yang-tsê kiang (Fleuve long de 5 500 km, crues redoutables)
21/Kun Ming («Forêt» de pierres à 1 900 m d'altitude)
22/Kweilin («Pains de sucre»)
23/Nan Ming
24/Canne à sucre
25/Hai Nan
26/Macao (Territoire portugais jusqu'en 1999)
27/Kuang Tchéou (Canton)

URSS

MONGOLIE

Là-bas à l'Est, à trente mille stades, le fleuve Jaune se jette dans la mer; Là-haut, le Pic Sacré élève à huit mille brasses sa cime qui touche le ciel.

Le peuple abandonné, partout, imbibe de ses larmes la poussière des Barbares; Une année de plus ils ont guetté en vain, venant du Sud, l'armée impériale.

Lou Yeou

NEPAL

BHOUTAN

BIRMANIE

N

LAOS

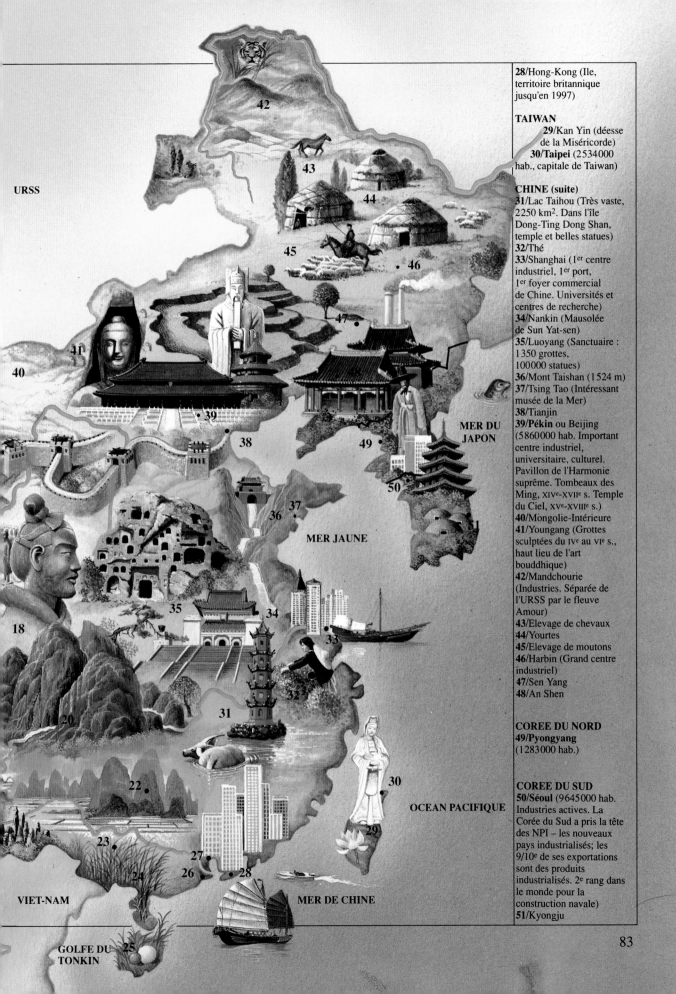

URSS

28/Hong-Kong (Ile, territoire britannique jusqu'en 1997)

TAIWAN
    29/Kan Yin (déesse de la Miséricorde)
    30/**Taipei** (2534000 hab., capitale de Taiwan)

CHINE (suite)
31/Lac Taihou (Très vaste, 2250 km². Dans l'île Dong-Ting Dong Shan, temple et belles statues)
32/Thé
33/Shanghai (1er centre industriel, 1er port, 1er foyer commercial de Chine. Universités et centres de recherche)
34/Nankin (Mausolée de Sun Yat-sen)
35/Luoyang (Sanctuaire : 1350 grottes, 100000 statues)
36/Mont Taishan (1524 m)
37/Tsing Tao (Intéressant musée de la Mer)
38/Tianjin
39/**Pékin** ou Beijing (5860000 hab. Important centre industriel, universitaire, culturel. Pavillon de l'Harmonie suprême. Tombeaux des Ming, XIVe-XVIIe s. Temple du Ciel, XVe-XVIIIe s.)
40/Mongolie-Intérieure
41/Youngang (Grottes sculptées du IVe au VIe s., haut lieu de l'art bouddhique)
42/Mandchourie (Industries. Séparée de l'URSS par le fleuve Amour)
43/Elevage de chevaux
44/Yourtes
45/Elevage de moutons
46/Harbin (Grand centre industriel)
47/Sen Yang
48/An Shen

COREE DU NORD
49/Pyongyang (1283000 hab.)

COREE DU SUD
50/Séoul (9645000 hab. Industries actives. La Corée du Sud a pris la tête des NPI – les nouveaux pays industrialisés; les 9/10e de ses exportations sont des produits industrialisés. 2e rang dans le monde pour la construction navale)
51/Kyongju

MER DU JAPON

MER JAUNE

OCEAN PACIFIQUE

VIET-NAM

MER DE CHINE

GOLFE DU TONKIN

Place Tien-an-Men, au centre de Pékin. Vaste esplanade réservée aux cérémonies officielles depuis la proclamation de la République.

La porte Tien-an-Men donne accès à la fameuse Cité interdite, édifiée au XVe s., où résidait l'empereur, détenteur du pouvoir divin.

Mao Tsé-toung
(1893-1976)

*Sur la cime du mont Lieoupan
Notre bannière flotte au gré du vent de l'ouest.
Aujourd'hui nous tenons en main la longue corde;
Quel jour ligoterons-nous le Dragon vert*?*
Mao Tsé-toung

*Le Dragon vert : constellation de sept étoiles. Ici, l'armée d'invasion japonaise, venant de l'est.

Le sage ne s'afflige pas de ce que les hommes ne le connaissent pas; il s'afflige de ne pas connaître les hommes.
Confucius (551?-479? av. J.-C.)

Le 1er octobre 1949, après la victoire des partisans de Mao, la République populaire de Chine est proclamée.

De 1949 à 1966 se succèdent les réformes – en 1958, instauration des premières communes populaires.

En 1966, c'est le début de la Révolution culturelle; les dirigeants chinois imposent une contestation générale de toutes les valeurs anciennes. Elle fait de nombreuses victimes.

Le 9 septembre 1976, la mort du président Mao Tsé-toung annonce la fin de la Révolution culturelle et le début de la période de reconstruction.

Sous la direction de Deng Xiaoping, la

Chine rétablit certaines formes d'économie privée et réhabilite nombre d'intellectuels et d'écrivains condamnés à «travailler à la campagne» pendant la Révolution culturelle. Les échanges commerciaux et culturels avec les pays occidentaux et le Japon sont beaucoup plus nombreux. Et les relations avec l'Union soviétique, longtemps difficiles, tendent maintenant peu à peu à se normaliser.

La Chine en construction

Troisième pays du monde par sa superficie, la Chine est le premier pays du monde par le nombre de ses habitants : plus d'un milliard d'hommes.

La Chine est aujourd'hui un immense chantier. Le travail se fait surtout à la main : les milliers de bras, l'ingéniosité, la détermination des paysans remplaçant souvent machines et tracteurs. C'est ainsi que les Chinois se rendent peu à peu «maîtres de l'eau», et du fleuve Yang-tseu en particulier, qui, en 1852, a balayé une région vaste comme le tiers de la France.

La Chine est devenue également une puissance nucléaire, capable de lancer des fusées spatiales.

A la campagne, la vie de village

Les Chinois sont encore en majorité paysans (80 % de ruraux). Les champs sont cultivés en petites terrasses pour utiliser toute la place disponible. Si les terres à cultiver appartiennent à la communauté, chaque maison a sa basse-cour.

A la ville, la vie de quartier

Un comité de quartier s'occupe des cantines, des crèches, des ateliers de couture. Dans les immeubles, on fait parfois la cuisine collectivement. A la pleine saison, les enfants aident les paysans dans les champs.

Les inventions

Les Chinois ont inventé la boussole, il y a deux mille ans, la porcelaine, les hauts fourneaux, le harnais du cheval, le sismographe – pour enregistrer les tremblements de terre –, le papier, la poudre à canon, les écluses, l'arbalète, la catapulte, le cerf-volant, le moulin à eau, la brouette, les billets de banque...

« Voie Sacrée » du tombeau de la dynastie des Ming (XVIe au XVIIe s., environs de Pékin)

Jardins du palais d'été
(XIIᵉ s., environs de Pékin)

L'écriture

L'écriture chinoise, une des plus anciennes du monde, naît vers l'an 2000 av. J.-C. Elle se fixe au IIIᵉ siècle av. J.-C., et cela «pour le reste des siècles».

Chaque caractère se dessine dans un carré. On peut compter des dizaines de milliers de caractères différents. Les plus usuels sont au nombre de trois mille.

Il existe trois grandes catégories de caractères.

D'abord les «pictogrammes», qui rappellent la forme des objets :

日 le soleil, 月 la lune, 人 l'homme (on le voit marcher), 木 l'arbre (avec ses racines sous la terre).

Puis les «symboles», qui indiquent le sens d'une action, ou d'un geste :

一 un, 二 deux, 三 trois, 丁 haut, 下 bas, 中 milieu…

Ensuite, des combinaisons multiples :

明 soleil + lune ou fenêtre + lune = clair, clarté, lumière ;

東 soleil + arbre = le soleil encore au-dessous de la cime de l'arbre, c'est-à-dire : l'est.

千 山 鳥 飛 絶
萬 徑 人 蹤 滅
孤 舟 簑 笠 翁
獨 釣 寒 江 雪

Sur mille montagnes, aucun vol d'oiseau. Sur dix mille sentiers, nulle trace d'homme. Barque solitaire : sous son manteau de roseau, un vieillard pêche la neige sur la rivière glacée.

Liu Tsung-Yun

Construit au bord du lac Kun Ming Hu, le Palais d'été ou «Jardin des Eaux d'or» était la résidence de la cour impériale pendant la saison chaude.

Masque (Opéra de Pékin)

Culture du riz : la Chine en est le premier producteur

Espace et population	
Superficie	9596961 km²
Population	1072,7 M hab.
Densité	111,8 hab./km²
Taux de natalité	21 ‰
Taux de mortalité	8 ‰
Croissance annuelle	1,2 %
Taux de mortalité infantile	39 ‰
Espérance de vie	67,4 ans
Population urbaine	21 %
Capitale	Pékin (5860000 hab.)
Données culturelles	
Langue	chinois
Analphabètes	30,7 %
Scolarisation	
Second degré	37 %
Troisième degré	1,4 %

Postes de TV	15,5 pour 1000 hab.
Livres publiés par an	34920 titres
Médecins pour 1000 hab.	1,36
Economie	
Monnaie	yuan (1 yuan = 1,583 FF)
PIB	225,6 milliards de $
PIB par hab.	210 $
Croissance annuelle du PIB	5,6 %
Dette extérieure	
Production d'énergie	831 millions de TEC
Consommation d'énergie	742,5 millions de TEC
Importations	43400 millions de $
Exportations	31100 millions de $

*Le Maître éminent se garde de parler
Et quand son œuvre est accomplie et sa tâche remplie
Le peuple dit : «Cela vient de moi-même.»*

Lao Tseu
(570-490 av. J.-C.)

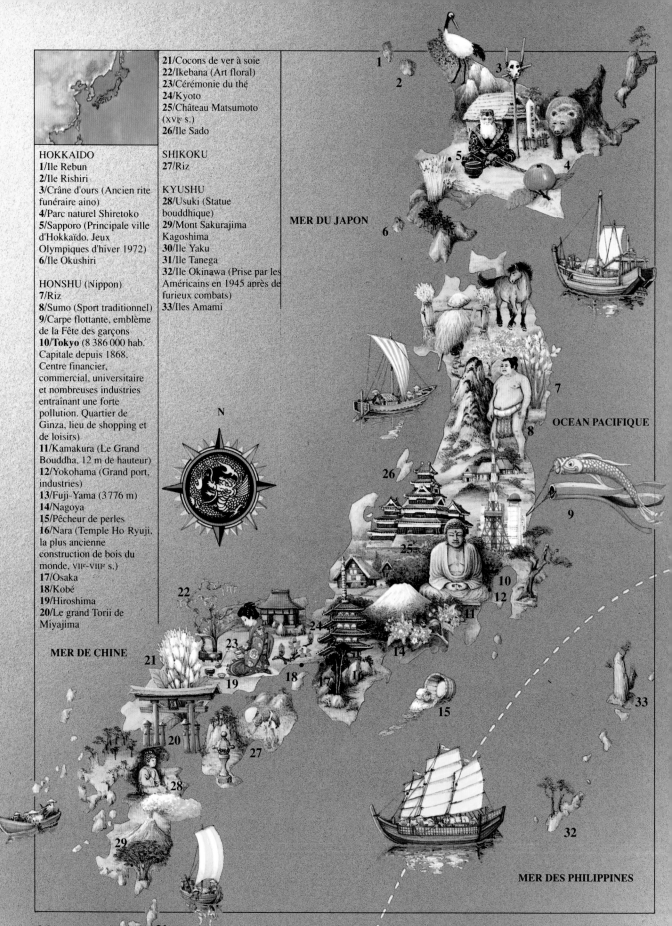

HOKKAIDO
1/ Ile Rebun
2/ Ile Rishiri
3/ Crâne d'ours (Ancien rite funéraire aino)
4/ Parc naturel Shiretoko
5/ Sapporo (Principale ville d'Hokkaïdo. Jeux Olympiques d'hiver 1972)
6/ Ile Okushiri

HONSHU (Nippon)
7/ Riz
8/ Sumo (Sport traditionnel)
9/ Carpe flottante, emblème de la Fête des garçons
10/Tokyo (8 386 000 hab. Capitale depuis 1868. Centre financier, commercial, universitaire et nombreuses industries entraînant une forte pollution. Quartier de Ginza, lieu de shopping et de loisirs)
11/ Kamakura (Le Grand Bouddha, 12 m de hauteur)
12/ Yokohama (Grand port, industries)
13/ Fuji-Yama (3 776 m)
14/ Nagoya
15/ Pêcheur de perles
16/ Nara (Temple Ho Ryuji, la plus ancienne construction de bois du monde, VIIᵉ-VIIIᵉ s.)
17/ Osaka
18/ Kobé
19/ Hiroshima
20/ Le grand Torii de Miyajima

21/ Cocons de ver à soie
22/ Ikebana (Art floral)
23/ Cérémonie du thé
24/ Kyoto
25/ Château Matsumoto (XVIᵉ s.)
26/ Ile Sado

SHIKOKU
27/ Riz

KYUSHU
28/ Usuki (Statue bouddhique)
29/ Mont Sakurajima Kagoshima
30/ Ile Yaku
31/ Ile Tanega
32/ Ile Okinawa (Prise par les Américains en 1945 après de furieux combats)
33/ Iles Amami

MER DU JAPON

OCEAN PACIFIQUE

N

MER DE CHINE

MER DES PHILIPPINES

Bonsaï : arbre miniature

Le Japon

Tokyo

Le vrai nom du Japon est Nippon, ou «lever du soleil». Le soleil se lève sur quatre îles principales (du sud au nord : Kyushu, Shikoku, Honshu, Hokkaido) et sur 3018 îles plus petites et 265 volcans. Hiver comme été, il se couche à 19 heures. On dit que les couchers de soleil y sont magnifiques.

Sous le ciel de flammes
Lointaine une voile, sans mon âme
Une voile.

Seishi

L'ancien Japon

L'empereur, ou *mikado*, longtemps considéré comme un dieu, résidait dans la ville sainte de Kyoto.

Le *shogun* était le général en chef, souvent rival de l'empereur.

Les *samouraïs* étaient des guerriers, respectant un rigoureux code de l'honneur.

Les cataclysmes

Tremblements de terre, éruptions volcaniques, raz de marée et typhons s'abattent souvent sur le Japon. Selon une légende, le pays repose sur un poisson qui frétille de temps à autre.

Le 6 août 1945 eut lieu au Japon une autre catastrophe, provoquée par les hommes. Les Américains, pour venir à bout de la résistance japonaise, lancèrent une première bombe atomique sur Hiroshima et, trois jours plus tard, une deuxième bombe sur Nagasaki. En quelques secondes, 100000 personnes périrent dans la première ville et 80000 dans l'autre. Aujourd'hui encore, on souffre et on meurt des radiations reçues en 1945.

Le miracle japonais

Un quart de siècle après avoir subi la plus cuisante défaite de son histoire, le Japon est devenu sur le plan économique le «3e Grand». Appareils photo, chaînes hi-fi, magnétoscopes, ordinateurs, automobiles, crayons-feutres et motos, les produits japonais envahissent les marchés du monde.

Rue d'Osaka, troisième ville du Japon

Quel ordre sous-jacent préside à ce fatras de complexes industriels et de logements, d'entrepôts, de canaux oubliés, de gratte-ciel de verre et d'acier à l'ombre desquels un fourmillement de petites maisons enserre un labyrinthe de ruelles; à cet écheveau de voies ferrées urbaines et d'autoroutes urbaines suspendues au-dessus de la ville (...)?

Yéfime

Hérité de la mythologie chinoise, le dragon tient une place importante dans les fêtes japonaises.

Carpes de la Fête des garçons

La carpe symbolise courage, persévérance et virilité.

Un écolier japonais doit apprendre plusieurs centaines de caractères différents; un lycéen, au moins deux mille ; un étudiant, plus de dix mille.

Masque nô. Dépourvu d'expressions passionnelles, il exprime l'ordre, le calme, la sérénité.

Dans les grandes entreprises, chaque matin, les ouvriers dans leurs ateliers et les cadres dans leurs bureaux entonnent l'«hymne» de leur société :

Pour édifier le nouveau Japon,
Durcissez vos efforts,
Faisons le maximum pour développer
* notre production,*
Envoyons nos produits aux peuples du
* monde,*
Sans relâche, sans relâche,
Comme l'eau qui sort d'une fontaine,
Jaillis industrie, jaillis!

Cité par Jacqueline Grapin

Tokyo

Des rues faites pour les piétons : les voitures, toutes dans des garages, ne gênent pas le promeneur. Les gens circulent à pied ou à vélo. A Tokyo, les rues n'ont pas de nom, mais un numéro en fonction de la date de leur construction.

Les fêtes

En janvier, quand le vent souffle du nord, ont lieu des concours de cerfs-volants. Tenus par des infinités de cordelettes, ces cerfs-volants mesurent près de cinq mètres d'envergure.

La Fête des filles et celle des garçons : le 3 mars a lieu la Fête des filles. Des poupées sont exposées dans les maisons. Le 5 mai, c'est la Fête des garçons. Des carpes de papier multicolores, suspendues à de grands mâts, flottent au vent.

Le théâtre

Le nô, le kabuki, le bunraku sont différentes formes de théâtre japonais.

Le nô est plus traditionnel et lent, le kabuki plus comique; quant au bunraku d'Osaka, il manipule «à vue» de merveilleuses marionnettes.

Ces formes de théâtre sont très anciennes puisqu'elles remontent pour la plupart au début du XVIIe siècle. Elles étaient destinées aux loisirs des samouraïs

et des commerçants, qui dominaient le pays. Ce que l'on ne sait pas toujours, c'est que les célèbres gravures sur bois au Japon – les *ukiyoe* – n'étaient rien d'autre à l'origine que des réclames pour les théâtres. Le théâtre survit en même temps que se développe au Japon une riche littérature et un art cinématographique où abondent les chefs-d'œuvre tels ceux de Kurosawa.

Samouraï : guerrier professionnel, entièrement dévoué à son seigneur. La caste des samouraïs joue un rôle important pendant la période dite «kamakura», du XIIe au XIVe siècle.

Les sports traditionnels

Judo, aïkido, karaté, kendo, kyudo, et sumo.

Le judo : « Ne pas combattre la force par la force, mais au contraire utiliser la force de l'adversaire à son propre avantage ». Le kendo, c'est l'escrime japonaise. Le kyudo, le tir à l'arc. Quant au sumo, c'est une sorte de lutte où s'opposent des colosses, les *sumotori*, pouvant peser jusqu'à 180 ou 200 kilos!

Jardin zen, fait de rochers et de sable ratissé

La nourriture au Japon est singulière et très déconcertante pour nous. Très épicée, comprenant très souvent du poisson cru presque toujours accompagné de riz. Les Japonais mangent à même le sol ou sur de petites tables basses autour desquelles les convives sont accroupis. Le repas ne s'éternise pas et on consomme juste ce qui est nécessaire.

Le plateau du repas semble un tableau des plus délicats : c'est un cadre qui contient, sur fond sombre, des objets variés (bols, boîtes, soucoupes, baguettes, menus, tas d'aliments, un peu de gingembre gris, quelques brins de légumes orange, un fond de sauce brune), et comme ces morceaux de nourriture sont exigus et ténus, mais nombreux, on dirait que ces plateaux accomplissent la définition de la peinture.

Roland Barthes

La cérémonie du thé

Tant le cadre que la discipline des gestes, à travers un rituel de la préparation et de la dégustation du thé vert en poudre et battu – ce qui donne un aspect mousseux –, doivent permettre de se couper des réalités quotidiennes et de trouver une paix intérieure en se concentrant sur ce qui se passe dans la pièce.

Yéfime

Les maisons

Comme les tremblements de terre sont fréquents, les maisons japonaises sont traditionnellement construites en bois. Mais les Japonais savent aussi construire d'impressionnants gratte-ciel anti-sismiques : quartiers de Shinjuku et de Ginza à Tokyo.

Les vêtements

Les Japonais sont, dans la vie courante, vêtus comme les Occidentaux. Mais très souvent, chez eux ou lors de cérémonies (mariage, par exemple), ils se parent de somptueux costumes traditionnels. Les femmes revêtent des kimonos, tuniques de soie d'une seule pièce, croisées sur le devant et maintenues par une large ceinture, l'*obi*.

Ecole bouddhique, le zen repose sur l'enseignement de la méditation, la recherche de la beauté et de la pureté.

Les Japonais vivent au ras du sol. Dans des maisons de bois, le sol est recouvert de nattes, les tatamis, et l'on se déchausse en entrant. On fait coulisser des cloisons, et l'espace s'agrandit ou se rapetisse.

Dans les temps anciens, les femmes portaient jusqu'à douze épaisseurs de kimonos dont la couleur et les motifs étaient déterminés par le rang, l'occasion et la saison. La toilette des mariées et des geishas est, encore aujourd'hui, longue et minutieuse.

Espace et population		
Superficie	372312 km²	
Population	121,4 M hab.	
Densité	326 hab./km²	
Taux de natalité	11,9 ‰	
Taux de mortalité	6,2 ‰	
Croissance annuelle	0,7 %	
Taux de mortalité infantile	7 ‰	
Espérance de vie	76,6 ans	
Population urbaine	76,5 %	
Capitale	Tokyo	
	(8386000 hab.)	
Données culturelles		
Langue	japonais	

Scolarisation		
Second degré	95 %	
Troisième degré	29,6 %	
Postes de TV	563 pour 1000 hab.	
Livres publiés par an	44253 titres	
Médecins pour 1000 hab.	1,5	
Economie		
Monnaie	yen (1 Y = 0,042 FF)	
PIB	1958,5 milliards de $	
PIB par hab.	16 123 $	
Croissance annuelle du PIB	2,4 %	
Production d'énergie	53,9 millions de TEC	
Consommation d'énergie	466,1 millions de TEC	
Importations	127700 millions de $	
Exportations	210700 millions de $	

L'Asie occidentale

Mosaïque sumérienne (IIIᵉ millénaire av. J.-C.)

Masque en cuivre de Sargon d'Akkad, fondateur d'un puissant empire sémite dominant la Babylonie et Sumer. Il régna 50 ans, vers 2450 av. J.-C.

Statuette avec inscriptions «cunéiformes» (écriture sumérienne)

L'Asie occidentale est la partie de l'immense continent asiatique qui touche à la Méditerranée et se situe à l'ouest de l'Asie centrale, de la Chine et du subcontinent indien.

Déserts civilisés

Les premières civilisations historiques naissent, en partie, dans ces déserts : dans le pays de Sumer, entre le Tigre et l'Euphrate (la Mésopotamie). Ces civilisations inventent l'écriture avant les Chinois et les Egyptiens, créent les premières villes, imaginent des systèmes de gouvernement très centralisés et constituent les premiers codes – recueils – de lois.

Les «religions du Livre»

C'est également en Asie occidentale que prennent racine et se développent les trois principales religions monothéistes du monde. Le monothéisme est la croyance en un seul Dieu. On dit parfois que ce sont les religions du Livre parce qu'elles s'inspirent toutes de la Bible.

Ces trois religions sont :

– le **judaïsme**, pratiqué par les Hébreux et dont le fondateur fut Abraham au début du IIᵉ millénaire avant J.-C. Moïse, au XIIIᵉ siècle avant J.-C., organise la religion

judaïque, après avoir reçu de Dieu, sur le mont Sinaï, les Tables de la Loi – les Dix Commandements ;

– le **christianisme**, fondé par Jésus-Christ. La date de sa naissance marque le début de l'ère chrétienne. Le livre qui retrace l'histoire et la doctrine chrétienne est le Nouveau Testament, et en particulier les quatre Evangiles ;

– l'**islam**, religion musulmane, fondé au VIIᵉ siècle après J.-C. par Mahomet et dont le livre sacré est le Coran.

Que ma langue s'attache à mon palais
si je perds ton souvenir,
si je ne mets Jérusalem
au plus haut de ma joie!

Bible de Jérusalem (Psaume 137)

Poudrière

La découverte dans son sous-sol de l'importante source d'énergie que représente le pétrole, la cohabitation de populations de cultures différentes (les Juifs et les Arabes), certains événements politiques (comme la création de l'Etat d'Israël), la rivalité des grandes puissances, font souvent, et encore aujourd'hui, de cette région du monde le théâtre d'événements tragiques. La guerre qui déchire le Liban depuis 1975 en est l'exemple le plus dramatique.

Maisons en roseaux dans la région de marais qui s'étend entre le Tigre et l'Euphrate. Les Grecs nommèrent plus tard une partie de cette contrée Mésopotamie : *mesos* (milieu), *potamos* (fleuve).

L'Iran, l'Afghanistan

L'IRAN

L'Iran s'étend à perte de vue – vaste comme trois fois la France ou comme la France, la Grande-Bretagne, l'Italie et l'Espagne réunies... On imagine avec peine un pays dont le nord est à la latitude de Madrid tandis que le sud approche du Tropique.

De hautes montagnes, entre deux et quatre mille mètres, enserrent un plateau central et un désert salé. Comme on est loin des pays arabes, du Proche et du Moyen-Orient ! Un monde à part vous attend et de la fournaise du golfe Persique aux brumes de la Caspienne, des plages de pêcheurs de perles au royaume de l'esturgeon.

Vincent Monteil

De la Perse à l'Iran moderne

Autrefois, l'Iran s'appelait la Perse. La Perse atteignit son apogée avec le règne de Darius Ier (522 - 486 av. J.-C.). Mais les Grecs par leurs victoires à Marathon (– 490) et à Salamine (– 480), affaiblirent sa puissance.

Entre le Xe et le XIIe siècle, sous les dynasties arabes, puis turco-mongoles, la Perse connaît un raffinement artistique extraordinaire.

Ce pays, dont la grandeur fut légendaire, a été le théâtre d'une civilisation très raffinée, tant sur le plan de l'art plastique – mosaïque, miniatures, tapis – et de la musique que de la poésie.

L'Iran moderne a été secoué par plusieurs bouleversements politiques, et, depuis 1979, date à laquelle le souverain (le shah) dut s'enfuir, l'Iran est une république islamique, dont le chef spirituel était l'imam Khomeini, se réclamant du chiisme, la tendance la plus austère et la plus dure de la religion musulmane. Les femmes vêtues de sombre ne doivent paraître que la tête enveloppée du *tchador*, voile noir.

De 1980 à 1988, l'Iran fut engagé dans une guerre très meurtrière avec son voisin l'Irak, créant une situation très explosive dans le golfe Persique : des pipe-lines y débouchent, amenant vers des pétroliers géants aussi bien le pétrole de l'Iran que celui de l'Irak, et surtout des autres pays du Golfe producteurs d'«or noir».

Quand tu vois l'orphelin qui va, baissant la tête, ne mets pas un baiser au front de ton enfant. S'il pleure l'orphelin, qui songe à le calmer? S'il se met en courroux, qui partage sa peine? En essuyant ses pleurs, montre ta compassion; enlève tendrement de sa face la terre. Oh! qu'il ne pleure point! car le Trône divin ne cesse de trembler quand pleure un orphelin.

Saadi

Mosquée Shab d'Ispahan (1610), décor de faïences bleues, jade, turquoise, blanches, jaunes. Grandes fleurs stylisées et inscriptions en caractères arabes.

Bas-relief du palais de Persépolis, ville fondée par Darius Ier au Ve s. av. J.-C.

La femme sage est celle qui a beaucoup à dire, mais qui garde le silence.
Proverbe persan

Espace et population	
Superficie	1 648 000 km²
Population	45,5 M hab.
Densité	28 hab./km²
Taux de natalité	39,7 ‰
Taux de mortalité	11,4 ‰
Croissance annuelle	2,9 %
Taux de mortalité infantile	108 ‰
Espérance de vie	60,2 ans
Population urbaine	55 %
Capitale	Téhéran (5 751 500 hab.)
Données culturelles	
Langue	persan
Analphabètes	49,2 %

Scolarisation	
Second degré	64,8 %
Troisième degré	4,4 %
Postes de TV	55 pour 1000 hab.
Livres publiés par an	4 835 titres
Médecins pour 1000 hab.	0,39
Economie	
Monnaie	rial iranien (1 R = 0,08FF)
PIB	162,7 milliards de $
PIB par hab.	3 770 $
Croissance annuelle du PIB	-12 %
Dette extérieure	5,5 milliards de $
Production d'énergie	183,9 millions de TEC
Consommation d'énergie	55 millions de TEC
Importations	10 000 millions de $
Exportations	7 500 millions de $

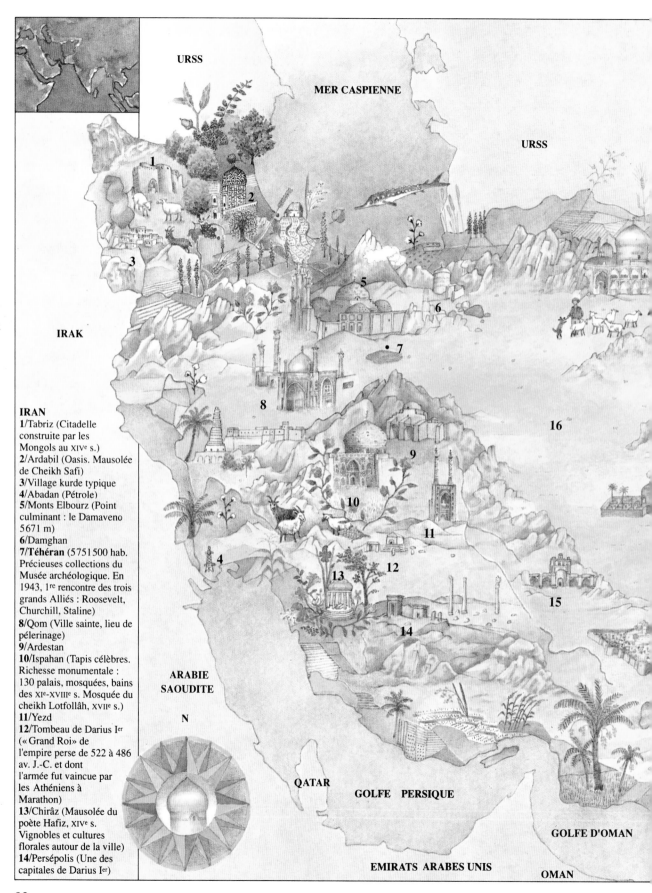

URSS

MER CASPIENNE

URSS

IRAK

IRAN

1/Tabriz (Citadelle
construite par les
Mongols au XIVe s.)
2/Ardabil (Oasis. Mausolée
de Cheikh Safi)
3/Village kurde typique
4/Abadan (Pétrole)
5/Monts Elbourz (Point
culminant : le Damaveno
5671 m)
6/Damghan
7/Téhéran (5751500 hab.
Précieuses collections du
Musée archéologique. En
1943, 1re rencontre des trois
grands Alliés : Roosevelt,
Churchill, Staline)
8/Qom (Ville sainte, lieu de
pélerinage)
9/Ardestan
10/Ispahan (Tapis célèbres.
Richesse monumentale :
130 palais, mosquées, bains
des XIe-XVIIIe s. Mosquée du
cheikh Lotfollâh, XVIIe s.)
11/Yezd
12/Tombeau de Darius Ier
(« Grand Roi ») de
l'empire perse de 522 à 486
av. J.-C. et dont
l'armée fut vaincue par
les Athéniens à
Marathon)
13/Chirâz (Mausolée du
poète Hafiz, XIVe s.
Vignobles et cultures
florales autour de la ville)
14/Persépolis (Une des
capitales de Darius Ier)

ARABIE
SAOUDITE

N

QATAR

GOLFE   PERSIQUE

GOLFE D'OMAN

EMIRATS ARABES UNIS

OMAN

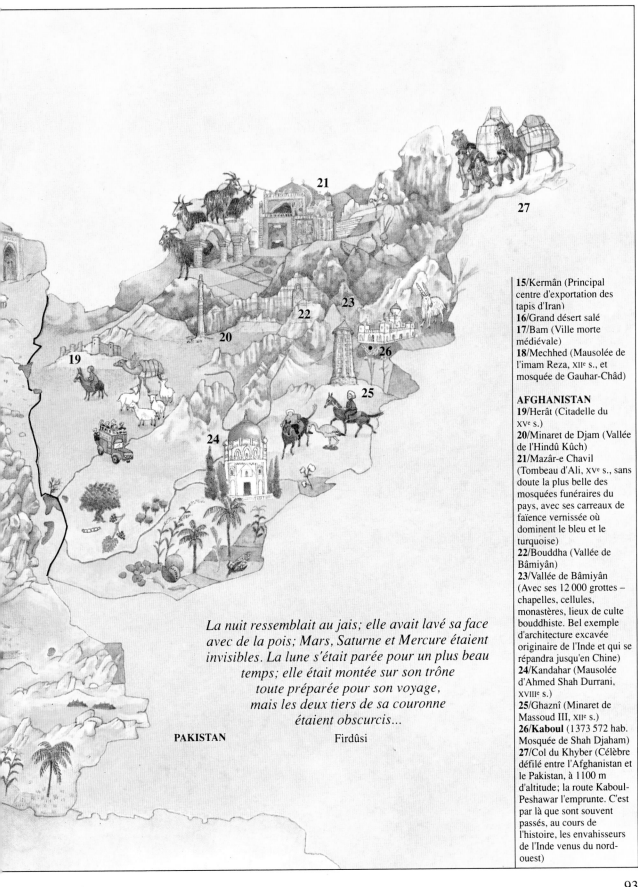

15/Kermân (Principal centre d'exportation des tapis d'Iran)
16/Grand désert salé
17/Bam (Ville morte médiévale)
18/Mechhed (Mausolée de l'imam Reza, XIIᵉ s., et mosquée de Gauhar-Châd)

AFGHANISTAN
19/Herât (Citadelle du XVᵉ s.)
20/Minaret de Djam (Vallée de l'Hindû Kûch)
21/Mazâr-e Chavil (Tombeau d'Ali, XVᵉ s., sans doute la plus belle des mosquées funéraires du pays, avec ses carreaux de faïence vernissée où dominent le bleu et le turquoise)
22/Bouddha (Vallée de Bâmiyân)
23/Vallée de Bâmiyân (Avec ses 12 000 grottes – chapelles, cellules, monastères, lieux de culte bouddhiste. Bel exemple d'architecture excavée originaire de l'Inde et qui se répandra jusqu'en Chine)
24/Kandahar (Mausolée d'Ahmed Shah Durrani, XVIIIᵉ s.)
25/Ghaznî (Minaret de Massoud III, XIIᵉ s.)
26/**Kaboul** (1 373 572 hab. Mosquée de Shah Djaham)
27/Col du Khyber (Célèbre défilé entre l'Afghanistan et le Pakistan, à 1 100 m d'altitude; la route Kaboul-Peshawar l'emprunte. C'est par là que sont souvent passés, au cours de l'histoire, les envahisseurs de l'Inde venus du nord-ouest)

La nuit ressemblait au jais; elle avait lavé sa face avec de la pois; Mars, Saturne et Mercure étaient invisibles. La lune s'était parée pour un plus beau temps; elle était montée sur son trône toute préparée pour son voyage, mais les deux tiers de sa couronne étaient obscurcis...

PAKISTAN   Firdûsi

Miniature persane

L'AFGHANISTAN

L'Afghanistan est traditionnellement peuplé de nomades et de guerriers. Les uns élèvent des moutons karakul qui donnent la fourrure d'astrakan. Les autres possèdent des chameaux de Bactriane et des yacks, nommés «bœufs grognants».

Caravanes sur l'ancienne Route de la soie

Rares sont les voies ferrées et les routes. Pourtant, autrefois, les caravanes traversaient l'Afghanistan et l'Iran en suivant la Route de la soie. Elles transportaient de l'or et des épices indiens, de la soie et du papier.

Devant son regard, un plateau s'ouvrait à l'infini. La surface en était poudrée, comme d'une cendre au grain dur et grossier. Sur elle régnait la mort éblouissante des frigides soleils.

Lumineuse au point de rendre toute lumière épaisse et aveugle, plus stérile que la nudité des laves noires, plus triste que les larmes des anges et plus belle que la beauté, cette plaine étalée à quinze mille pieds d'altitude n'était plus la terre des hommes.

Joseph Kessel

Maison de thé, en Afghanistan, où les femmes ne sont pas admises.

Espace et population	
Superficie	647 497 km²
Population	18,60 M hab.
Densité	28,7 hab./km²
Taux de natalité	48,9 ‰
Taux de mortalité	27,3 ‰
Croissance annuelle	2,6 %
Taux de mortalité infantile	159 ‰
Espérance de vie	37 ans
Population urbaine	18,5 %
Capitale	Kaboul (1 373 572 hab.)
Données culturelles	
Langues	dari, pachtou
Analphabètes	76,3 %

Scolarisation	
Second degré	23,1 %
Troisième degré	1,4 %
Postes de TV	3 pour 1000 hab.
Livres publiés par an	415 titres
Médecins pour 1000 hab.	0,06
Economie	
Monnaie	afghani (1 AF = 0,11 FF)
PIB	3,03 milliards de $
PIB par hab.	168 $
Croissance annuelle du PIB	2 %
Dette extérieure	3,5 milliards de $
Production d'énergie	4,14 millions de TEC
Consommation d'énergie	1,33 millions de TEC
Importations	1014 millions de $
Exportations	604 millions de $

L'Arabie, les pays du golfe Persique

L'ARABIE

L'Arabie : Djazirat al-Arab (l'île des Arabes) est une vaste péninsule de l'extrémité sud-ouest de l'Asie. Elle comprend principalement : l'Arabie Saoudite, les Emirats arabes unis, Oman, les deux Yémen (Nord-Yémen et Sud-Yémen).

Jadis on appelait le Yémen, pays dont le climat est agréable et la terre fertile, l'« Arabie Heureuse », par opposition à l'Arabie désertique. La découverte de pétrole en 1933 allait tout changer et faire de l'Arabie Saoudite et des Emirats des pays riches, parmi les plus riches du monde.

Torchères d'un gisement de pétrole en plein désert d'Arabie

Les pays du Golfe sont situés sur la rive occidentale du golfe Persique : L'Iran, sur la rive orientale du golfe, l'Irak au nord, au sud de l'Irak, le Koweit, l'Arabie Saoudite, le Qatar, les Emirats arabes unis et, fermant le Golfe au sud, sur la côte occidentale, le sultanat d'Oman.

La richesse du désert

Ces pays, particulièrement l'Arabie Saoudite, le Koweit et les Emirats arabes unis, connaissent, malgré le caractère désertique de leur sol, une prospérité inouïe due à la présence extrêmement abondante de pétrole dans le sous-sol. Si bien que des villes modernes, parfois somptueuses, s'élèvent au milieu du désert. On comprend pourquoi les grandes puissances tiennent à entretenir de bonnes relations politiques et économiques avec les pays du Golfe, qui étaient, avant la découverte du pétrole, perdus dans les sables.

Mahomet et le Coran

Mahomet, né vers 570 après Jésus-Christ à La Mecque, est mort à Médine en 632. Vers 610-611, il reçoit une révélation – la Révélation – de l'archange Gabriel, dont il ne relate d'abord le contenu qu'à ses proches, les «muslimiens», c'est-à-dire ceux qui remettent leur âme à Allah : les musulmans.

Le 16 juillet 622, pour échapper aux hommes de La Mecque qui veulent l'assassiner, il s'enfuit et se réfugie à Médine, la ville du « prophète ». De cet événement – l'« hégire », l'émigration – date l'an I de l'ère musulmane.

Les préceptes de la religion musulmane sont consignés dans le Livre, le Coran, ou «récitation», divisé en « sourates ».

Au nom d'Allah, le Bienfaiteur
*   miséricordieux.*
Par le Soleil et sa clarté!
par la Lune quand elle le suit!
par le Jour quand il le fait briller!
par la Nuit quand elle le couvre!
par le Ciel et Ce qui l'a édifié!
par la Terre et Ce qui l'a étendue!
par l'Ame et Ce qui l'a formée
*   harmonieusement*
et lui a inspiré son libertinage et sa
*   piété!*
heureux sera celui qui aura purifié cette
*   âme!*
Sourate XCI (le Soleil)

Maisons du Nord-Yémen

Une page du Coran

Le mot que tu retiens entre tes lèvres est ton esclave, celui que tu prononces est ton maître.

Proverbe arabe

Dans la Kaaba, la Pierre noire d'Abraham – apportée par l'ange Gabriel – (au centre de la Grande Mosquée de La Mecque)

Bergers nomades

Aéroport de Djedda. Ville la plus peuplée d'Arabie Saoudite avec 1 500 000 habitants, Djedda est la véritable «porte du pèlerinage» à La Mecque accueillant plus de 95 % des arrivants.

Mariée du Yémen

Les cinq piliers de l'islam

L'islam est une religion simple et de pratique simple ; tout bon musulman est tenu de respecter les cinq piliers de l'islam :

– la profession de foi : il n'y a de divinité que Dieu – Allah –, et Mahomet est l'envoyé de Dieu ;

– les cinq prières par jour, précédées d'ablutions, et faites en direction de La Mecque ;

– le jeûne du mois de ramadan, avec abstinence de nourriture, de boisson, de tabac du lever au coucher du soleil ;

– l'aumône légale ;

– le pèlerinage une fois dans sa vie à La Mecque, où se trouve, dans l'édifice cubique de la Kaaba la Pierre noire d'Abraham.

Dans le soleil, nos yeux n'auront plus jamais la gaieté insouciante des enfants.
Car voilà «nous sommes femmes, et tout finit pour nous avant que commence notre vie».

Mohamed al Charafi

Espace et population	ARABIE SAOUDITE	EMIRATS ARABES UNIS
Superficie	2 149 690 km^2	83 600 km^2
Population	12,04 M hab.	1,41 M hab.
Densité	5,6 hab./km^2	16,9 hab./km^2
Taux de natalité	42,1 ‰	29,8 ‰
Taux de mortalité	8,9 ‰	4,3 ‰
Croissance annuelle	4,3 %	6,2 %
Taux de mortalité infantile	82 ‰	37 ‰
Espérance de vie	56 ans	71 ans
Population urbaine	73 %	77,8 %
Capitale	Riyad (1 308 000 hab.)	Abou Dhabî (243 000 hab.)
Données culturelles		
Langue	arabe	arabe
Analphabètes	48,9 %	
Scolarisation		
Second degré	44,2 %	82,7 %
Troisième degré	9,8 %	7,8 %
Postes de TV	264 pour 1000 hab.	93 pour 1000 hab.
Livres publiés par an	218 titres	84 titres
Médecins pour 1000 hab.	0,35	1,97
Economie		
Monnaie	riyal ar.s.	dirham
	(1 RLAS = 1,57 FF)	(1 D = 1,60 FF)
PIB	77,41 milliards de $	22,51 milliards de $
PIB par hab.	6 430 $	15 967 $
Croissance annuelle du PIB	-8,7 %	1,7 %
Dette extérieure		
Production d'énergie	249 millions de TEC	93,9 millions de TEC
Consommation d'énergie	37,4 millions de TEC	9,6 millions de TEC
Importations	22 200 millions de $	7 326 millions de $
Exportations	20 800 millions de $	14 254 millions de $

IRAK

JORDANIE

MER ROUGE

EGYPTE

SOUDAN

ETHIOPIE

8

6

5

24

ARABIE SAOUDITE
1/Désert de Dahna
2/Hofouf (Oasis)
3/**Riyad** (1 308 000 hab. Au centre d'une oasis. Buildings modernes contrastant avec des édifices traditionnels : mosquée du Vendredi, forteresse Al Masmak)
4/Désert du Roub'al Khali
5/Abha (A 2 100 m d'altitude dans les montagnes de l'Azir)
6/La Mecque (Ville sainte des musulmans. Le prophète Mahomet y a prêché l'islam au début du VIIe s. Chaque année, des foules de pèlerins du monde entier se rendent dans la ville et dans ses environs afin d'y accomplir les différents rites du pèlerinage. Au centre de la Grande Mosquée et de ses élégants minarets, la célèbre Kaaba)

Jamais homme [Mahomet] n'accomplit en moins de temps une si immense et si durable révolution dans le monde puisque, moins de deux siècles après sa prédication, l'islamisme, prêché et armé, régnait sur les trois Arabies, conquérait la Perse, le Khorasan, la Transoxiane, l'Inde occidentale, la Syrie, l'Egypte, l'Ethiopie, tout le continent connu de l'Afrique septentrionale, plusieurs des îles de la Méditerranée, l'Espagne et une partie de la Gaule.

Alphonse de Lamartine

IRAN

GOLFE PERSIQUE

GOLFE D'OMAN

MER D'OMAN

GOLFE D'ADEN

7/Médine (Mahomet s'y réfugie en 622, fuyant l'hostilité des Mecquois. Mosquée du Tombeau : le prophète y est enseveli)
8/Désert du Nefoud
9/Zone neutre

KOWEIT
10/Koweit (44 000 hab.)
11/Zone neutre

12/BAHREIN
13/Manama (110 000 hab.)

14/QATAR
15/Doha (190 000 hab.)

16/EMIRATS ARABES UNIS
17/Abou Dhabî (243 000 hab.)
18/Détroit d'Ormuz

OMAN
19/Mascate (50 000 hab.)

SUD-YEMEN (Yémen démocratique)
20/Oasis de Tarim
21/Al-Mukallâ
22/Aden (318 000 hab.)
23/Socotra
24/Perim (Petite île – position stratégique)
NORD-YEMEN
25/Sanaa (42 000 hab. Elle aurait été fondée par Sem, fils de Noé. Belles maisons traditionnelles aux façades très soignées)
26/Saadâ

Grande Mosquée de La Mecque avec ses 7 minarets de 90 m de hauteur et, au centre de la cour, la Kaaba.

97

TURQUIE

1/Istanbul (Ancienne Byzance. Port important et capitale économique de la Turquie. Basilique Sainte-Sophie construite en 425 par Constantin. Mosquée de Soliman le Magnifique, XVIe s. Musée de l'Ancien Orient. Pont franchissant le Bosphore, détroit qui sépare l'Europe de l'Asie)

2/Bursa (Mausolée Vert, XVe s.)

3/Ankara (2 235 000 hab. Capitale de la Turquie depuis 1923. Très riche Musée hittite)

4/Trébizonde (Ancienne Trapezos fondée au Ve s. av. J.-C. par les Grecs)

5/Rize

6/Mont Ararat (5 165 m, massif volcanique)

7/Dogubayazit

8/Erzurum (Médersa – école coranique – XIIIe s.)

9/Diyarbakir (Remparts de basalte noir – IVe-VIe s.)

10/Nemrud Dag (Immense tumulus de galets du Ier s. av. J.-C.; statues colossales de divinités grecques et perses)

11/Cappadoce

12/Konya (Mosquées et médersa du XIIIe s.)

13/Akshéhir

14/Alanya

15/Antakya (Antioche : a joué un rôle important dans la diffusion du christianisme antique)

16/Cnide (Colonie fondée par les Grecs, au VIe s. av. J.-C.)

17/Aphrodisias (Importants vestiges romains : temple d'Aphrodite et le plus grand stade antique, Hermès)

18/Ephèse (Très nombreux vestiges grecs, romains et byzantins. Porte byzantine du VIe s.)

19/Bergama (Pergame. Théâtre antique gréco-romain de 30 000 places)

20/Troie (Le fameux «cheval de Troie» imaginé par Ulysse et grâce auquel les Achéens s'emparèrent de la ville)

CHYPRE

21/Nicosie (123000 hab.)

22/Famagouste

23/Paphos

SYRIE

24/Saint-Siméon

25/Krak des Chevaliers (Forteresse construite par les croisés, XIIe et XIIIe s.)

MER NOIRE

BOSPHORE

Ce pays qui ressemble à la tête d'une jument,
venue au galop de l'Asie lointaine
pour se tremper dans la Méditerranée,
ce pays est le nôtre

Poignets en sang, dents serrées, pieds nus,
terre qui ressemble à un tapis de soie,
cet enfer, ce paradis est le nôtre.

Nazim Hikmet

MER MEDITERRANEE

EGYPTE

98

La Turquie, le Proche-Orient

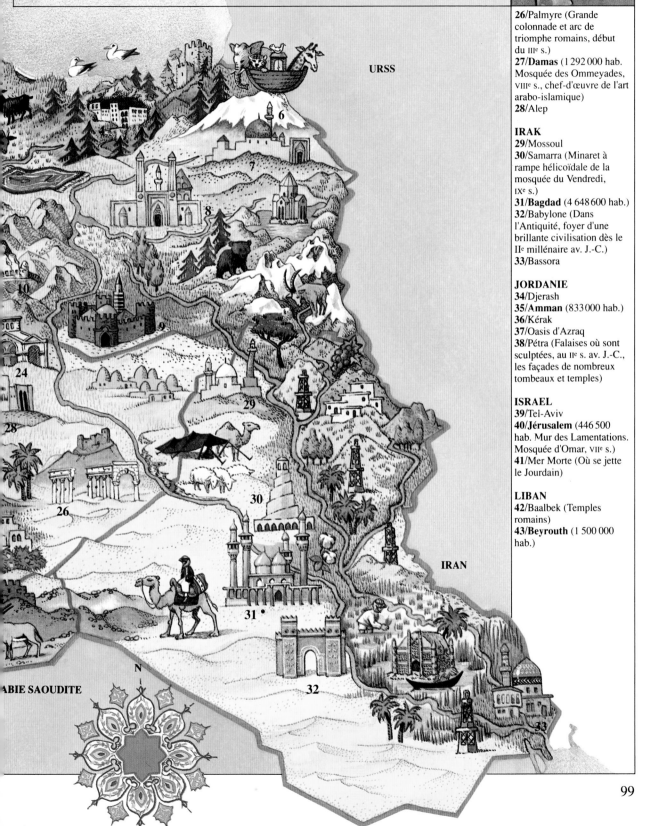

URSS

26/Palmyre (Grande
colonnade et arc de
triomphe romains, début
du IIIe s.)
27/**Damas** (1 292 000 hab.
Mosquée des Ommeyades,
VIIIe s., chef-d'œuvre de l'art
arabo-islamique)
28/Alep

IRAK
29/Mossoul
30/Samarra (Minaret à
rampe hélicoïdale de la
mosquée du Vendredi,
IXe s.)
31/**Bagdad** (4 648 600 hab.)
32/Babylone (Dans
l'Antiquité, foyer d'une
brillante civilisation dès le
IIe millénaire av. J.-C.)
33/Bassora

JORDANIE
34/Djerash
35/**Amman** (833 000 hab.)
36/Kérak
37/Oasis d'Azraq
38/Pétra (Falaises où sont
sculptées, au IIe s. av. J.-C.,
les façades de nombreux
tombeaux et temples)

ISRAEL
39/Tel-Aviv
40/**Jérusalem** (446 500
hab. Mur des Lamentations.
Mosquée d'Omar, VIIe s.)
41/Mer Morte (Où se jette
le Jourdain)

LIBAN
42/Baalbek (Temples
romains)
43/**Beyrouth** (1 500 000
hab.)

IRAN

ABIE SAOUDITE

N

Norias (moulins à eau) sur l'Oronte, à Hama (Syrie)

Rouleau de la Thora, en hébreu «la Loi» : les cinq premiers livres de la Bible (le Pentateuque)

ISRAEL

Après avoir habité la terre de Canaan, l'ancienne Palestine, conquise par eux du XIIe au XIe siècle avant J.-C., les Juifs se dispersent aux quatre coins du monde.

Dès le XIXe siècle, certains commencent à retourner en Palestine, où vivent de nombreuses populations arabes, ainsi que des Juifs établis là depuis toujours.

L'Etat d'Israël est proclamé en 1948 après une longue lutte des Juifs de Palestine contre les Anglais, qui occupent cette région. Juifs et Arabes ont, depuis des temps très anciens, toujours vécu en Palestine. L'existence de l'Etat d'Israël allait créer une situation dramatique, les uns et les autres revendiquant la Palestine comme leur terre natale.

LA JORDANIE

Le pays du Jourdain est désertique, à l'exception des vallées du Jourdain et du Cédron. La Cisjordanie, à l'ouest du Jourdain, est un ancien territoire jordanien, comprenant la Judée et la Samarie, actuellement occupé par Israël.

L'IRAK

C'est en Mésopotamie, plaine fertile et torride comprise entre le Tigre et l'Euphrate, que naquirent et se développèrent quelques-unes des plus anciennes civilisations du monde : sumérienne, assyrienne... Là naquit l'écriture.

Et c'est à Bagdad qu'apparaissent vers le IXe siècle les contes des *Mille et Une Nuits*.

Vieux quartier du port d'Istanbul, le long du détroit du Bosphore

Le Mur des Lamentations à Jérusalem. Partie ouest du mur de soutènement de l'esplanade du Temple, il fut construit au Xe s. av. J.-C. par le roi Salomon, et reconstruit à maintes reprises, en particulier par Hérode au Ier s. av. J.-C.

LE LIBAN

Le Liban, la côte libanaise surtout, est l'ancienne patrie des Phéniciens, hardis navigateurs qui commercèrent avec tous les peuples de la Méditerranée.

Ce sont les Phéniciens qui ont inventé l'écriture alphabétique.

Ce petit pays, et principalement sa capitale, Beyrouth, est de nos jours un lieu d'affrontements entre les Arabes palestiniens qui y avaient trouvé refuge, les Israéliens, les Syriens et de nombreuses milices libanaises puissamment armées représentant des courants politiques ou religieux opposés.

Stèle du roi de Babylone Nazimaaruttash (1323 - 1298 av. J.-C.)

LA SYRIE

Appelée Aram dans la Bible, cette région du Proche-Orient, au littoral très accidenté, est essentiellement agricole, malgré la présence à l'est d'un vaste désert.

Son histoire remonte à l'époque paléolithique ; s'y mêlent les conquêtes des Egyptiens, des Perses, des Romains, des Arabes et des Turcs. Sous mandat français de 1920 à 1941, la Syrie est aujourd'hui une république arabe.

LA TURQUIE

La Turquie relie l'Europe et l'Asie, que sépare le détroit du Bosphore. Un pont mobile relie les deux continents. Sa capitale, Istanbul, s'appelait autrefois Constantinople, et plus anciennement Byzance.

Les Turcs, venus d'Asie centrale vers l'an 800, connurent des périodes glorieuses avec des chefs dont les noms font encore rêver : Gengis Khan, Tamerlan, Soliman le Magnifique...

Ils prirent Byzance en 1453 et, au XVIIe siècle, étaient maîtres de la péninsule des Balkans : Yougoslavie, Grèce, Bulgarie...

Mais, après la guerre de 1914, l'immense Empire ottoman était réduit à ses frontières actuelles.

En 1923, Mustafa Kemal Atatürk proclame la république et entreprend une véritable révolution dans les mœurs : les femmes se dévoilent, la vie se laïcise.

Scène de battage du blé en Anatolie

Palais de Topkapi à Istanbul (harem)

Mosaïque byzantine de la basilique San Vitale de Ravenne (Italie) représentant Théodora, impératrice d'Orient (527-548) et épouse de l'empereur Justinien.

Espace et population	TURQUIE	IRAK	ISRAEL
Superficie	780 576 km²	434 924 km²	20 770 km²
Population	50,3 M hab.	16,49 M hab.	4,3 M hab.
Densité	64 hab./km²	37,9 hab./km²	207 hab./km²
Taux de natalité	33,6 ‰	44,4 ‰	23,1 ‰
Taux de mortalité	9,3 ‰	8,7 ‰	6,7 ‰
Croissance annuelle	2,1 %	3,7 %	1,8 %
Taux de mortalité infantile	90 ‰	74 ‰	14 ‰
Espérance de vie	63 ans	59 ans	74 ans
Population urbaine	48,1 %	70,6 %	90,7 %
Capitale	Ankara	Bagdad	Jérusalem
	(2 235 000 hab.)	(4 648 600 hab.)	(446 500 hab.)
Données culturelles			
Langues	turc	arabe	hébreu, arabe
Analphabètes	25,8 %	10,7 %	4,9 %
Scolarisation			
Second degré	51,9 %	86,9 %	
Troisième degré	8,9 %	10 %	34,2 %
Postes de TV	127 pour 1000 hab.	55 pour 1000 hab.	256 pour 1000 hab.
Livres publiés par an	6 869 titres	1 205 titres	1 892 titres
Médecins pour 1000 hab.	0,6	0,56	2,5
Economie			
Monnaie	livre	dinar	shekel
	(1L = 0,007FF)	(1D = 18,98FF)	(1S = 3,73FF)
PIB	59 milliards de $	63,5 milliards de $	27,1 milliards de $
PIB par hab.	1173 $	3 854 $	6 307 $
Croissance annuelle du PIB	7,8 %	-55% (1979-1982)	1,7 %
Dette extérieure	31,4 milliards de $	75 milliards de $	23,87 milliards de $
Production d'énergie	20,4 millions de TEC	139,9 millions de TEC	0,07 million de TEC
Consommation d'énergie	44,4 millions de TEC	11,8 millions de TEC	9,92 millions de TEC
Importations	10700 millions de $	11178 millions de $	10 487 millions de $
Exportations	7 600 millions de $	13 185 millions de $	7 136 millions de $

Berger d'Anatolie (Turquie orientale)

L'AFRIQUE

Pont de lianes en Côte-d'Ivoire

Scène de marché

C'est sans doute en Afrique que les premiers ancêtres de l'homme sont apparus. On distingue généralement l'«Afrique blanche», ou Afrique méditerranéenne, et l'«Afrique noire», qui s'étend au sud du Sahara.

Le commerce des esclaves

Entre le XVIᵉ siècle et le début du XIXᵉ siècle, les côtes de l'Afrique occidentale sont le lieu d'un commerce d'esclaves : les Africains sont achetés ou échangés au même titre que des denrées comme l'or, l'ivoire ou la gomme et transportés en cargaisons vers les Amériques.

Exploration et colonisation

Ce n'est qu'au milieu du XIXᵉ siècle que les Européens pénètrent à l'intérieur du continent africain, puis en font la conquête. La colonisation tardive s'explique sans doute par le climat. Le Nord et le Sud mis à part, l'Afrique est un continent très chaud avec des zones soit très sèches, soit très humides et les Européens ne sont guère habitués au désert, à la savane ou à la forêt équatoriale.

En Afrique noire, les colonisateurs trouvent des modes de vie traditionnels, différant les uns des autres suivant la nature des régions habitées. Il y a cinq grandes civilisations :

– ia civilisation de l'arc, des chasseurs de la savane et de la forêt;

– la civilisation des clairières, où certaines tribus de la forêt abattent des arbres pour planter des patates douces, du manioc et des bananiers;

– la civilisation des greniers, où les habitants des gros villages de la savane entassent les provisions;

– la civilisation de la lance, où les habitants des plaines du Nil Blanc et des Grands Lacs, à la fois bergers et guerriers, élèvent du bétail;

– la civilisation des cités, en Afrique occidentale, où existent des villes au commerce très actif.

Outils et pointes de flèches et de javelots préhistoriques trouvés au Ténéré (Sahara)

La colonisation a très souvent imposé aux Africains une agriculture contraire à leurs habitudes et à leurs besoins : les monocultures, comme celle de la vigne en Afrique du Nord et celle de l'arachide au Sénégal, destinées à l'exportation, ont remplacé les cultures vivrières nécessaires à l'alimentation des populations locales.

L'indépendance

Après la Seconde Guerre mondiale, les différents pays africains ont accédé à l'indépendance, parfois au prix de guerres de libération meurtrières. Nombre d'entre eux dépendent encore aujourd'hui sur le plan économique de leurs anciens colonisateurs ou des pays riches.

Poterie d'Afrique du Nord

L'Afrique du Nord

L'Afrique du Nord, ou Maghreb, « l'endroit où le soleil se couche », comprend le Maroc, l'Algérie, la Tunisie. C'est l'Occident du monde arabe.

Les Berbères et les Arabes

Les Berbères habitent le Maghreb depuis la préhistoire. Les Arabes arrivent du Moyen-Orient entre le VIIe et le VIIIe siècle. Les Berbères vivent essentiellement dans les régions montagneuses de l'Algérie – la Kabylie – et dans le sud de la Tunisie. Au Maroc, ils sont plus nombreux que les Arabes.

Je suis seul sur la montagne,
Paissant mes brebis
Avec mes chèvres et mes bœufs.

Tu sais bien, ô seigneur Dieu,
C'est le royaume du vent,
De l'ombre, du froid, de la neige.

Chant populaire de Kabylie

Pour implanter leur religion, les Arabes bâtissent des cités. Au centre se trouvent la mosquée et le souk, marché couvert. Dans le souk, les étals des petits artisans et des commerçants offrent légumes, graines, paniers, bijoux, tapis et étoffes.

Les femmes, souvent voilées, sortent très peu, tandis que les hommes gèrent la vie publique.

LE MAROC

Seul pays arabe ouvert à la fois sur l'océan Atlantique et la Méditerranée, le Maroc obtient son indépendance en 1956. La plupart des Marocains sont paysans ou bergers.

Les villes marocaines sont très pittoresques, surtout dans leurs parties anciennes. C'est ainsi que sont célèbres pour leur animation les rues couvertes, ou souks, de la vieille ville sainte de Fez.

Le Maroc est une monarchie autoritaire. Le roi, qui est en même temps «Commandeur des croyants», est un personnage presque sacré. Depuis la fin du XIXe siècle, les Marocains tendent à faire de leur pays une monarchie parlementaire.

Mais jusqu'à ces dernières années, le Maroc s'était isolé des autres pays du Maghreb, surtout vis-à-vis de l'Algérie qui soutenait le peuple sahraoui, des Berbères occupant une partie de l'ancien Maroc espagnol – au sud du Maroc proprement dit. Ce peuple sahraoui mène depuis de nombreuses années une guérilla incessante contre les forces armées marocaines.

Peintures rupestres du Tassili : elles montrent qu'il y a 5000 ans certaines régions du Sahara n'étaient pas désertiques. On y élevait des troupeaux de bovins.

Les Touaregs sont des nomades qui élèvent des dromadaires, des chèvres, des moutons, des zébus. De longues tuniques protègent les «hommes bleus» du soleil et du vent.

Caravane de nomades dans l'erg saharien, vaste région couverte de dunes

ESPAGNE

ILE MADERE

OCEAN ATLANTIQUE

ILES CANARIES

10

9

7

1

6

3

2

5

4

21

22

20

N

MAURITANIE

MALI

MAROC
1/Rabat (556000 hab.
Médina – vieille ville –,
Casbah – citadelle – et
jardins des Oudaïas, XIIe -
XVIIe siècle, très riche
Musée archéologique)
2/Fez (Capitale culturelle
du Maroc traditionnel.
Prestigieuse mosquée
qaraouiyyin, IXe s. Souks
animés)
3/Beni Mellal
4/Ouarzazate (Tapis et
poteries berbères. Casbah
puissante)
5/Tafraout (Au cœur d'une
pittoresque vallée de
l'Anti-Atlas, entourée de
myriades de rochers de
granit rose aux formes
étranges)

SAHARA
OCCIDENTAL

6/Agadir (Reconstruite
après le terrible
tremblement de terre de
1960. Centre touristique)
7/Marrakech (Au pied du
Haut-Atlas, entourée de
palmeraies : une des plus
belles villes du Maghreb.
Capitale des Almoravides –
XIIe s. – puis des
Almohades – XIIe -XIIIe s.
Minaret de la mosquée de la
Koutoubia, XIIe s.)

ALGERIE
8/Tlemcen
9/Oran (Port actif et centre
industriel)
10/Tipasa (Ruines
romaines dans un site
marin d'une grande beauté)
11/Ghardaïa (Oasis du
nord du Sahara, dattes de
qualité, centre touristique)
12/Alger (1483000 hab.
Très belle ville bâtie sur les
gradins des collines du
Sahel. 1er port du pays,
pôle industriel.
Intéressants musées :
Antiquités, Beaux-Arts)

13/El-Oued
14/Constantine
15/Tebessa (Temple de
Minerve, IIIe s.)
16/Massif du Hoggar
**17/Fresques du Tassili des
Ajjers** (6000 av. J.-C. pour
les plus anciennes)
18/Tamanrasset
19/Caravane de Touaregs
20/In-Salah (Oasis)
21/Timimoun
(Constructions en argile
rouge)
22/Foire aux chameaux

ITALIE

MER MEDITERRANEE

TUNISIE
23/Tameza (Oasis)
24/Carthage (Nombreux
vestiges antiques,
phéniciens et romains)
25/**Tunis** (596 700 hab.
Minaret de la grande
mosquée, VIIIe-IXe s. Très
riche musée archéologique
du Bardo)
26/Kairouan (Ville sainte)
27/Sfax
28/Ghorfas berbères
(Anciens greniers
collectifs)

LIBYE
29/**Tripoli** (587 400 hab.)
30/Cyrène (Ruines
romaines)
31/Koufra (Oasis)
32/Sebha (Oasis)
33/Gerrna
34/Champs en terrasses
du Djebel Nefousa
35/Nalout (Village
troglodyte)

NIGER

TCHAD

*Innombrable Sahara : plaines sans mesure
dont l'œil ne peut deviner la fin, plateaux
déchiquetés par les cataclysmes futuristes,
montagnes, pics et cratères qu'on dirait
sortis d'un ouvrage de science-fiction,
massifs dunaires figés comme une mer
dormante aux vagues ensoleillées.*

Françoise Vergniaud

Ghardaïa (oasis du nord
du Sahara algérien) :
la place du marché

*Le port est dominé par le
jeu de cubes blancs de la
Casbah. Quand on est au
niveau de l'eau, sur le
fond blanc cru de la ville
arabe, les corps déroulent
une frise cuivrée. Et, à
mesure qu'on avance dans
le mois d'août et que le
soleil grandit, le blanc des
maisons se fait plus
aveuglant et les peaux
prennent une chaleur
plus sombre...*
Albert Camus

L'ALGERIE

Colonisée par les Français en 1830, l'Algérie devient département français avant l'indépendance, proclamée le 1er juillet 1962.

L'Algérie moderne est relativement prospère grâce au pétrole saharien, et surtout au gaz naturel, qu'elle exporte par des gazoducs. Après avoir connu une période où la rivalité de certains «chefs historiques» de la guerre d'indépendance créa des régimes successifs aux conceptions politiques divergentes, il semble qu'aujourd'hui l'Algérie, stabilisée, soit appelée à jouer un rôle important comme intermédiaire entre le monde arabe et les Etats occidentaux.

LA TUNISIE

La Tunisie a vu naître la civilisation de Carthage. Fondée vers 825 av. J.-C., la ville s'élevait à proximité de Tunis. Les Romains la détruisirent et colonisèrent l'actuelle Tunisie.

Après la conquête arabe, aux VIIe et VIIIe siècles, la Tunisie devient un pays musulman. Elle tombe aux mains des Turcs, en 1574, et, en 1881, est placée sous protectorat français. La France reconnaît, en 1956, l'indépendance de son ancienne colonie, qui a été gouvernée jusqu'en 1987 par Habib Bourguiba.

LA LIBYE

La Libye est devenue un pays riche après la découverte de gisements de pétrole en 1959. Gouvernée depuis 1951 par le roi Idris Ier, elle devient «République arabe libyenne», à la suite du coup d'Etat militaire organisé, en 1969, par le colonel Kadhafi.

La Libye subit la contradiction inhérente à plusieurs de ces pays désertiques producteurs de pétrole qui maîtrisent parfois difficilement cette soudaine et nouvelle source de richesse ; car le désert reste le désert, malgré des aménagements destinés à le rendre fertile.

	MAROC	ALGERIE	TUNISIE	LIBYE
Espace et population				
Superficie	450 000 km²	2 381 741 km²	163 610 km²	1 759 540 km²
Population	23,2 M hab.	22,4 M hab.	7,45 M hab.	3,60 M hab.
Densité	32,8 hab./km²	9,4 hab./km²	45,5 hab./km²	2 hab./km²
Taux de natalité	44,1 ‰	38,9 ‰	31,1 ‰	47,3 ‰
Taux de mortalité	11,7 ‰	7,1 ‰	6,4 ‰	12,7 ‰
Croissance annuelle	2,5 %	3,1 %	2,6 %	
Taux de mortalité infantile	92 ‰	84 ‰	81 ‰	92 ‰
Espérance de vie	57,9 ans	57,8 ans	61 ans	58 ans
Population urbaine	43,9 %	66,6 %	56,8 %	64,5 %
Capitale	Rabat	Alger	Tunis	Al Jafar. Tripoli
	(556 000 hab.)	(1 483 000 hab.)	(596 700 hab.)	(587 400 hab.)
Données culturelles				
Langue	arabe	arabe	arabe	arabe
Analphabètes	66,9 %	50,4 %	45,8 %	33,1 %
Scolarisation				
Second degré	43,9 %	54,6 %	53,4 %	
Troisième degré	7,8 %	5,8 %	5,6 %	10,8 %
Postes de TV	39 pour 1000 hab.	65 pour 1000 h.	54 pour 1000 hab.	66 pour 1000 hab.
Livres publiés par an		718 titres	172 titres	481 titres
Médecins pour 1000 hab.	0,08	0,5	0,28	1,52
Economie				
Monnaie	dirham	dinar	dinar	dinar
	(1 D = 0,72 FF)	(1 D = 1,17 FF)	(1 D = 6,84 FF)	(1 D = 20,08 FF)
PIB	13,4 milliards de $	55,2 milliards de $	8,9 milliards de $	27 milliards de $
PIB par hab.	567 $	2526 $	1 201 $	7500 $
Croissance annuelle du PIB	5,7 %	2,9 %	-1 %	-5,5 %
Dette extérieure	0,014 milliard de $	17,5 milliards de $	5,25 milliards de $	2,8 milliards de $
Production d'énergie	1 million de TEC	100 millions de TEC	8,6 millions de TEC	85,1 millions de TEC
Consommation d'énergie	6,8 millions de TEC	15 millions de TEC	4,7 millions de TEC	13,1 millions de TEC
Importations	3801 millions de $	8400 millions de $	2890 millions de $	5550 millions de $
Exportations	2437 millions de $	8700 millions de $	1760 millions de $	5000 millions de $

L'Egypte, le Soudan

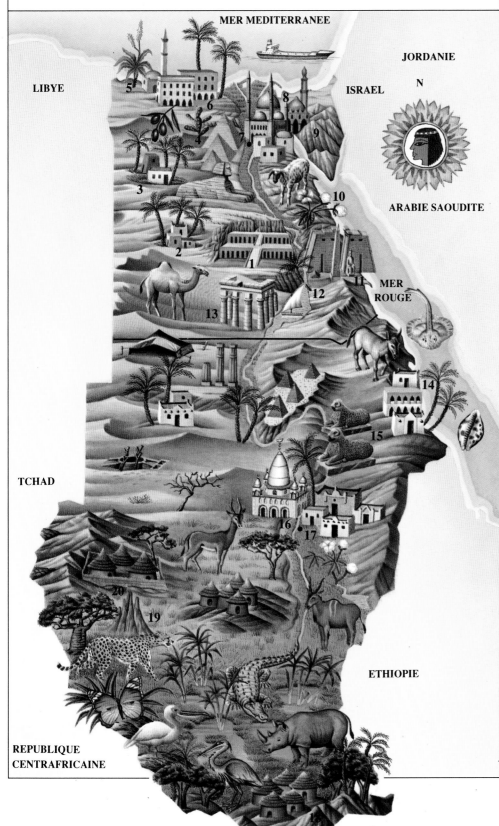

MER MEDITERRANEE

LIBYE

JORDANIE

ISRAEL

N

ARABIE SAOUDITE

MER ROUGE

TCHAD

ETHIOPIE

REPUBLIQUE CENTRAFRICAINE

EGYPTE
1/Temple funéraire à terrasses de la reine Hatchepsout (Vers 1500 av. J.-C. dans la vallée des Rois)
2/Oasis de Dakhlèh (La plus grande des oasis du désert libyque)
3/Oasis de Baharièh
4/Pyramides de Gizèh (La plus haute de ces tombes royales est celle du pharaon Khéops, 137 m ; construites au XXVIIe s. av. J.-C.)
5/Agave (Fournissant des fibres textiles)
6/Alexandrie (Grand foyer de civilisation hellénique aux IIIe et IIe s. av. J.-C. : possédait une bibliothèque de 700 000 volumes)
7/Le Caire (6 325 000 hab. Mosquée Ibn Tulûn, IXe s. Musée égyptien : panorama complet d'une civilisation)
8/Canal de Suez
9/Mont Sinaï
10/Coton
11/Temple de Louxor
12/Barrage d'Assouan (Construit en 1060, achevé en 1964. Haut de 111 m, long de 4 km, il barre la vallée du Nil et retient les eaux de la crue dans l'énorme lac Nasser. Il a permis l'irrigation de 800 000 ha de terres, ainsi conquises sur le désert. Malheureusement, il empêche le limon du Nil de parvenir au delta : le limon se dépose au fond du lac Nasser et ne fertilise plus les terres. Il faut donc employer des engrais chimiques qui polluent la Méditerranée)
13/Kiosque de Trajan

SOUDAN
14/Port-Soudan
15/Béliers du temple d'Amon
16/Omdourman (Capitale religieuse et historique. Mausolée du Mahdi)
17/Khartoum (476 220 hab.)
18/Juba
19/Termitière
20/El-Fâcher

107

La moisson en Egypte (2500 av. J.-C.). Peinture décorant les murs intérieurs d'un tombeau de Thèbes.

Le Nil

Entourée de déserts, la vallée du Nil est la seule région fertile de l'Egypte. Autrefois, toute la vie dépendait du fleuve. L'année commençait le 19 juillet, date de la montée des eaux. Elles inondaient et fertilisaient la terre en novembre, puis se retiraient en février. Osiris, dieu du recommencement, mourait avec la descente du Nil et renaissait lors de sa montée. Avec le barrage d'Assouan, le Nil ne déborde plus, mais la terre, n'étant plus inondée, redevient aride et le désert reprend ses droits.

L'EGYPTE
Une civilisation millénaire

Thot, le magicien à tête de singe ou d'ibis, Horus, gardien des lois à tête de faucon, Anubis, dieu des morts à tête de

Les Egyptiens ont inventé l'agriculture, l'architecture, l'art du gouvernement et probablement le monothéisme. Pendant trois mille ans, le monde a pris ses sources aux sources du Nil. Alors, cette vallée fut la mère des arts, des armes et des lois. De toutes parts, sages et curieux (...) venaient chercher au creux de cette vallée magique les leçons des prêtres et des bâtisseurs, l'initiation aux rites isiaques et osiriaques, les méthodes d'irrigation, les techniques monumentales, les principes de la raison. Toutes les civilisations du soleil sortent de cette matrice.

Simone Lacouture

Tombeau de Sethi dans la vallée des Rois. Il régna de 1312 à 1298 av. J.-C.
1/Chambre funéraire
2/Puits

Le Sphinx, cette statue de lion couché à tête humaine (qui doit reproduire les traits du Pharaon) symbolise la force irrésistible du Roi qui attaque ses ennemis.
Gérard de Nerval

Toutankhamon régna de 1354 à 1346 av. J.-C. Son corps momifié fut retrouvé enfermé dans une série de sarcophages emboîtés les uns dans les autres :
– quatre coffres de bois plaqué d'or;
– un sarcophage de frêne sculpté;
– trois cercueils représentant l'image du pharaon, dont le dernier était en or massif (120 kg).

chacal... L'Egypte ancienne, dont l'âge d'or eut lieu 2500 ans avant J.-C., vénérait une multitude de dieux. Cette civilisation dura 3000 ans.

Les fils du soleil

Les pharaons (Ramsès, Toutankhamon, Akhenaton...) régnaient sur l'ancienne Egypte. On les considérait comme fils de Râ, dieu du soleil.

C'est grâce à la pierre de Rosette, stèle écrite en deux langues et en trois écritures – hiéroglyphes, démotique et grec – que Champollion put déchiffrer l'écriture des Egyptiens.

Le tombeau du pharaon

Le pharaon était enterré dans une chambre funéraire, au milieu de ses objets familiers : bijoux, sandales, poteries, amulettes, nourriture...

Pour décourager les voleurs, son tombeau était séparé de l'entrée par de nombreuses chambres et galeries.

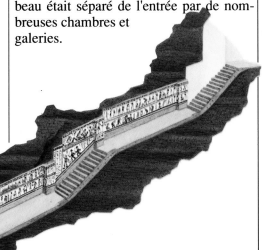

Le puits était peut-être aussi destiné à mettre les voleurs sur une fausse piste – ou à retenir les eaux d'infiltration. Les fresques des différentes chambres représentaient les dieux accueillant le pharaon dans l'au-delà ou des scènes de la vie courante : récoltes, pêche, travail des artisans...

Les momies

Une fois mort, le corps du pharaon était embaumé et recouvert de bandelettes. Les Egyptiens pensaient qu'ainsi le souverain continuerait à vivre.

Des momies enfermées dans une série de sarcophages ont été découvertes dans les tombeaux souterrains des pyramides et dans ceux de la vallée des Rois.

Les hiéroglyphes

Les anciens Egyptiens ont inventé une écriture, les hiéroglyphes, dont le secret a été découvert par le savant français Champollion, entre 1822 et 1824.

Traduction du hiéroglyphe ci-dessus :

Quant à tous les hommes qui feront quelque chose de mauvais, je saisirai leur cou comme [celui d'] *un oiseau.*

Certains signes, les idéogrammes, signifient ce qu'ils représentent :

 Oiseau, idéogramme pour **'aPeD**, «oiseau».

D'autres, les phonogrammes, sont utilisés pour leur valeur phonétique, comme dans un rébus :

 Deux phonogrammes, le roseau = **J**, la bouche = **R** pour écrire **JeR**, «quant à».

Traduction : Cléopâtre (reine d'Egypte qui régna de 51 à 30 av. J.-C.)

Khons, tranquille et parfait, le Roi des dieux thébains,
Est assis gravement dans sa barque dorée :
Le col roide, l'œil fixe et l'épaule carrée,
Sur ses genoux aigus il allonge les mains.(...)
Il méditait depuis mille ans, l'âme absorbée,
A l'ombre des palmiers d'albâtre et de granit,
Regardant le lotus qui charme et qui bénit
Ouvrir son cœur d'azur où dort le Scarabée.
Leconte de Lisle

Isis et Osiris

Anubis et Râ

Horus et Hathor

Entrée du grand temple d'Abou Simbel. Après la construction du barrage d'Assouan, les deux temples datant du règne de Ramsès II (1301-1235 av. J.-C.) ont été démontés et replacés au-dessus du niveau du Nil.

109

Felouques sur le Nil

Une rue du Caire. Fondé par le conquérant arabe Amar au VIIᵉ siècle, Le Caire se nomma d'abord Fustat. C'est un grand centre culturel de l'islam, avec l'université musulmane Al Azhar.

L'Egypte moderne

Les Anglais occupent l'Egypte en 1882, contrôlent ainsi le canal de Suez qu'avait ouvert, en 1869, le Français Ferdinand de Lesseps et qui réduisait de deux-tiers le trajet Europe/Asie : cette Asie, où les Britanniques possédaient les Indes, pièce maîtresse de leur empire colonial.

En 1922, ils doivent accorder à l'Egypte une indépendance partielle : l'influence anglaise reste, en effet, importante jusqu'en 1952. En 1954, Nasser devient le véritable maître de la jeune république d'Egypte. Il se rapproche de l'URSS, nationalise le canal de Suez, réalise une réforme agraire, et entreprend la construction du barrage d'Assouan : barrage-réservoir, créant la retenue du lac Nasser.

A plusieurs reprises, l'Egypte et Israël sont en guerre. Mais, Anouar El Sadate, successeur de Nasser – mort en 1970 –, signe un traité de paix avec Israël en 1979. Assassiné en 1981, il est remplacé à la tête de l'Etat par Hosni Moubarak.

LE SOUDAN

Avec les Arabes et les Bédouins du Nord, et les Noirs du Sud, le Soudan relie l'Afrique arabe à l'Afrique noire. Il compte plus de cinq cents ethnies parlant plus de cent langues.

La Nubie, au nord, fut, au VIIᵉ siècle ap. J.-C., un royaume chrétien, comme en témoignent de nombreux vestiges d'églises anciennes.

Le Soudan oriental est une des contrées les plus pauvres du monde. Les seules productions importantes de ce pays socialiste de 15 millions d'habitants sont le coton et l'arachide. Son plus gros problème, comme pour certains de ses voisins, est la sécheresse. D'où d'importants travaux d'irrigation à partir de la vallée du Nil. Malgré cela, et surtout par suite de l'instabilité politique, le Soudan est très déshérité, et doit faire face à une guérilla incessante des populations du Sud, qui refusent la domination de Khartoum, la capitale, et réclament leur indépendance.

Paysage et demeures nouba : celles-ci font penser à des ruches et sont parfois décorées de peintures simples, mais belles.

	EGYPTE	SOUDAN
Espace et population		
Superficie	1001449 km²	2505810 km²
Population	49,61 M hab.	22,17 M hab.
Densité	50 hab./km²	8,8 hab./km²
Taux de natalité	37,4 ‰	45,9 ‰
Taux de mortalité	10,9 ‰	17,4 ‰
Croissance annuelle	2,8 %	2,9 %
Taux de mortalité infantile	94 ‰	108 ‰
Espérance de vie	57,3 ans	48 ans
Population urbaine	46,5 %	29,4 %
Capitale	Le Caire (6325000 hab.)	Khartoum (476220 hab.)
Données culturelles		
Langue	arabe	arabe
Analphabètes	55,5 %	74 %
Scolarisation		
Second degré	52,6 %	30,3 %
Troisième degré	21 %	2 %
Postes de TV	44 pour 1000 hab.	49 pour 1000 hab.
Livres publiés par an	1 680 titres	138 titres
Médecins pour 1000 hab.	1,23	0,12
Economie		
Monnaie	livre	livre
	(1 LEG = 8,37 FF)	(1 LS = 1,31 FF)
PIB	32,2 milliards de $	7,35 milliards de $
PIB par hab.	668 $	338 $
Croissance annuelle du PIB	3 %	1,1 %
Dette extérieure	40 milliards de $	6,33 milliards de $
Production d'énergie	71,7 millions de TEC	0,06 million de TEC
Consommation d'énergie	29,5 millions de TEC	1,55 million de TEC
Importations	9000 millions de $	1526 millions de $
Exportations	2800 millions de $	741 millions de $

L'Ethiopie, la Somalie

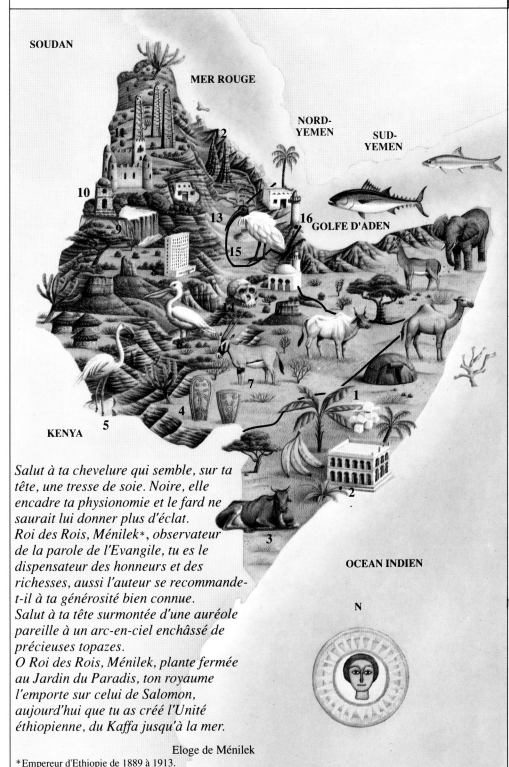

SOUDAN

MER ROUGE

NORD-YEMEN

SUD-YEMEN

GOLFE D'ADEN

KENYA

OCEAN INDIEN

N

Salut à ta chevelure qui semble, sur ta
tête, une tresse de soie. Noire, elle
encadre ta physionomie et le fard ne
saurait lui donner plus d'éclat.
Roi des Rois, Ménilek*, observateur
de la parole de l'Evangile, tu es le
dispensateur des honneurs et des
richesses, aussi l'auteur se recommande-
t-il à ta générosité bien connue.
Salut à ta tête surmontée d'une auréole
pareille à un arc-en-ciel enchâssé de
précieuses topazes.
O Roi des Rois, Ménilek, plante fermée
au Jardin du Paradis, ton royaume
l'emporte sur celui de Salomon,
aujourd'hui que tu as créé l'Unité
éthiopienne, du Kaffa jusqu'à la mer.

Eloge de Ménilek

*Empereur d'Ethiopie de 1889 à 1913.

SOMALIE
1/Sucre
2/**Mogadiscio** ou **Muqdisho**
(500 000 hab.)
3/Zébu

ETHIOPIE
4/Stèles d'Arusis
5/Lac Turkana
6/Lac Abaya
7/Oryx
8/**Addis-Abeba**
(1423000 hab. Fondée par
l'empereur Ménélik II en
1887, à 2500 m d'altitude.
Centre industriel. Siège de
l'OUA, Organisation de
l'unité africaine)
9/Chutes du Lac Tana
(Le Nil Bleu prend sa
source dans ce lac, sous le
nom de Bahr el-Azrak)
10/Gondar (Capitale de
l'Ethiopie du XVIe au XIXe s.
Palais et églises des XVIIe -
XVIIIe s.)
11/Aksoum (Stèles
funéraires en forme
d'obélisques sculptés. Le
plus haut mesure 33,50 m)
12/Eglise rupestre
(Province du Tigré)
13/Désert Danakil
(«Paysage de sel» avec des
sortes d'aiguilles verticales
et des mares de saumure
chaude. La couche de sel
atteint à certains endroits
5000 m d'épaisseur. Ce sel
est exploité par des
nomades)
14/Squelette de Lucy
(Celui d'une hominienne
haute de 1 m et âgée d'une
vingtaine d'années qui
vivait il y a environ
3 millions d'années.
Découverte en 1974 par
une mission de recherche
internationale)

REP. DE DJIBOUTI
15/Ibis
16/Djibouti (200 000 hab.)

111

Peinture murale d'une église orthodoxe en Ethiopie

L'ETHIOPIE

L'ancien royaume de la reine de Saba est aujourd'hui l'un des pays les plus pauvres du monde. Ses 30 millions d'habitants tirent leurs ressources de l'agriculture et surtout de l'élevage.

Pendant près de cinquante ans, c'est un empereur, Hailé Sélassié, qui a gouverné l'Ethiopie; on l'appelait le «roi des rois».

L'Ethiopie actuelle est une république « militaire et socialiste ». Elle mène une guerre impitoyable contre l'Erythrée, fédérée contre son gré à l'Ethiopie en 1952, et contre la Somalie, à laquelle elle dispute le territoire frontalier de l'Ogaden.

L'originalité « culturelle » de l'Ethiopie est constituée par sa langue, l'amharique, une langue de la même famille que l'arabe et l'hébreu – sémitique –, par son écriture, et par l'implantation très ancienne d'une Eglise chrétienne se rattachant à la branche «orthodoxe» du christianisme. Mais vivent également en Ethiopie des musulmans, des juifs, des animistes, tant sont diverses et variées les ethnies peuplant ce pays original et malheureux.

LA SOMALIE

C'est la «Corne de l'Afrique», un pays semi-désertique s'avançant dans l'océan Indien, terre de maquis, de rocaille et d'épineux, très chaud et peu peuplé.

La Somalie indépendante est née en 1960 de la fusion entre l'ex-Somalie italienne et l'ex-Somalie britannique, ou Somaliland. En 1969, un putsch militaire a porté au pouvoir un conseil suprême de la révolution après l'assassinat du président de la République. La Somalie fait partie de la Ligue arabe depuis 1974. Et c'est depuis 1973 que ce pays est en guerre contre l'Ethiopie à propos de l'Ogaden. Les Somalis, nomades vivant sur ce sol ingrat depuis le VIIIe siècle, sont de très habiles chameliers. Ils parlent une langue sémitique originale, qui ne s'écrit pas.

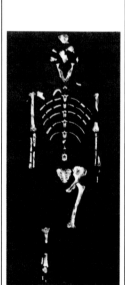

Plaine d'argile craquelée par la sécheresse dans le désert Danakil, dans le nord-est de l'Ethiopie

Le squelette de Lucy. La petite australopithèque fut ainsi «baptisée» par les savants qui la découvrirent, en 1974, dans la vallée du Rift, parce que le soir de leur trouvaille, ils écoutaient une cassette de la chanson des Beatles, *Lucy*.

ETHIOPIE				
Espace et population			Scolarisation	
Superficie	1 221 000 km²		Second degré	31,6 %
Population	44,39 M hab.		Troisième degré	0,4 %
Densité	36,4 hab./km²		Postes de TV	1,2 pour 1000 hab.
Taux de natalité	49,7 ‰		Livres publiés par an	349 titres
Taux de mortalité	23,1 ‰		Médecins pour 1 000 hab.	0,014
Croissance annuelle	2,4 %		**Economie**	
Taux de mortalité infantile	136 ‰		Monnaie	berr (1 berr = 2,88 FF)
Espérance de vie	42,9 ans		PIB	5,473 milliards de $
Population urbaine	17,6 %		PIB par hab.	123 $
Capitale	Addis-Abeba		Croissance annuelle du PIB	1 %
	(1 423 000 hab.)		Dette extérieure	1,869 milliard de $
			Production d'énergie	77,1 millions de TEC
Données culturelles			Consommation d'énergie	778,9 millions de TEC
Langues	amharique, oromo		Importations	1160 millions de $
Analphabètes	44,8 %		Exportations	457 millions de $

L'Afrique occidentale

De climat tropical, l'Afrique occidentale n'a que deux saisons : la saison des pluies et la saison sèche. De multiples ethnies peuplent cette partie de l'Afrique. Chacune possède sa langue; on en compte plus de cent cinquante au Sénégal.

Royaumes, colonies, indépendance

Entre le XIᵉ et le XVIIᵉ siècle, de riches civilisations se développent au Bénin et au Ghana.

Dès le XVIIᵉ siècle, l'Europe se partage les terres colonisées : aux Anglais, le Ghana; aux Allemands, le Togo; aux Portugais, la Guinée-Bissau, et aux Français des comptoirs au Sénégal. Ces pays ne deviennent indépendants qu'après la Seconde Guerre mondiale. Le Liberia, premier Etat indépendant, doit son nom aux esclaves noirs «libérés» installés dans ce pays en 1822 par une société de bienfaisance américaine.

Malheureusement, ces populations anciennement paysannes vivent à la périphérie des villes dans des bidonvilles insalubres et précaires ; elles s'adaptent mal à la vie urbaine, ne trouvent en général pas de travail, et c'est ainsi qu'elles perdent leur âme !

Les différentes ethnies de l'Afrique équatoriale et orientale ont une vie culturelle intense et originale : contes, poèmes épiques et lyriques, chants et danses en constituent les fondements. Mais, il faut noter que toutes ces populations, animistes pour la plupart, sont très attachées au respect des vieillards qui incarnent la sagesse et aux enfants que l'on protège avec une tendresse qu'expriment les innombrables berceuses des mères de ces régions de l'Afrique.

Masques faits de plumes et de coquillages

O Afrique éternelle, voici que les lointaines plantations des Amériques sont inondées de tes larmes.
Joseph Ndiaye

Espace et population	LIBERIA	NIGERIA	TCHAD
Superficie	111 370 km²	923 768 km²	1 284 000 km²
Population	2,22 M hab.	98,4 M hab.	5,14 M hab.
Densité	19,9 hab./km²	106,5 hab./km²	4 hab./km²
Taux de natalité	46,8 ‰	50,4 ‰	43 ‰
Taux de mortalité	12,6 ‰	17,1 ‰	21 ‰
Croissance annuelle	3,5 %	3,4 %	2,3 %
Taux de mortalité infantile	119 ‰	104 ‰	126 ‰
Espérance de vie	49 ans	50 ans	43 ans
Population urbaine	39,5 %	23 %	21,6 %
Capitale	Monrovia (425 000 hab.)	Abuja	Ndjamena (511 700 hab.)
Données culturelles			
Langue	anglais	anglais	français
Analphabètes	65,5 %	57,6 %	74,7 %
Scolarisation			
Second degré	49,5 %	42,6 %	15,9 %
Troisième degré		3,3 %	0,4 %
Postes de TV	12 pour 1000 hab.	5 pour 1000 hab.	
Livres publiés par an		1 836 titres	
Médecins pour 1000 hab	0,12	0,1	0,02
Economie			
Monnaie	dollar libérien	naira	franc CFA
	(1 Dl = 5,90 FF)	(1 NR = 1,38 FF)	(1 FCFA = 0,01 FF)
PIB	1,04 milliard de $	64,9 milliards de $	0,36 milliard de $
PIB par hab.	485 $	660 $	77 $
Croissance annuelle du PIB	-2,8 %	-3,3 %	2,9 %
Dette extérieure	1,15 milliard de $	20 milliards de $	0,37 milliard de $
Production d'énergie	39 millions de TEC	121,5 millions de TEC	
Consommation d'énergie	780 millions de TEC	16,9 millions de TEC	0,1 million de TEC
Importations	404 millions de $	5400 millions de $	147 millions de $
Exportations	235 millions de $	6 800 millions de $	117 millions de $

Quelques ethnies :
Sénégal : Ouolofs, Toucouleurs, Mandingues.
Côte-d'Ivoire et Guinée : Malinkés.
Ghana : Achantis, Foulbés.
Bénin et Nigeria : Yorubas.
Togo : Ewés.
Nigeria : Ibos.

Poids en forme d'animaux, autrefois utilisés pour peser l'or

MAURITANIE
1/Chinguetti (Belle palmeraie. Minaret inspiré de celui de la mosquée de la Koutoubia de Marrakech)
2/Nouakchott (350000 hab. Médina et bel artisanat local. Usine de dessalement de l'eau de mer pour l'approvisionnement de la ville. Port exportant minerais de fer et de cuivre)

SENEGAL
3/Dakar (671000 hab. Port, centre industriel, au sud-est de la presqu'île du Cap-Vert. La plage des Alamadies est la partie la plus occidentale de l'Afrique)
4/Village de Casamance (La Casamance est un fleuve côtier)

GUINEE-BISSAU
5/Bissau (100 000 hab.)

GUINEE
6/Conakry (700000 hab. Port actif)

SIERRA LEONE
7/Freetown (496000 hab.)

LIBERIA
8/Monrovia (425000 hab. Capitale du premier Etat africain indépendant : le Liberia fut en effet créé en 1847 et accueillit des esclaves noirs américains libérés)

COTE-D'IVOIRE
9/Mosquée de Kouto
10/Abidjan (1850000 hab. Port de pêche et de commerce, centre industriel et financier. Contraste entre l'habitat traditionnel et les buildings modernes du quartier du Plateau, centre des affaires. Depuis 1983, la capitale est Yamoussoukro, 120000 hab., ville située à 200 km environ au nord-ouest d'Abidjan)

Iles du Cap-Vert

ALGERIE

OCEAN ATLANTIQUE

N

GHANA
11/Accra (859000 hab.)
12/Mosquée de Tumu

TOGO
13/Lomé (366 000 hab. Port d'exportation des phosphates)

BENIN
14/Porto-Novo (208000 hab.)

NIGERIA
15/Lagos (1 097 000 hab. Abuja, nouvelle capitale. Centre commercial et industriel)
16/Greniers à mil

TCHAD
17/Ndjamena (511 700 hab.)
18/Lac Tchad (Alimenté par le Chari et le Logone. Superficie variant avec les pluies de 10000 à 27000 km²)
19/Oasis de Fada

NIGER
20/Plateau de Djado
21/Agadès (Minaret de la mosquée en banco, XVIᵉ s.)

22/Niamey (399000 hab. Intéressant Musée national)

BURKINA FASO
23/Ouagadougou (359 000 hab.)
24/Bobo-Dioulasso

MALI
25/Village dogon
26/Bamako (801 000 hab.)

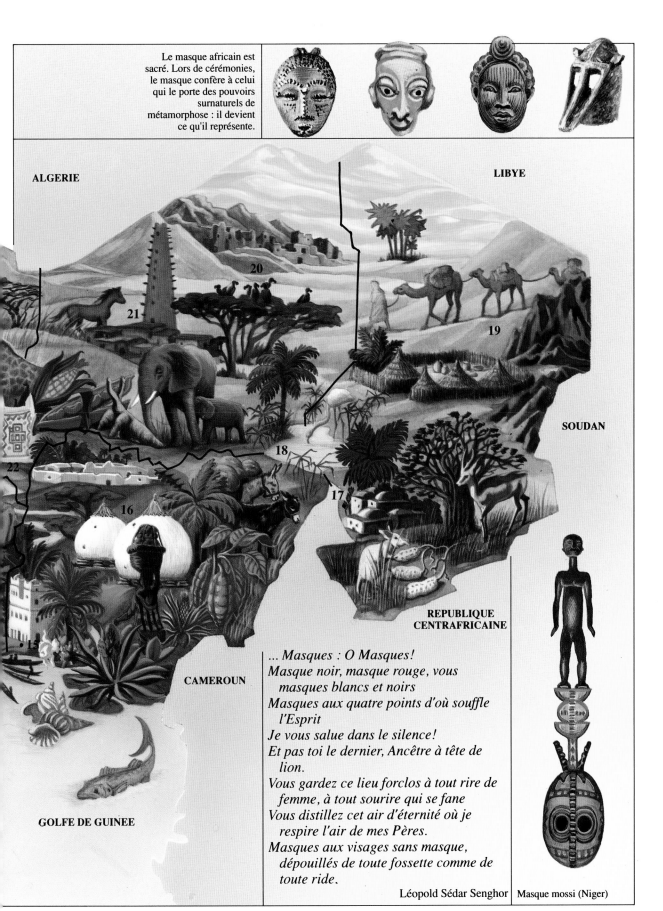

Le masque africain est sacré. Lors de cérémonies, le masque confère à celui qui le porte des pouvoirs surnaturels de métamorphose : il devient ce qu'il représente.

ALGERIE

LIBYE

20

21

19

SOUDAN

22

18

17

16

REPUBLIQUE
CENTRAFRICAINE

CAMEROUN

GOLFE DE GUINEE

... Masques : O Masques!
Masque noir, masque rouge, vous
   masques blancs et noirs
Masques aux quatre points d'où souffle
   l'Esprit
Je vous salue dans le silence!
Et pas toi le dernier, Ancêtre à tête de
   lion.
Vous gardez ce lieu forclos à tout rire de
   femme, à tout sourire qui se fane
Vous distillez cet air d'éternité où je
   respire l'air de mes Pères.
Masques aux visages sans masque,
   dépouillés de toute fossette comme de
   toute ride.

Léopold Sédar Senghor

Masque mossi (Niger)

115

Iles Seychelles
CAMEROUN
1/Yaoundé (583 000 hab.)
2/Douala (Port de pêche et centre industriel)
3/Monts Mandara
REPUBLIQUE CENTRAFRICAINE
4/Bangui (473 000 hab.)
ZAIRE
5/Mbandaka (Ville située au confluent de la Rubri et du fleuve Zaïre, ex-Congo. Grand port fluvial dans la forêt équatoriale. Intéressant musée de l'Equateur et, à quelques km, magnifique jardin botanique d'Eala)
6/Lac Tanganyika (Le 2e d'Afrique par sa superficie, 31 900 km², soit un peu plus que la Belgique)
7/Lac Moero
8/Kolwezi (La «capitale du cuivre», qui est activement exploité dans les mines voisines)
9/Kinshasa (2 653 560 hab. La plus grande métropole d'Afrique centrale. Certains quartiers ont un aspect ultra-moderne)
10/Mont Ruwenzori (5 119 m, neiges éternelles)
11/Lac Mobutu (Une des sources du Nil occidental)
OUGANDA
12/Lac Kyoga
13/Mont Elgon
14/Kampala (458 000 hab. Centre commercial, industriel, universitaire)
KENYA
15/Lac Turkana (Les Turkana qui vivent alentour se nourrissent essentiellement du lait et du sang de leurs troupeaux)
16/Mont Kenya (Très belle montagne, volcan éteint; ses 2 pics jumeaux, le Batian et le Nelion, s'élèvent à 5199 m et 5188 m. Le parc national du mont Kenya s'étend sur 500 km².)
17/Nairobi (1 162 000 hab. Intéressant National Museum : zoologie. A 15 mn du centre ville, parc national Kenyan)
18/Mombasa (Principal port, centre industriel, tourisme balnéaire)

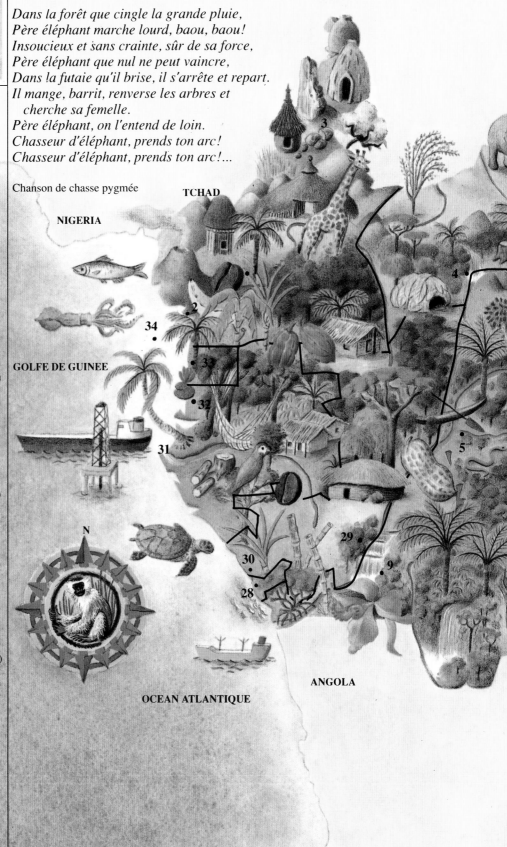

Dans la forêt que cingle la grande pluie,
Père éléphant marche lourd, baou, baou!
Insoucieux et sans crainte, sûr de sa force,
Père éléphant que nul ne peut vaincre,
Dans la futaie qu'il brise, il s'arrête et repart.
Il mange, barrit, renverse les arbres et
*   cherche sa femelle.*
Père éléphant, on l'entend de loin.
Chasseur d'éléphant, prends ton arc!
Chasseur d'éléphant, prends ton arc!...

Chanson de chasse pygmée

L'Afrique centrale

RWANDA
19/Kigali (156 000 hab.)
BURUNDI
20/Bujumbura (272 000 hab.)
TANZANIE
21/Ngoromgorò (volcan géant éteint : son cratère, à 2400 m d'altitude, a 20 km de diamètre)

22/Rift Valley (La vallée du Rift fait partie de la longue zone de fracture qui s'étend de la vallée du Jourdain au delta du Zambèze, sur près de 9 000 km du N. au S. La partie de l'Afrique, située à l'est du Rift se détache lentement du reste du continent)

23/Pemba (Ile)
24/Zanzibar (Ile)
25/Dar es-Salaam ancienne capitale.
Dodoma, nouvelle capitale (158000 hab.)
26/Mafia (Ile; magnifiques flore et surtout faune sous-marines)
27/Lac Nyassa
28/Cabinda (Angola)

REP. DU CONGO
29/Brazzaville (585 000 hab.)
30/Pointe-Noire
GABON
31/Cap Lopez (Gisements de pétrole «offshore»)
32/Libreville (235 000 hab.)
GUINEE EQUATORIALE
33/Bata (Port d'exportation du bois d'okoumé)
34/Malabo (37000 hab.)

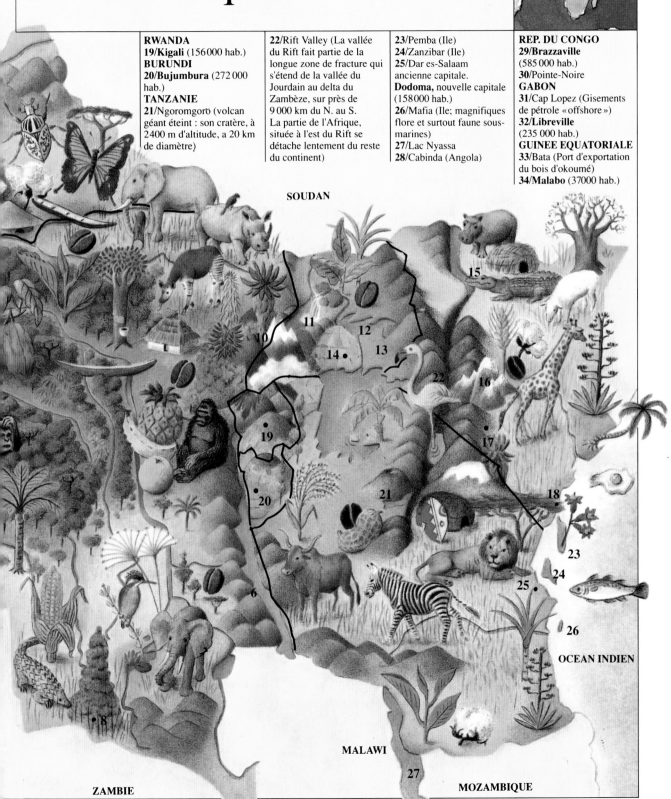

SOUDAN

ZAMBIE

MALAWI

MOZAMBIQUE

OCEAN INDIEN

Longtemps chassés pour leur ivoire, les éléphants survivent dans des réserves où ils sont protégés.

Au début du siècle, les éléphants occupaient 25% du territoire du Kenya, aujourd'hui à peine 20%.

Guerrier masaï.
Les Masaï du Kenya sont des éleveurs nomades à la stature élancée. Ils ont jalousement conservé leur culture traditionnelle. Ils croient que le monde a été créé par Naiterukop, mais ils adressent leurs prières à Engaï, personnification des forces de la nature.

Véritable jardin botanique et zoologique, le Kenya, où sont représentées les différentes zones de l'Afrique – forêts, plaines des hauts plateaux, savanes – renferme toutes les espèces aujourd'hui protégées dans d'immenses réserves.

Dans les régions équatoriales, la chaleur et l'humidité sont constantes. Il y a très peu de différence entre les jours et les nuits. Le jour, le ciel est presque toujours nuageux, et, sur la fin de l'après-midi, la pluie commence à tomber. La nuit survient brusquement. L'humidité constante favorise le développement de la forêt vierge exploitée pour ses essences précieuses : acajou, ébène.

Un intérieur kikuyu (Tanzanie)
La terre battue est recouverte de nattes d'herbe ou de peaux. Mobilier sommaire : lits de branches entrecroisées, assez hauts pour que les chèvres dorment dessous, tabourets à trois pieds ; des ustensiles sont à terre ou accrochés : calebasses de coloquintes, pots de terre émaillés achetés au marché, cordes, papiers.

J. Milley et Y. Thoraval

La population
Les ethnies sont très nombreuses : au Kenya, il existe quarante tribus, et en Tanzanie environ cent vingt. Les plus nombreux sont les Masaï et les Kikuyus, essentiellement éleveurs.

Les Pygmées de la forêt équatoriale, qui mesurent entre 1,20 m et 1,50 m, chassent avec des flèches empoisonnées. Ils progressent dans la forêt, construisent leurs huttes dans une clairière, plantent des bananiers et du manioc. Quand la terre ne donne plus rien, ils s'installent plus loin.

	ZAIRE	KENYA	TANZANIE
Espace et population			
Superficie	2345410 km²	582640 km²	945090 km²
Population	31,24 M hab.	21,16 M hab.	22,46 M hab.
Densité	13,3 hab./km²	36,3 hab./km²	23,8 hab./km²
Taux de natalité	45,2 ‰	55,1 ‰	50 ‰
Taux de mortalité	15,8 ‰	14,0 ‰	16 ‰
Croissance annuelle	2,9 %	4,1 %	3,2 %
Taux de mortalité infantile	99 ‰	76 ‰	105 ‰
Espérance de vie	50 ans	53 ans	50 ans
Population urbaine	44,2 %	16,7 %	14,8 %
Capitale	Kinshasa (2653560 hab.)	Nairobi (1162000 hab.)	Dodama (158000 hab.)
Données culturelles			
Langues	français	anglais, swahili	anglais, swahili
Analphabètes	38,8 %	40,8 %	53,7 %
Scolarisation			
Second degré	47,7 %	60,3 %	53,3 %
Troisième degré	1,2 %	0,9 %	0,4 %
Postes de TV	0,4 pour 1000 hab.	4 pour 1000 hab.	0,4 pour 1000 hab.
Livres publiés par an	231 titres	235 titres	363 titres
Médecins pour 1000 hab.	0,07	0,13	0,06
Economie			
Monnaie	zaïre	shilling	shilling
	(1 ZA = 4,9 FF)	(1 SHK = 0,35 FF)	(1 SHT = 0,083 FF)
PIB	5,22 milliards de $	5,96 milliards de $	5,84 milliards de $
PIB par hab.	172 $	293 $	268 $
Croissance annuelle du PIB	2,5 %		3,3 %
Dette extérieure	5,85 milliards de $	4,21 milliards de $	3,6 milliards de $
Production d'énergie	2,56 millions de TEC	0,23 million de TEC	0,076 million de TEC
Consommation d'énergie	2,03 millions de TEC	1,69 million de TEC	0,96 million de TEC
Importations	872 millions de $	1200 millions de $	1050 millions de $
Exportations	1090 millions de $	1613 millions de $	348 millions de $

Mandrill

Ratel

Lycaon

Gnou

Phacochère

Gazelle de Grant

L'Afrique australe

Le Monomotapa

L'ancien royaume du Monomotapa s'étendait sur une partie des Etats actuels du Mozambique et du Zimbabwe.

Ce royaume, fabuleux au Moyen Age, possédait d'énormes réserves d'or et faisait du commerce avec les pays arabes, l'Inde et la Chine.

Des tours et des murailles ont été récemment découvertes en pleine forêt; la végétation luxuriante avait tout envahi.

O toi, Tsuigoa, (...)
Fais que les nuages
Apportent la pluie!
Fais que vivent nos troupeaux
*   et nous aussi!*

Chant magique

Le miombo

Dans le Sud-Ouest, la forêt équatoriale s'éclaircit, elle devient le miombo, savane égayée de bouquets d'arbres. Quand il pleut, les arbres passent du rouge vif au vert éclatant.

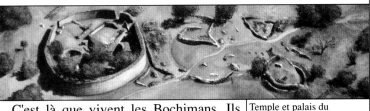

Temple et palais du Monomotapa (Zimbabwe)

C'est là que vivent les Bochimans. Ils parlent une langue « à clics », ainsi appelée parce qu'ils claquent la langue pour prononcer certains sons. Ils vivent en tribus, dirigés par le plus habile chasseur. Les femmes font la cueillette de baies et de racines et récoltent le miel. Les Bochimans ne sont plus que quelques milliers.

Le Natal

Dans la province du Natal, sur la côte sud-est, vivent les Zoulous, dont la civilisation fut très originale et qui habitaient des cases surélevées.

On ne saurait décrire toutes les ethnies de l'Afrique australe, tant elles sont diverses. Ce qu'il faut dire, par contre, c'est que les populations autochtones de l'Afrique australe se trouvent aux prises soit avec des situations de guerre civile, depuis l'abandon par le Portugal de ses colonies – Angola, Mozambique –, soit avec les problèmes de l'indépendance – Zimbabwe, Namibie –, soit encore avec la terrible et violente politique de ségrégation menée par les Blancs de l'Afrique du Sud : l'apartheid, ou «séparation des races».

Case zoulou : hémisphérique, faite de paille tressée sur une carcasse de bois.

Les Ndébélés du Transvaal aiment l'ornementation, ainsi qu'en témoignent les parures des enfants ou les décors géométriques peints sur les murs de leurs maisons.

119

ZAIRE

MALAWI
1/Lac Nyassa (26 000 km² : environ 10 fois plus grand que le Luxembourg)
2/**Lilongwe** (202 000 hab.)

MOZAMBIQUE
3/Mozambique
4/**Maputo** (Ex-Lourenço Marques, 882 800 hab. Centre industriel et port sur le «canal de Mozambique» bras de mer entre le continent africain et Madagascar)

ZIMBABWE
5/**Harare** (681 000 hab. Capitale d'une république dont la création remonte à 1980)
6/Zimbabwe (Ruines de constructions en pierres impressionnantes comportant, entre autres, un temple et son mur d'enceinte de 243 m de circonférence. Origines discutées : une tribu africaine, des conquérants arabes, malais ou chinois? Datations variant du IXᵉ au XVᵉ s.)
7/Hutte Karanga
8/Bulawayo (Centre industriel)

NGWANE
9/**Mbabane** (40000 hab. Marché animé et artisanat de qualité)

LESOTHO
10/**Maseru** (55000 hab.)

AFRIQUE DU SUD
11/**Pretoria** (712 000 hab. Ses rues sont bordées de 300 000 jacarandas, arbres dont les fleurs mauves s'épanouissent en octobre-novembre. Musée du Transvaal : zoologie, fossiles)
12/Johannesburg (Au cœur d'une région de mines d'or qui ont fait de la ville la capitale économique du pays)
13/Hutte zoulou
14/Durban (Port actif; centre touristique : plages magnifiques sur l'océan Indien)
15/«Grand Trou» de Kimberley (Le plus grand cratère artificiel du monde : 1,5 km de diamètre et 1200 m de profondeur.

OCEAN ATLANTIQUE

TANZANIE

C'était une mine de diamant à ciel ouvert, aujourd'hui fermée et transformée en musée)
16/Ferme de Groot Constancia (Bel exemple de l'architecture hollandaise du Cap, construite en 1685; belle collection de verreries, porcelaines, meubles anciens)
17/Le Cap (Fondée en 1650 dans l'un des plus beaux sites du monde; la ville «s'enroule» autour de la montagne de la Table. Centre universitaire et culturel. A une cinquantaine de km au sud, cap de Bonne-Espérance, atteint par le navigateur portugais Barthélemy Diaz en 1487)

BOTSWANA
18/Hutte bochiman
19/Gaborone (91 000 hab.)

NAMIBIE
20/Windhoek

ANGOLA
21/Luanda (960000 hab. Capitale d'un Etat devenu indépendant en 1975)

ZAMBIE
22/Chutes Victoria (Sur le Zambèze ; 2 fois plus hautes, avec leurs 108 m, que celles du Niagara. En saison des pluies, les nuages de gouttelettes d'eau qu'elles provoquent sont visibles à 40 km à la ronde)
23/Lusaka (538000 hab.)
24/Kitwe (Industries métallurgiques liées aux mines de cuivre)
25/Lac Bangweulu
26/Hutte bantoue

Chutes Victoria
Le Zambèze plonge de 108 m de haut dans une gorge de 70 m de large.

OCEAN INDIEN

Je suis enfant d'Afrique...
Je mets un grand boubou blanc,
Et les blancs rient de me voir
Trotter les pieds nus dans la poussière du chemin...
Ils rient?
Qu'ils rient bien.
Quant à moi, je bats des mains et le grand
    soleil d'Afrique
S'arrête au zénith pour m'écouter et me regarder,
Et je chante, et je danse,
Et je chante, et je danse.

Francis Bebey

Lac Bangweulu
(lac marécageux du nord-
ouest de la Zambie)

Colibri

La surface du lac Bangweulu varie selon les saisons : en période de pluie, elle peut quadrupler.

L'AFRIQUE DU SUD

L'Afrique du Sud, la pointe méridionale de l'Afrique, fut découverte et colonisée au XVIIᵉ siècle par des Hollandais.

Bien que cinq fois moins nombreux que les Noirs, les Blancs – Afrikaners – gouvernent toujours le pays selon la politique de l'apartheid. Noirs du pays, Indiens d'Inde et Européens blancs ont leurs quartiers, leurs hôpitaux et leurs écoles réservés.

Souvent aussi j'aurais aimé me reposer, et m'asseoir un instant, mais les bancs me prévenaient : RÉSERVÉ AUX EUROPÉENS

Quelquefois, j'avais en poche le prix d'une tasse de thé en passant devant de joyeux petits cafés. Il n'y avait pas d'avis visibles, mais je savais que ceux-ci également étaient : RÉSERVÉ AUX EUROPÉENS

Peter Abrahams

Danseur bantou.
Les Bantous constituent le principal groupe ethnique de l'Afrique australe.
Ils sont sans doute venus, voilà plusieurs siècles, de la région des Grands Lacs d'Afrique centrale.

	MOZAMBIQUE	ZIMBABWE	AFRIQUE DU SUD
Espace et population			
Superficie	799 380 km²	390 580 km²	1 221 037 km²
Population	14,4 M hab.	8,41 M hab.	33,20 M hab.
Densité	18,3 hab./km²	21,5 hab./km²	27,2 hab./km²
Taux de natalité	41,5 ‰	53 ‰	33,6 ‰
Taux de mortalité	19,7 ‰	13 ‰	11 ‰
Croissance annuelle	2,9 %	3,1 %	2,5 %
Taux de mortalité infantile	134 ‰	76 ‰	81 ‰
Espérance de vie	49,4 ans	56 ans	53,5 ans
Population urbaine	19,4 %	24,6 %	55,9 %
Capitale	Maputo	Harare	Pretoria
	(882 800 hab.)	(681 000 hab.)	(712 000 hab.)
Données culturelles			
Langues	portugais	anglais	afrikaans, anglais
Analphabètes	62 %	26 %	50 %
Scolarisation			
Second degré	25,5 %	26,3 %	30,8 %
Troisième degré	0,1 %	2,6 %	1,8 %
Postes de TV	0,2 pour 1000 hab.	12 pour 1000 hab.	75 pour 1000 hab.
Livres publiés par an	88 titres	193 titres	
Médecins pour 1000 hab.	0,03	0,4	0,8
Economie			
Monnaie	metical	dollar	rand
	(1 M = 0,014 FF)	(1 DZ = 3,52 FF)	(1 R = 2,92 FF)
PIB	1,645 milliards de $	5,45 milliards de $	61,9 milliards de $
PIB par hab.	114 $	668 $	1866 $
Croissance annuelle du PIB	-8,3 %	-0,2 %	1,7 %
Dette extérieure	3,2 milliards de $	2,14 milliards de $	26,5 milliards de $
Production d'énergie	0,59 million de TEC	2,60 millions de TEC	110 millions de TEC
Consommation d'énergie	1,67 million de TEC	3,69 millions de TEC	93,8 millions de TEC
Importations	650 millions de $	992 millions de $	12989 millions de $
Exportations	76,6 millions de $	1310 millions de $	18454 millions de $

Paysage du Transvaal : riche réserve de faune et de flore.

Madagascar, la Réunion, Maurice

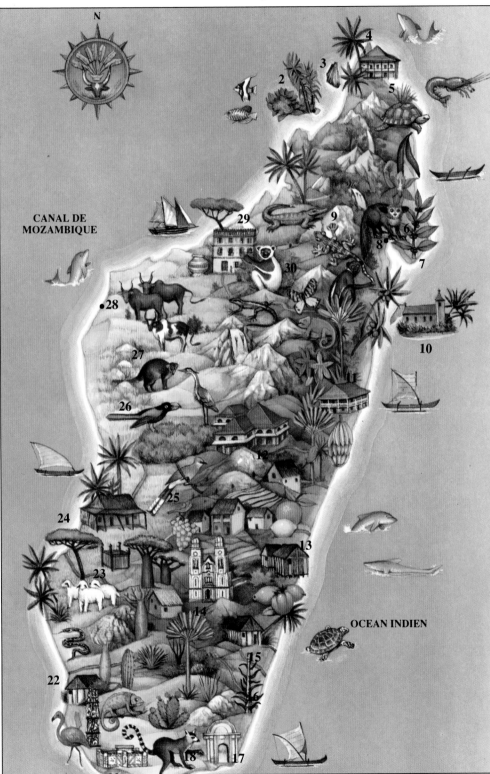

N

CANAL DE MOZAMBIQUE

OCEAN INDIEN

MADAGASCAR
1/Nosy Bé
2/Canne à sucre
3/Nosy Mitsio
4/Cap d'Ambre
5/Diégo-Suarez ou Antseranana(C'est là qu'aborda le navigateur portugais Diego Dias en 1500 : les Européens découvrent Madagascar)
6/Aye-Aye
7/Café
8/Maroantsétra
9/Gecko
10/Sainte-Marie (Ile)
11/Tamatave ou Toamasima
12/**Tananarive** ou **Antananarivo** (662 600 hab. Le Rova, ensemble de palais, XVIIᵉ-XIXᵉ siècle)
13/Mananjary
14/Fianarantsoa
15/Manakara
16/Teza
17/Fort-Dauphin
18/Maki
19/Cap Sainte-Marie
20/Tombeau
21/Espadon
22/Tuléar ou Toliary
23/Chèvres mohair
24/Morondava
25/Coua
26/Eurycère de Prévost
27/Fanaloka
28/Maintirano
29/Majunga ou Mahajanga
30/Sifaka

ILE DE LA REUNION
31/**Saint-Denis**
(109 600 hab.)

ILE MAURICE
32/**Port-Louis**
(144 000 hab.)

Chaque oiseau   A la couleur
De son cri.
Malcolm de Chazal

L'arbre du voyageur est l'emblème du pays. Ses feuilles en éventail absorbent l'eau de pluie. Dans la savane, le voyageur assoiffé peut aspirer cette eau fraîche à la base de la feuille.

Lémurien.
Le «petit grand-père» mesure 1 m de haut; d'autres ne sont pas plus grands qu'une souris.

La végétation de Madagascar varie selon les différentes zones climatiques de l'île.

Un mot,
Ile
rien qu'un mot!
(...)
Il germe
avec la fleur des tombes
avec les insomnies
et l'orgueil des captifs.

Ile de mes ancêtres
Ce mot, c'est mon salut.
Ce mot, c'est mon message.
Le mot claquant au vent
Sur l'extrême éminence!

Un mot.

Jacques Rabemananjara

MADAGASCAR

Madagascar est surnommée la Grande Ile ou l'Ile Rouge à cause de son sol d'argile rouge. C'est une grande île un peu plus vaste que la France (1 580 km de long, 580 km de large) où l'on trouve des plantes et des animaux inconnus ailleurs comme « l'arbre-bouteille », baobab malgaches et différentes sortes de lémuriens. On ne rencontre ni fauve ni serpent venimeux. Seul le crocodile est redouté... et les nuages de sauterelles qui noircissent brusquement le ciel, dévorant la végétation jusqu'à la dernière feuille.

Les populations noires habitent plutôt la côte bordée de mangroves : forêts de palétuviers. Les hauts plateaux, domaines des rizières en terrasses, abritent des tribus de type malais.

Les coutumes y sont influencées à la fois par l'Afrique et par l'Indonésie. Chez les Malgaches, le culte des ancêtres fait partie de la vie quotidienne. Ils leur réservent souvent un petit autel dans un coin de la maison.

Chuchotement de trois valiha*,
son lointain d'un tambour en bois,
cinq violons pincés ensemble
et des flûtes bien perforées :
la femme-enfant avance avec cadence,
vêtue de bleu – double matin!
Elle a un lambe rose qui traîne,
et une rose sauvage dans les cheveux.

Jean-Joseph Rabearivelo

*Instrument à cordes.

L'ILE DE LA REUNION

Elle fut découverte en 1507 par le Portugais Diego Fernandez Pereira, les Français s'en emparent en 1646 et la nomment île Bourbon, en l'honneur de Louis XIV. Elle s'appelle ensuite île de la Réunion, puis, sous l'Empire, île Napoléon, et, sous la Restauration, à nouveau île Bourbon avant de redevenir île de la Réunion, en 1848.

Le sud de Madagascar, très sec, porte une végétation dense d'épineux. La côte orientale, très humide et marécageuse, a conservé une partie de la forêt originelle qui couvrait l'île. Le Centre – les Hautes Terres –, déboisé, est couvert d'une savane de graminées.

Les hommes sont comme le bord d'une marmite qui ne forme qu'un seul cercle.
Proverbe malgache

Actuellement, l'île de la Réunion est un département français d'outre-mer. On y cultive la canne à sucre – essentiellement pour faire du rhum –, de la vanille, du vétiver – pour les parfums –, du thé, du tabac, du maïs et des géraniums.

Au milieu de l'île se dresse un volcan toujours en activité, justement nommé le piton de la Fournaise.

L'ILE MAURICE

Autrefois île de France, l'île fut appelée Mauricius par les Hollandais en l'honneur de Maurice de Nassau, qui y avait fondé un comptoir. Elle est indépendante depuis le 12 mars 1968.

Les noms des cantons et des localités forment à eux seuls un poème : Pample-mousse, Curepipe, Triolet, Beau-Bassin, Quatre-Bornes, Plaisance, Rivière du Rempart...

La population de l'île Maurice se déve-loppe à une si grande vitesse qu'il a fallu y instituer le contrôle des naissances et que nombre de Mauriciens émigrent en Europe, en France particulièrement, pour y trouver du travail. Cette population est d'origines très diverses : Indiens, Chinois, Malgaches, etc. Longtemps colonie anglaise, on y parle officiellement l'anglais, mais également le français et un créole chantant et très compliqué.

L'île de Paul et Virginie

Bernardin de Saint-Pierre (1737-1814), disciple de Rousseau, a voulu dans son roman *Paul et Virginie* « réunir à la beauté de la nature entre les tropiques la beauté morale d'une petite société ».

Les pluies que leurs pitons attirent peignent souvent les couleurs de l'arc-en-ciel sur leurs flancs verts et bruns, et entretiennent à leurs pieds les sources dont se forme la petite rivière des Lataniers.

Un climat tropical, tempéré par les influences océaniques, fait de l'île Maurice un jardin dont toutes les espèces de plantes sont regroupées, dans le célèbre jardin royal de Pamplemousse. Un climat qui profite aussi à l'agriculture : la canne à sucre représente plus de 95% des exportations de l'île, outre le thé, le tabac et la vanille.

MADAGASCAR				
Espace et population		Scolarisation		
Superficie	587040 km^2	Second degré	32 %	
Population	10,26 M hab.	Troisième degré	4,6 %	
Densité	17,5 hab./km^2	Postes de TV	7,6 pour 1000 hab.	
Taux de natalité	44,1 ‰	Livres publiés par an	321 titres	
Taux de mortalité	15,2 ‰	Médecins pour 1000 hab.	0,10	
Croissance annuelle	2,8 %	**Economie**		
Taux de mortalité infantile	64 ‰	Monnaie	franc malgache	
Espérance de vie	50 ans		(1 FMG = 0,0045 FF)	
Population urbaine	21,8 %	PIB	2,51 milliards de $	
Capitale	Antananarivo	PIB par hab.	251 $	
	(662600 hab.)	Croissance annuelle du PIB	3 %	
Données culturelles		Dette extérieure	2,588 milliards de $	
Langues		Production d'énergie	0,032 million de TEC	
Analphabètes	français, malgache	Consommation d'énergie	0,484 million de TEC	
	32,5 %	Importations	340 millions de $	
		Exportations	360 millions de $	

Le caméléon ne tourne pas la tête mais c'est son œil qu'il tourne. Il regarde en haut, en bas. Cela veut dire : «Informez-vous. Ne croyez pas que vous êtes seul sur la terre.» Quand il arrive dans un endroit, il prend la couleur du lieu. Ce n'est pas de l'hypocrisie. C'est d'abord de la tolérance et puis du savoir-vivre.
Amadou Hampaté Bâ

L'AMERIQUE

La « bannière étoilée », drapeau des Etats-Unis, en 1776 et en 1945 : les 13 bandes horizontales représentent les 13 colonies anglaises d'origine; les étoiles symbolisent les Etats fédérés à qui la Grande-Bretagne dut accorder leur indépendance en 1783. Leur nombre s'est accru progressivement, grâce à la conquête de l'Ouest.

La statue de la Liberté. L'œuvre du sculpteur français Bartholdi. *La Liberté éclairant le monde* mesure 33 m de hauteur et fut inaugurée en 1886 sur le petit îlot de Liberty Island, à l'entrée du port de New York.

L'AMERIQUE DU NORD

Je suis persuadé que ceci est une terre ferme, immense, et dont jusqu'à ce jour on n'a rien su. Et ce qui me confirme fortement en cette opinion, c'est le fait de ce grand fleuve et de la mer qui est douce (...). De plus, m'affermissent les propos de beaucoup d'Indiens cannibales que j'avais pris en d'autres occasions, lesquels disaient qu'au sud de leur pays était la terre ferme.

Christophe Colomb

La découverte

Christophe Colomb découvre l'Amérique en abordant les îles Bahamas en 1492. Il croit avoir atteint les Indes et appelle leurs habitants les Indiens. Avant lui, les Indiens avaient peuplé ce même continent, venant d'Asie par le détroit de Béring.

En 1620, une centaine de pionniers anglais, arrivés à bord du *Mayflower*, fondèrent la colonie de New Plymouth. Les Français s'installèrent dans la partie est du Canada.

Les Français perdirent le Canada en 1763 et, en 1776, les colonies anglaises se révoltèrent. Après une guerre de sept ans, elles proclamèrent leur indépendance.

Un géant, les Etats-Unis

Le continent américain tout entier vit dominé par un géant, les Etats-Unis, dont l'influence est très marquée au Canada, mais moins visible dans les autres pays d'Amérique. Elle reste cependant très forte sur le plan économique et politique.

Je crois que nous serons
*   admirablement ici*
Et d'un geste large il montrait
*   la large mer*
Le va-et-vient
Les fanaux des navires géants
La géante statue de la Liberté
Et l'énorme panorama de la ville
*   coupée de ténèbres perpendiculaires*
*   et de lumières crues...*

Blaise Cendrars

L'Amérique du Nord – Canada et Etats-Unis –, c'est d'abord l'immensité. Tant y sont démesurées les distances, comme les grandes villes. Mais l'Amérique, c'est aussi la diversité : diversité des paysages, des climats, mais aussi des gens. C'est pour cela qu'en Amérique, outre l'américain – un anglais bien déformé et différent selon les diverses régions –, on « entend parler le monde ».

Maintenant je voyais Denver surgir dans le lointain comme la Terre promise, tout là-bas sous les étoiles, au-delà de la Prairie de Iowa et des plaines de Nebraska, et, plus loin encore, le spectacle plus majestueux de San Francisco pareil à des joyaux dans la nuit.

Jack Kerouac

Herman Cortés à la conquête de l'Empire aztèque (1519-1521)

L'AMÉRIQUE DU SUD

Qu'est-ce qui faisait courir les conquérants espagnols et portugais au XVIᵉ siècle ? La quête de l'Eldorado, pays fabuleux aux montagnes d'argent et aux cités d'or. Ils explorèrent le continent et pillèrent les trésors des Incas, qui travaillaient l'or, «sueur du soleil», depuis 200 ans.

Couteau de sacrifice en or, à l'image d'un dieu inca

L'or fut dilapidé, beaucoup d'Indiens massacrés. Il ne restait plus que trois possibilités pour les survivants : continuer à vivre de chasse et de cueillette en petites communautés, travailler dans les mines et les plantations des Blancs pour des salaires misérables, ou tenter de se mêler aux Blancs en adoptant leur langue et leur religion.

Cette histoire fait de l'Amérique du Sud le continent du métissage. Enfants de Blancs et d'Indiens, de Blancs et de Noirs, de Noirs et d'Indiens peuplent en majorité les États d'Amérique latine, à l'exception de l'Argentine, de l'Uruguay et du Chili, surtout peuplés de Blancs.

Les Blancs sont souvent les plus riches. Certains possèdent d'immenses propriétés, les latifundia. Les Indiens, les Noirs et les métis cultivent de petites parcelles ou s'entassent dans les bidonvilles des grandes cités.

Partout l'armée constitue la force principale et assume souvent le pouvoir.

De la forêt vierge de l'Amazonie, très longtemps impénétrable, aux solitudes glacées de la Terre de Feu et du cap Horn, l'Amérique latine offre une série très impressionnante de contrastes de toute nature. Mais ce qui frappe le voyageur curieux, entre les hauts plateaux colombiens et la pampa argentine, parmi les Boliviens et les Chiliens, chez les Indiens comme chez les descendants d'Espagnols et de Portugais, c'est la noblesse, la dignité, la gentillesse, la gaieté, présentes malgré la misère de ces peuples qui rêvent tant de liberté.

La cité maya de Tikal (Guatemala) compte 350 pyramides; la plus haute atteint presque 70 m.

Sous la voûte des arbres géants règne une pénombre verdâtre qu'égaient à peine les lianes fleuries qui pendent des plus hautes branches. (...)
Pas une voix. Pas un cri. Pas un bruit. L'eau s'écoule. La forêt toute proche miroite dans la chaleur. Le ciel vide, une ride sur l'eau, une cime lointaine qui remue, une feuille qui tremble, tout est énigmatique.
Blaise Cendrars

ALASKA (Etats-Unis)
1/Anchorage (Escale des lignes aériennes Europe-Japon survolant l'Arctique)
CANADA
2/Dawson (Sur la rive droite du fleuve Yukon. En 1896, dans la vallée voisine du Bonanza, sont découverts d'importants filons d'or. Dawson, vers 1900, prodigieusement riche, est la «Reine du Klondike»)
3/Whitehorse (Autre ville née de la ruée vers l'or de la fin du XIXe s.)
4/Grand Lac de l'Ours (Traversé dans sa partie nord par le cercle polaire arctique. Gisements d'uranium)
5/Yellowknife (Intéressant musée du Patrimoine : civilisation des Indiens déné et des Inuits, ou esquimaux)
6/Grand Lac des Esclaves (Dans la région, abondantes ressources minières : uranium, or, plomb, zinc...)
7/Victoria (A l'extrémité sud-est de l'île de Vancouver, réputée pour son climat très doux. Parlement du XIXe s. décoré de clochetons)
8/Vancouver (Dans un site superbe – mer et montagnes toutes proches –, centre économique important : 1er port de la façade ouest de l'Amérique du Nord)
9/Drumheller (Au cœur d'une région de gisements d'hydrocarbures)
10/Calgary (Une des capitales du pétrole canadien. Tour de Calgary – Calgary Tower –, haute de 191 m)
11/Edmonton (Autour de la ville, des centaines de puits de pétrole : 10 % de l'«or noir» canadien. Edmonton doit aussi sa prospérité à la production de blé et à l'élevage extensif de bovins)
12/Saint-Catharines
13/Regina (Quartier général et centre d'entraînement de la fameuse police montée. Parlement début XXe s.)
14/Lac de Winnipeg (24 650 km²)
15/Winnipeg (Grand centre économique : industrie, capitale du blé. Importante communauté d'origine ukrainienne. Intéressant musée de l'Homme et de la Nature. Musée des Beaux-Arts à l'architecture ultramoderne, 1971)

MER DE BEAUFORT

OCEAN PACIFIQUE

N

ETATS-UNIS

Mon pays, ce n'est pas un pays
c'est l'hiver
Mon jardin, ce n'est pas un jardin
c'est la plaine
Mon chemin, ce n'est pas un chemin
c'est la neige
Mon pays, ce n'est pas un pays
c'est l'hiver.

Gilles Vigneault

Le Canada

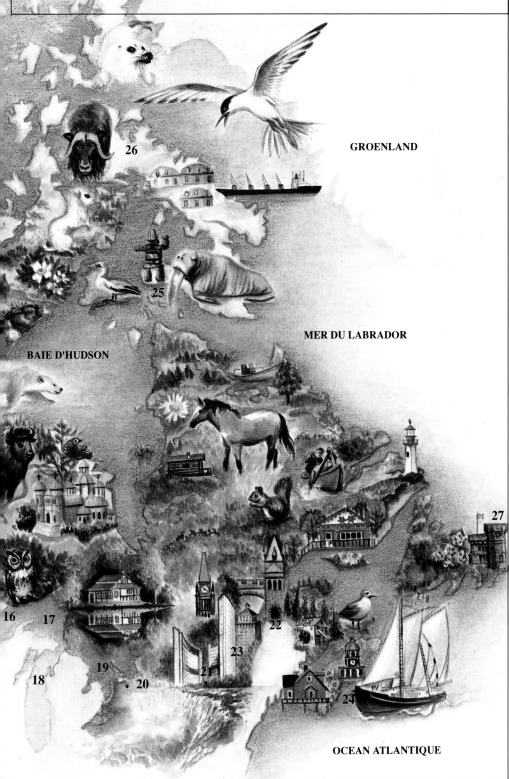

GROENLAND

MER DU LABRADOR

BAIE D'HUDSON

OCEAN ATLANTIQUE

26

25

16 17

18   19   20   21   23   22   24   27

16/Thunder Bay (Port important sur le lac Supérieur)
17/Lac Supérieur (Le plus vaste des Grands Lacs américains, 82 380 km², long de 600 km. Terribles tempêtes en automne, avec des vagues de 12 m de hauteur)
18/Lac Michigan
19/Lac Huron (Ces 3 étendues d'eau douce, auxquelles il faut ajouter le lac Erié, forment une véritable mer intérieure, grande comme à peu près 1/3 de la France)
20/Toronto (Grande place financière, industries. Centre culturel du Canada anglophone)
21/Ottawa (809000 hab. Intéressant musée canadien des Civilisations – aspects de la vie des hommes au Canada des origines à nos jours – installé dans d'élégants bâtiments modernes aux vastes courbes)
22/Québec (Centre industriel, port actif, université. Berceau du Canada français. Vieilles maisons et murailles du XVIIIᵉ s. voisinent avec gratte-ciel et quartiers modernes)
23/Montréal (Seconde ville francophone du monde après Paris)
24/Halifax (Grand port dominé par la citadelle et la tour de l'Horloge, début XIXᵉ s.)
25/Cap Dorset (Des Inuits y produisent lithographies et sculptures de qualité)
26/Terre de Baffin (Immense île, 476 006 km², peuplée principalement d'Inuits)
27/Saint-Jean (capitale de Terre-Neuve, à l'extrême est du Canada)

129

Paysage du Grand Nord canadien

La grande forêt boréale est couverte d'une neige abondante sur laquelle on se déplace en chaussant des raquettes.

Jacques Cartier (1491-1557), surnommé le «découvreur du Canada», atteignit Terre-Neuve, en 1534, et la côte du Labrador alors qu'il était à la recherche d'une route vers l'Asie.

La forêt est une des bases de l'économie canadienne : le bois représente 45% de la production mondiale.

Le Canada, un vaste pays

La devise du Canada, «D'un océan à l'autre», évoque bien l'étendue de ce pays, qui s'étend entre l'Atlantique, le Pacifique, l'océan Arctique et les Etats-Unis.

Un demi-million de lacs; cinq mille milliards d'arbres (mais qui les a comptés?); vingt fois la France en étendue, moins de la moitié de sa population; le tiers de toutes les surfaces d'eau douce du monde (…). Avec ses dix millions de kilomètres carrés, cet ensemble insolite est bien plus grand que l'Inde et le Pakistan, plus grand que les Etats-Unis, que le Brésil et même que la Chine...
...Et les Montréalais sont plus proches en heures de vol de Paris que de Vancouver...

Robert Hollier

Les premiers occupants

A l'arrivée des premiers colons européens, le pays était peuplé par différentes tribus amérindiennes qui vivaient surtout de chasse et de pêche. Après la colonisation, la population amérindienne est décimée par les guerres et les épidémies. Aujourd'hui, les 500000 Amérindiens sont surtout installés dans les régions nordiques, peu touchées par l'industrie.

La Nouvelle-France

Depuis le XVe siècle, des pêcheurs bretons, basques et portugais fréquentent les bancs de Terre-Neuve. Mais ce sont les Français qui ont les premiers occupé le pays. En 1534, Jacques Cartier débarque à Gaspé et y plante une croix au nom du roi de France. En 1604, le sieur de Mons jette les bases de l'Acadie sur la côte atlantique. En 1608, Samuel Champlain construit une habitation fortifiée à l'embouchure du fleuve Saint-Laurent, à Québec, mot amérindien qui signifie : «là où le fleuve se rétrécit». Les premiers colons défrichent les forêts, cultivent le sol et pratiquent le commerce des fourrures.

Banquise en Alaska

Le Canada

En 1760, à l'occasion des guerres entre la France et l'Angleterre, le pays passe sous domination britannique. En 1867, l'Acte de l'Amérique du Nord britannique réunit le Québec, ou Bas-Canada, l'Ontario, ou Haut-Canada, ainsi que les colonies de la côte atlantique. La ville d'Ottawa, en Ontario, devient la capitale du pays. Les territoires des prairies centrales et de la côte ouest se joindront plus tard à cette confédération à la faveur de la construction d'un chemin de fer transcontinental. Le Canada est maintenant divisé en dix provinces plus les territoires du Grand Nord.

Pour la population, de 26 millions d'habitants, l'anglais et le français sont les deux langues officielles : les francophones sont surtout regroupés dans la province de Québec.

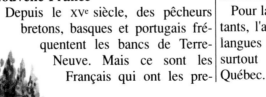

Feuille d'érable, emblème du drapeau canadien

Paysage des cordillères de l'Ouest

Le Canada connaît différents climats : océanique – doux et pluvieux – sur la côte ouest, polaire au nord, où l'hiver commence dès le mois d'août. Les régions les plus peuplées, vers le sud du pays, connaissent des étés très chauds et des hivers longs et rigoureux ; Montréal, par exemple, reçoit en moyenne 3 m de neige par an, et l'hiver y dure de décembre à avril. Avec ce climat, les sports d'hiver sont à l'honneur : ski, raquette, patinage, motoneige, sans oublier le hockey sur glace, sport national des Canadiens.

L'Est

La côte atlantique est un pays de pêche et d'agriculture. Dans la province de Québec, la ville de Québec, seule ville fortifiée d'Amérique, évoque un coin d'Europe, alors que Montréal, avec ses gratte-ciel, fait plutôt penser à New York. Toronto, capitale de l'Ontario, bourdonne d'activités commerciales, à cause de sa proximité avec les Grands Lacs, véritables mers intérieures. A une heure de cette ville se trouvent les fameuses chutes du Niagara.

Le Centre et l'Ouest

Les immenses plaines à blé du Centre ont été surnommées le «grenier du monde». Sur la côte ouest, la ville de Vancouver s'étale sur un site spectaculaire entre le Pacifique et les montagnes Rocheuses; tandis que des gens se prélassent sur ses plages, on peut en voir d'autres qui skient dans la montagne.

L'Alaska

Séparé des Etats-Unis par le Canada, l'Alaska – en eskimo, le «continent» – fut racheté aux Russes par les Américains en 1867 et devint le 49e Etat des Etats-Unis en 1959. L'Alaska est un pays montagneux, et c'est sur son territoire que se trouve le plus haut sommet de l'Amérique du Nord : le mont McKinley, qui culmine à 6194 m. Entre 1885 et 1907, l'Alaska fut le théâtre de la fameuse «ruée vers l'or». Son sous-sol contient encore de très grandes réserves : minerai de fer, pétrole, etc. Mais pour les Etats-Unis, l'Alaska a une grande importance stratégique et constitue une plaque tournante de tout premier plan pour la circulation aérienne.

Les cordillères de l'Ouest sont des montagnes récentes formées à l'ère tertiaire, il y a quelque 60 millions d'années, telles les Rocheuses, ou les chaînes côtières.

L'Alberta (à l'est des Rocheuses), pays du rodéo

Costume de fête des Indiens tlingit (nord-ouest du Canada).
Au Canada, les Indiens ne représentent plus que 1% de la population.

Espace et population				
Superficie	9 976 139 km²	Postes de TV	481 pour 1000 hab.	
Population	25,6 M hab.	Livres publiés par an	19 063 titres	
Densité	2,6 hab./km²	Médecins pour 1000 hab.	1,9	
Taux de natalité	14,8 ‰	**Economie**		
Taux de mortalité	7,3 ‰	Monnaie	dollar canadien	
Croissance annuelle	1,1 %		(1 dc = 4,407 FF)	
Taux de mortalité infantile	9 ‰	PIB	358,8 milliards de $	
Espérance de vie	74,9 ans	PIB par hab.	14 016 $	
Population urbaine	75 %	Croissance annuelle du PIB	3,1 %	
Capitale	Ottawa (809 000 hab.)	Production d'énergie	332 millions de TEC	
Données culturelles		Consommation d'énergie	259,3 millions de TEC	
Langues	anglais, français	Importations	85 600 millions de $	
Scolarisation		Exportations	89 500 millions de $	
Second degré	100 %			
Troisième degré	44 %			

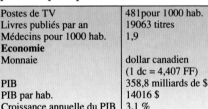

Canoë des Indiens algonquins

1/Seattle (Washington; industrie aéronautique et aérospatiale)
2/Mont Rainier (4392 m; volcan de la chaîne des Cascades)
3/Portland (Oregon)
4/Mont Hood (Chaîne des Cascades)
5/Relief érodé dans le désert
6/Pont du Golden Gate (Franchit la Golden Gate – «Porte d'Or» – à l'entrée de la baie de San Francisco. Un des plus grands ponts du monde)
7/Sacramento (Californie. Au centre d'une riche région agricole irriguée)
8/San Francisco (Californie. Port commercial; l'université de Berkeley. Très important musée d'Art moderne)
9/San Jose (Californie)
10/Reno (Nevada. La ville des mariages et des divorces ultrarapides)
11/Bonneville (Désert de sel)
12/Grand Lac Salé (Ses eaux contiennent 270 g de sel par litre)
13/Salt Lake City (Utah. Centre religieux des Mormons)
14/Silicone Valley (Nombreuses industries de pointe : informatique, électronique, biotechnologie)
15/Las Vegas (Nevada. Grand centre touristique; capitale du jeu et du spectacle de variétés)
16/Grizzli
17/Los Angeles (Californie. Enorme agglomération sillonnée d'autoroutes. Grand centre financier, port, industries aéronautique et aérospatiale. Très riche County Museum of Art)
18/Hollywood (Californie. Faubourg nord-ouest de Los Angeles, capitale mondiale du cinéma)
19/San Diego (Californie)
20/Barrage Hoover (Sur le Colorado)
21/Grand Canyon du Colorado (Les gorges atteignent par endroit 1600 m de profondeur)
22/Parc national du Grand Canyon
23/Mesa (Arizona)
24/Tucson (Arizona)
25/Pueblo (Colorado)
26/Durango (Colorado)
27/Parc national Arches (Arcs de grès rouge)

28/Denver (Colorado. Au musée d'Art, importantes collections d'arts précolombien et indien)
29/Parc national de Yellowstone (Le premier parc national créé aux Etats-Unis : 1872)
30/Cheyenne (Wyoming)
31/Little Big Horn (En 1876, le général Custer y fut vaincu et tué par les Sioux)
32/Rapid City (Dakota)
33/Colorado Springs (Colorado. Centre touristique)
34/Santa Fe (Nouveau-Mexique. Nombreux monuments de l'époque coloniale espagnole. Palais du gouverneur, 1610-1614, le plus vieux bâtiment public des Etats-Unis)
35/Albuquerque (Nouveau-Mexique)
36/Tatou
37/Alamo (Texas)
38/Houston (Texas. Capitale pétrolière des

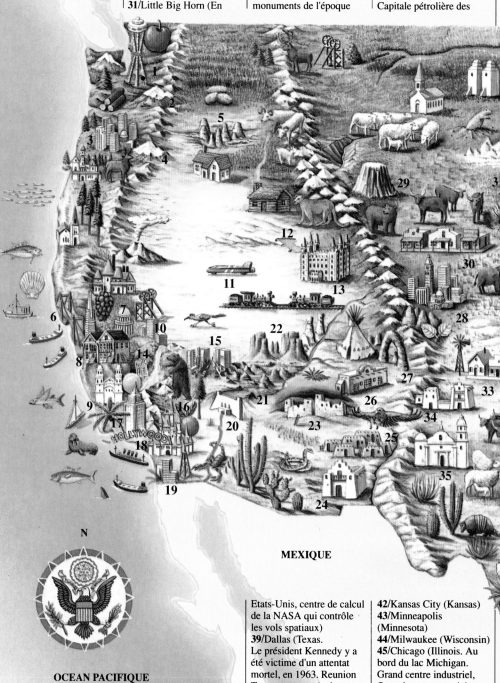

N

OCEAN PACIFIQUE

MEXIQUE

Etats-Unis, centre de calcul de la NASA qui contrôle les vols spatiaux)
39/Dallas (Texas. Le président Kennedy y a été victime d'un attentat mortel, en 1963. Reunion Tower, surmontée de sa grosse boule de verre et d'acier)
40/Hot Springs (Arkansas)
41/Mont Rushmore (Dakota du Sud)

42/Kansas City (Kansas)
43/Minneapolis (Minnesota)
44/Milwaukee (Wisconsin)
45/Chicago (Illinois. Au bord du lac Michigan. Grand centre industriel, financier, commercial, portuaire, culturel)
46/Pont Mackinac
47/Detroit (Michigan. Capitale de l'industrie automobile)

Les Etats-Unis

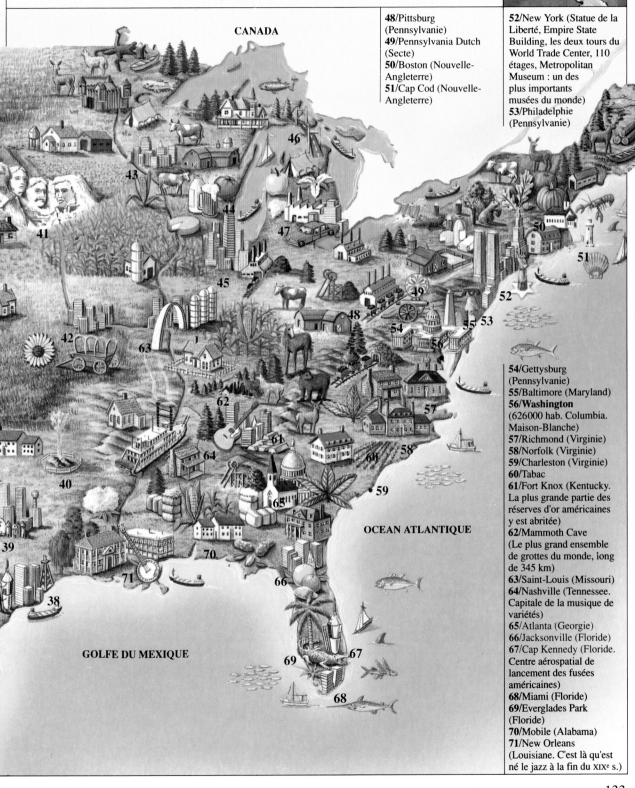

CANADA

48/Pittsburg
(Pennsylvanie)
49/Pennsylvania Dutch
(Secte)
50/Boston (Nouvelle-
Angleterre)
51/Cap Cod (Nouvelle-
Angleterre)

52/New York (Statue de la
Liberté, Empire State
Building, les deux tours du
World Trade Center, 110
étages, Metropolitan
Museum : un des
plus importants
musées du monde)
53/Philadelphie
(Pennsylvanie)

OCEAN ATLANTIQUE

54/Gettysburg
(Pennsylvanie)
55/Baltimore (Maryland)
56/**Washington**
(626000 hab. Columbia.
Maison-Blanche)
57/Richmond (Virginie)
58/Norfolk (Virginie)
59/Charleston (Virginie)
60/Tabac
61/Fort Knox (Kentucky.
La plus grande partie des
réserves d'or américaines
y est abritée)
62/Mammoth Cave
(Le plus grand ensemble
de grottes du monde, long
de 345 km)
63/Saint-Louis (Missouri)
64/Nashville (Tennessee.
Capitale de la musique de
variétés)
65/Atlanta (Georgie)
66/Jacksonville (Floride)
67/Cap Kennedy (Floride.
Centre aérospatial de
lancement des fusées
américaines)
68/Miami (Floride)
69/Everglades Park
(Floride)
70/Mobile (Alabama)
71/New Orleans
(Louisiane. C'est là qu'est
né le jazz à la fin du XIXe s.)

GOLFE DU MEXIQUE

Le premier chemin de fer transcontinental, joignant l'Atlantique au Pacifique, est achevé en 1869.

Le train va faciliter le peuplement et la mise en valeur de l'Ouest, que l'on n'atteignait auparavant qu'après un trajet de plusieurs semaines en chariot.

Le wagon traverse des déserts rouges et des déserts blancs parsemés de cactus turgides comme des asperges de cinq mètres, cannelées, poilues, quelquefois avec des bras. Il perfore des villes de zinc et des villes de bois tiré par la grande locomotive qui sonne la cloche...

Paul Morand

« Poids lourd » sur une route américaine. Très rapides, ces gros camions traversent les Etats-Unis, *coast to coast*, d'un océan à l'autre, en moins de quatre jours.

*Nous sommes les étoiles qui chantent.
Nous chantons avec notre lumière.
Nous sommes les oiseaux de feu.
Nous volons au-dessus du ciel.
Notre lumière est une voix.
Nous faisons une route pour les esprits, pour que les esprits passent.*

Poème algonquin

LES ETATS-UNIS
La guerre d'Indépendance

Les premiers colons s'installent dans le nord-est des Etats-Unis. En 1783, après une guerre meurtrière à laquelle participent le général français La Fayette et ses soldats, treize colonies anglaises de la côte est signent à Versailles, avec l'Angleterre, un traité établissant l'indépendance de ces colonies.

En 1776, la déclaration d'Indépendance rédigée par Thomas Jefferson et Benjamin Franklin proclame pour la première fois dans le monde quelque chose qui ressemble aux droits de l'homme.

La conquête de l'Ouest

Peu à peu, les pionniers partent en caravane pour s'installer sur des terres nouvelles, de l'autre côté des Appalaches, en territoire indien. Ils sont cultivateurs, éleveurs, chercheurs d'or.

La guerre de Sécession

En 1861, une guerre éclate entre le Nord et le Sud, les Yankees du Nord voulant abolir l'esclavage pratiqué dans les immenses exploitations du Sud – coton, tabac, etc. Les esclaves chantaient leur désespoir dans des «blues».

De la fin de la guerre de Sécession – défaite du Sud – à la crise de 1929, les Etats-Unis connaissent une formidable expansion économique. En 1941, ils s'engagent dans la Seconde Guerre mondiale après l'attaque de Pearl Harbor par les Japonais.

Immensité, diversité

La distance de Boston à Seattle, de Washington à San Francisco, est supérieure à celle de Brest à l'Oural : un véritable pont aérien relie les deux océans, en six heures environ. Et New York se trouve légèrement plus près de Paris que de San Francisco.

Disney World (Floride)

La Californie

Le soleil se leva derrière eux, et alors... brusquement ils découvrirent à leurs pieds une immense vallée. Al freina violemment et s'arrêta en plein milieu de la route.

– Nom de Dieu, regardez! s'écria-t-il. Les vignobles, les vergers, la grande vallée plate, les longues files d'arbres fruitiers et les fermes. Pa dit :

– Dieu tout-puissant!... J'aurais jamais cru que ça pouvait exister, un pays aussi beau.

John Steinbeck

Nez percé · Blackfoot · Cheyenne · Chippewa · Iroquois · Penosscot · Arapaho · Chinook · Navaho · Crow · Winnebago · Sioux · Iroquois · Pomo · Wyandot · Cherokee · Mohave · Apache · Pawnee · Pueblo · Mouma · Creek · Comanche

Les principales tribus indiennes

New York : rue d'un
quartier populaire

Hollywood

Le nom est inscrit sur la colline, en majuscules de 10 m de haut, de sorte qu'on sait que c'est là...
Au loin, on voit Beverley Hills, et sur la droite la Metro Goldwyn, *puis* Paramount.

Paul Morand

Jazzman

Le jazz, musique afro-américaine a surgi, à la fin du XIXe siècle, dans les communautés noires et créoles du sud des Etats-Unis. En 1917, les musiciens s'expatrient à Chicago où naît le style «Nouvelle-Orléans».

Chicago

Toi qui abats toutes les truies du monde,
Qui forges les outils, qui entasses le blé,
Qui jongles avec les chemins de fer et
* qui diriges les transports du pays;*
Orageuse, forte, querelleuse,
Ville aux larges épaules.

Carl Sanburg

Chicago est la troisième ville des Etats-Unis, après New York et Los Angeles. Un des plus grands marchés au monde pour les céréales et surtout la viande.

On associe souvent Chicago au gangstérisme en oubliant qu'elle offre quelques-unes des plus remarquables réalisations de l'architecture contemporaine et constitue par ses musées, ses bibliothèques, ses activités musicales, un des centres les plus vivants de la culture américaine.

La population noire y est importante et Chicago est un centre pour la revendication des «droits civiques».

Paysage du Wyoming

New York

New York est fait de la rencontre de peuples divers. Ils se groupent par communautés et recréent leur pays avec leurs cafés, leurs restaurants. *Little Italy*, Petite Italie, *Chinatown*, quartier chinois, *Harlem*, quartier noir, *Spanish Harlem*, quartier portoricain, *Chelsea*, quartier irlandais...

Wall Street (dans le quartier de Manhattan) : le cœur financier d'une partie du monde, avec le célèbre «New York Stock Exchange», la Bourse de New York, reconnaissable à sa façade à colonnes.

Espace et population		Scolarisation	
Superficie	9363123 km²	Second degré	95 %
Population	241,7 M hab.	Troisième degré	57,3 %
Densité	25,8 hab./km²	Postes de TV	790 pour 1000 hab.
Taux de natalité	15,5 ‰	Livres publiés par an	76976 titres
Taux de mortalité	8,7 ‰	Médecins pour 1000 hab.	1,8
Croissance annuelle	1 %	**Economie**	
Taux de mortalité infantile	11 ‰	Monnaie	dollar (1 d = 5,80 FF)
Espérance de vie	74 ans	PIB	4206,5 milliards de $
Population urbaine	74,2 %	PIB par hab.	17404 $
Capitale	Washington (626000 hab.)	Croissance annuelle du PIB	2,5 %
Données culturelles		Production d'énergie	2069 millions de TEC
Langue	anglais	Consommation d'énergie	2364 millions de TEC
		Importations	387100 millions de $
		Exportations	217300 millions de $

Cactus candélabres : paysage du Nouveau-Mexique

ETATS-UNIS

1

2

3

4

5

6

7

8

10

11

12

13

14

17

18

19

OCEAN PACIFIQUE

N

1/Coton
2/Coyote
3/Crotale
4/Canyons de la sierra
Tarahumara (Avec la gorge
du Cuivre – Barranca del
Cobre –; ravins profonds
parfois de 1 000 m. Dans
les grottes de ces falaises
abruptes vivent encore les
Indiens tarahumaras)
5/Canne à sucre
6/Cap San Lucas
(De grandioses falaises à
l'extrémité sud de la
presqu'île de Basse-
Californie; région en
plein essor touristique)
7/Espadon
8/Villages indiens
huicholes
9/Monterrey (Grand centre
industriel : sidérurgie.
Problèmes préoccupants de
pollution)
10/Agaves
11/Guadalajara
(Cathédrale, XVIIᵉ s. de style
néo-byzantin. Aux
alentours, intéressantes
villes coloniales comme
Tequila, ou San Juan de
los Lagos)
12/Canne à sucre
13/Lac de Patzcuaro
(Pêche pratiquée
avec de grands
filets. Non loin,
ruines de
Tzintzuntzan,
capitale des Indiens
tarasques. Production
artisanale réputée)

Le Mexique

Tu ouvres à présent les ailes de quetzal,
avec des plumes irisées tu te dandines, toi, oiseau au cou rouge
et à la plume mauve :
Suce le miel ici : la fleur parfumée est déjà arrivée ici à terre. (...)
Tu es une fleur rouge de maïs brûlé :
Ici à Mexico tu ouvres ta corolle :
En toi sucent le miel les brillants papillons de la terre,
en toi sucent le miel les oiseaux pareils à des aigles qui volent.
Comme un soleil luit ta maison irisée de sapotier.*
Ta demeure est en aquatiques fleurs de jade :
Tu règnes sur Anahuac.
Des fleurs se répandent, des grelots sonnent :
C'est ta timbale, ô prince !
Tu es une fleur rouge de plumes :
Ici à Mexico tu ouvres ta corolle :
Tu donnes du parfum au monde; il se répand au-dessus de tous.

Poème nahua
– groupe ethnique le plus important du Mexique –

*Arbre aux fruits comestibles, dont le bois répand en brûlant une odeur d'encens.

14/San Miguel de Allende (Belle ville coloniale, séjour de nombreux artistes et écrivains. Eglise San Francisco, XVIIIe s.)
15/Pétrole (De nombreux gisements *off shore* sont également exploités)
16/Teotihuacan (Un des sites archéologiques les plus impressionnants du Mexique. Pyramide du Soleil, dates controversées : l'ensemble aurait été bâti entre le IIe et le VIIe s.)
17/Le dieu Quetzalcoatl (« serpent à plumes »)
18/**Mexico** (15667000 hab. Centre culturel et artistique. Les industries et les véhicules sont à l'origine d'une forte pollution. Musée national d'Anthropologie, architecture moderne intégrant des éléments précolombiens. Très belles collections du musée national d'Art)
19/Acapulco (Station balnéaire de renom international)
20/Popocatépetl (« Montagne fumante » est un volcan en activité de 5452 m)
21/Puebla (Ville de demeures et d'églises coloniales dont les façades et les toits sont ornés de carreaux de faïence colorés)
22/Sucreries
23/Poteries d'Oaxaca
24/Monte Alban (Ruines zapotèques et mixtèques, Ve-XVe s.)
25/Barrage de Minatilan
26/Gaz naturel
27/Villa hermosa (Tête de guerrier colossale, musée du Tabasco)
28/Café
29/Vanille
30/Bananeraies
31/Chichen Itza (Capitale des anciens Mayas, dans la presqu'île du Yucatan. Pyramide de Kulculcan – en maya, Quetzalcoatl –, haute de 24 m, escalier de 365 marches. «Chac-mool», statue colossale d'un personnage à demi couché représentant une divinité, ici Tlaloc, dieu de la pluie)

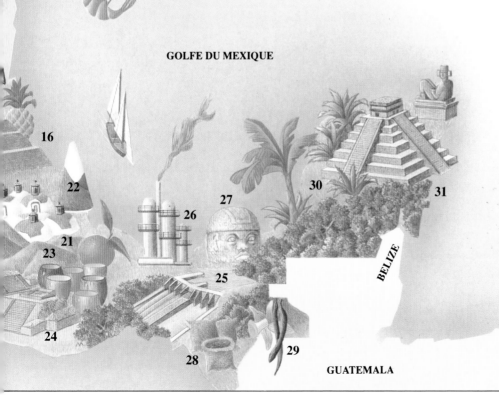

GOLFE DU MEXIQUE

16
22
21
23
24
26
27
25
28
30
29
31
BELIZE
GUATEMALA

137

Pyramide de Monte Alban, capitale des Zapotèques

Les Zapotèques sont apparus vers le IVᵉ s. Ils ont été conquis par les Toltèques puis, par les Aztèques, à partir du XIVᵉ s.

Les Olmèques ont laissé de mystérieuses et colossales têtes sculptées tout le long du golfe du Mexique.

Au bord de la mer des Caraïbes, ruines de la cité fortifiée maya de Tulum

Sur le territoire actuel du Mexique se sont mêlées et succédé de grandes civilisations indiennes :

– les Olmèques, du IVᵉ au VIᵉ siècle, sont d'excellents sculpteurs ;

– les Mayas, de la fin du VIᵉ à la fin du VIIIᵉ siècle, gouvernent un puissant empire ; leurs descendants vivent aujourd'hui dans le Yucatan. Les ruines de leurs cités sont encore imposantes ;

– les Toltèques, adorateurs de Tlaloc, dieu de la pluie, règnent au XIᵉ siècle ;

– la tribu des Aztèques s'avance à travers les grand déserts du Nord. «Peu nombreux, fils de personne, ceux dont nul ne connaît le visage, ils suivent Huitzilopochtli, le prêtre qui deviendra plus tard leur dieu.»

Du XIIIᵉ au XVIᵉ siècle, les Aztèques imposent par la force une des plus hautes civilisations. Ils fondent Mexico, «la ville au milieu du lac». Leur écriture ressemble à de belles bandes dessinées et leur littérature est très riche.

En 1519, les conquistadores, dirigés par Hernan Cortés, arrivent avec leurs armes à feu et leurs chevaux. Les Aztèques prennent Cortés pour Quetzalcoatl, leur dieu blanc et barbu, dont ils attendaient le retour. Les Espagnols imposent leur religion et leur civilisation, et provoquent la chute des grands empires indiens.

Et ceux qui les portent sur leur dos, leurs chevreuils, c'est comme s'ils étaient aussi grands que les terrasses des maisons. Et de tous côtés, ils recouvrent leurs corps, seuls apparaissent leurs visages, très blancs, ils ont des visages comme de la craie...

Récit aztèque

Para bailar la Bamba (bis)
Para bailar la Bamba

Se necessita una poca de gracia
Una poca de gracia y otra cosita

Ay arriba y arriba
Ay arriba ay arriba y arriba iré

Pour danser la Bamba *(bis)*
Pour danser la Bamba

Il faut un peu de grâce
Un peu de grâce et autre chose encore

Et en avant, et en avant
Et en avant, et en avant, allez !

Histoire et révolution

La république est proclamée en 1824. Puis Napoléon III impose un empereur, Maximilien, qui est exécuté en 1867. De 1876 à 1911, le Mexique vit sous la dictature de Porfirio Diaz, à laquelle s'opposent les héros révolutionnaires comme Pancho Villa et Zapata.

Marché de village au Mexique

Mexico

La capitale, Mexico, n'est autre que l'ancienne cité aztèque de Tenochtitlan. Elle est marquée par les influences indienne, espagnole et américaine.

Sur la place des Trois-Cultures, les Espagnols ont construit une église baroque au sommet d'une pyramide aztèque, autour de laquelle se dressent aujourd'hui des gratte-ciel.

Mexico est une très grande ville située à plus de 2000 mètres d'altitude. Plusieurs fois, des tremblements de terre l'ont en partie détruite.

Espace et population	
Superficie	1967183 km2
Population	80,5 M hab.
Densité	41 hab./km2
Taux de natalité	31 ‰
Taux de mortalité	7 ‰
Croissance annuelle	2,5 %
Taux de mortalité infantile	52 ‰
Espérance de vie	65,7 ans
Population urbaine	70 %
Capitale	Mexico (15667000 hab.)
Données culturelles	
Langue	espagnol
Analphabètes	9,7 %
Scolarisation	
Second degré	75,3 %
Troisième degré	15,2 %
Postes de TV	108 pour 1000 hab.
Livres publiés par an	4505 titres
Médecins pour 1000 hab.	0,96
Economie	
Monnaie	peso mexicain
	(1 peso = 0,036 FF)
PIB	163,8 milliards de $
PIB par hab.	2086 $
Croissance annuelle du PIB	-5,3 %
Dette extérieure	100 milliards de $
Production d'énergie	250,4 millions de TEC
Consommation d'énergie	125,9 millions de TEC
Importations	11600 millions de $
Exportations	16300 millions de $

Les villages indiens

Les Mexicains quittent les campagnes pour vivre dans des villes de plus en plus grandes, laissant les villages aux Indiens, pour la plupart éleveurs et cultivateurs. Ces villages sont formés de maisons d'argile et de paille sèche, sans fenêtre.

Sur les côtes du golfe du Mexique vit une importante population de pêcheurs, le plus souvent assez misérables.

Le Mexique est un pays de contrastes saisissants. Alors que d'immenses propriétés florissantes se sont développées, de très nombreux paysans vivent dans des conditions très précaires; de plus, les aspects les plus modernes de la civilisation postindustrielle côtoient les survivances extrêmement tenaces des civilisations indiennes précolombiennes. Malgré un taux important d'analphabétisme, le Mexique, et Mexico en particulier, est un pays de recherches scientifiques et universitaires de pointe. Contraste également entre les zones de montagnes et les régions tropicales, entre l'ombre dense et le soleil, et entre toutes ces odeurs qui saisissent le visiteur, et le mélange quotidien de la vie et de la mort.

Toute la journée on fait de la pluie dans la cour du temple.
Avec la sonnaille de la brume on appelle l'eau du paradis de Tlaloc.
Prière toltèque

Sur les marchés villageois, on peut trouver des produits agricoles locaux – maïs, haricots noirs, courges, piments, tomates, bananes, melons, goyaves et avocats –, mais aussi de multiples fabrications artisanales : cruches, corbeilles, etc.

Chaumière et euphorbe chandelier

L'Amérique centrale, la Colombie,

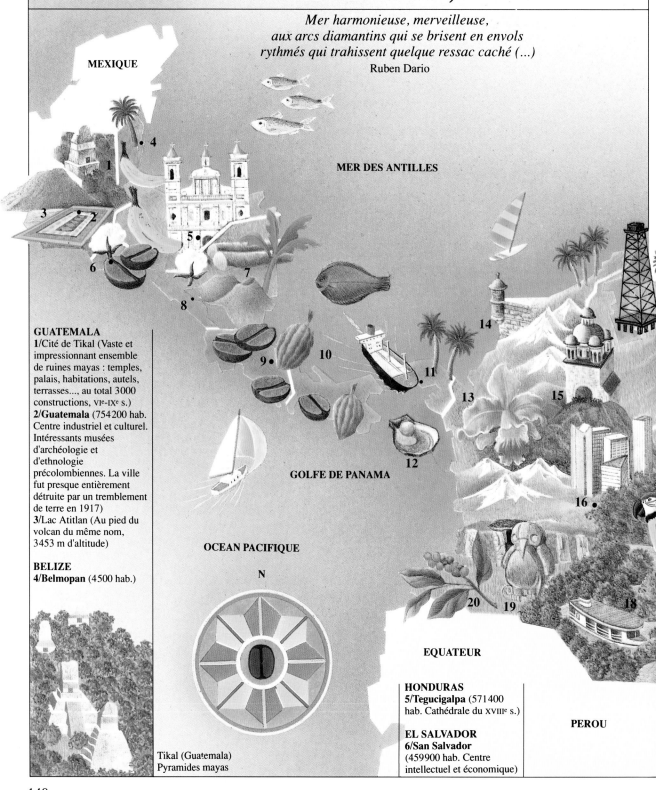

Mer harmonieuse, merveilleuse,
aux arcs diamantins qui se brisent en envols
rythmés qui trahissent quelque ressac caché (...)
Ruben Dario

MEXIQUE

MER DES ANTILLES

GOLFE DE PANAMA

OCEAN PACIFIQUE

N

EQUATEUR

PEROU

GUATEMALA
1/Cité de Tikal (Vaste et impressionnant ensemble de ruines mayas : temples, palais, habitations, autels, terrasses..., au total 3000 constructions, VIᵉ-IXᵉ s.)
2/Guatemala (754200 hab. Centre industriel et culturel. Intéressants musées d'archéologie et d'ethnologie précolombiennes. La ville fut presque entièrement détruite par un tremblement de terre en 1917)
3/Lac Atitlan (Au pied du volcan du même nom, 3453 m d'altitude)

BELIZE
4/Belmopan (4500 hab.)

Tikal (Guatemala)
Pyramides mayas

HONDURAS
5/Tegucigalpa (571400 hab. Cathédrale du XVIIIᵉ s.)

EL SALVADOR
6/San Salvador (459900 hab. Centre intellectuel et économique)

le Venezuela, la Guyane*, le Surinam

*Guyana et Guyane française

*En allant vers la ville de San Pedro, dans la première localité
de la province du Honduras, qui s'appelle Copàn, se trouvent
des ruines et des vestiges d'une grande civilisation et de
magnifiques constructions, telles qu'il est difficile d'imaginer
comment un esprit aussi primitif que celui des habitants
de cette région pût un jour concevoir un site
aussi artistique que somptueux.*

Dr don Diego Garcia de Palacio

OCEAN ATLANTIQUE

BRESIL

VENEZUELA
21/Caracas (1246700 hab.
Centre industriel,
commercial, universitaire;
prospérité résultant des
gisements de pétrole. Fut
au XIXe s. un des principaux
centres du mouvement
d'indépendance dirigé par
Bolivar)
22/Serpent corail
23/Quetzal
24/Paresseux
25/Ciudad Bolivar (Mines
de fer à ciel ouvert)
26/Canaïma
27/Frégate

GUYANA
28/Georgetown
(167 800 hab.)
29/Jaguar
30/Toucan
31/Morpho

SURINAM
32/Bauxite
33/Paramaribo
(67900 hab.)

NICARAGUA
7/Bois précieux
8/Managua (682100 hab.
Détruite à plusieurs reprises
par des tremblements de
terre : 1931, 1972.
Sévèrement endommagée
aussi par les affrontements
de la guerre civile 1978-
1979. Dans les environs,
plusieurs lacs de cratère)

COSTA RICA
9/San José (241400 hab.)
PANAMA
10/Cacao
11/Panama (440000 hab.
Canal de Panama. En
moyenne 42 navires
l'empruntent chaque jour,
ils mettent 8 à 9 heures
pour le franchir)
12/Huîtres perlières

COLOMBIE
13/Orchidées
14/Cartagena (Port
pittoresque, édifices de
style andalou. Forteresse
San Fernando, XVIe-XVIIe s.)
15/Cucuta (Important
centre pour le commerce du
café)

16/Bogota (3974800 hab.
Magnifique musée de l'Or :
30 000 objets
précolombiens)
17/Ara
18/Rio Caqueta (Affluent
de l'Amazone)
19/San Agustin (Parc
archéologique et vallée
des Statues)
20/Café

GUYANE FRANÇAISE
34/Kourou (Base de
lancement des fusées
Diamant, puis Ariane)
35/ Cayenne (Préfecture,
37100 hab.)

Hiéroglyphes mayas

On trouve en Colombie plus de 2000 variétés d'orchidées.

Quetzal, oiseau dont les plumes servaient à fabriquer les habits de cérémonie et les parures des Indiens.

Quetzal, associé au mot coatl (serpent), a donné Quetzalcoatl, dieu aztèque de la végétation et du renouveau. Aujourd'hui, le quetzal désigne aussi l'unité monétaire du Guatemala.

Grand-place de Chichicastenango (Guatemala)

L'AMERIQUE CENTRALE

Sur moins de 2000 km, sept petits Etats, le Guatemala, le Salvador, le Nicaragua, le Honduras, le Costa Rica, le Panama et le Belize, totalisent 16 millions d'habitants.

Cette région, contrôlée – à l'exception, aujourd'hui, du Nicaragua – par les Etats-Unis depuis le milieu du XIXe siècle, a vu se développer une agriculture d'exportation, les principales productions étant le café, le coton et les bananes.

Long de 8 km, le canal de Panama relie l'océan Atlantique à l'océan Pacifique. Dans sa partie centrale, il traverse le lac de Gatun auquel les navires accèdent par des écluses en escalier, car son niveau est à plus de 20 m au-dessus de celui de la mer.

Minifundia-latifundia

La terre appartient essentiellement à quelques grands propriétaires. Ils cultivent la banane, le coton et la canne à sucre dans d'immenses propriétés, les latifundia. Sur les hauts plateaux, les Indiens doivent se contenter de minifundia, lopins de terre sur lesquels poussent du blé, du manioc et de la patate douce.

LE VENEZUELA, LA GUYANA, LA GUYANE FRANÇAISE, LE SURINAM

Les habitants de ces trois pays, souvent d'origine européenne, se regroupent dans les régions littorales, tandis que les immenses régions de savane et de forêt tropicale humide de l'intérieur sont pratiquement vides de population.

LE GUATEMALA

Au XIXe siècle, de grands voyageurs découvrent en pleine forêt tropicale des cités construites par les Indiens mayas au IXe siècle et totalement englouties sous les lianes. Il existe sans doute, encore aujourd'hui, des cités mayas inexplorées.

	NICARAGUA	COLOMBIE	VENEZUELA
Espace et population			
Superficie	130000 km²	1138914 km²	912050 km²
Population	3,39 M hab.	28,42 M hab.	17,79 M hab.
Densité	26,1 hab./km²	25 hab./km²	19,5 hab./km²
Taux de natalité	44,2 ‰	30,6 ‰	29 ‰
Taux de mortalité	9,7 ‰	5,8 ‰	4,6 ‰
Croissance annuelle	3,7 %	2 %	2,9 %
Taux de mortalité infantile	73 ‰	49 ‰	39 ‰
Espérance de vie	60 ans	63,6 ans	69 ans
Population urbaine	59,4 %	67,4 %	85,7 %
Capitale	Managua (682100 hab.)	Bogota (3974800 hab.)	Caracas (1246700 hab.)
Données culturelles			
Langue	espagnol	espagnol	espagnol
Analphabètes	13 %	11,9 %	13,1 %
Scolarisation			
Second degré	57 %	75,3 %	68,4 %
Troisième degré	9,8 %	12,9 %	23,4 %
Postes de TV	67 pour 1000 hab.	133 pour 1000 hab.	128 pour 1000 hab.
Livres publiés par an	26 titres	15 041 titres	4 200 titres
Médecins pour 1000 hab.	0,67	0,58	1,2
Economie			
Monnaie	cordoba (1 C = 0,084 FF)	peso (1 P = 0,03 FF)	bolivar (1 B = 0,41 FF)
PIB	2,76 milliards de $	37,6 milliards de $	53,8 milliards de $
PIB par hab.	844 $	1 350 $	3 112 $
Croissance annuelle du PIB	0,0 %	5,3 %	3,1 %
Dette extérieure	5,26 milliards de $	13,43 milliards de $	35,88 milliards de $
Production d'énergie	0,066 million de TEC	28,5 millions de TEC	161,5 millions de TEC
Consommation d'énergie	0,92 million de TEC	26,8 millions de TEC	53,4 millions de TEC
Importations	813 millions de $	3862 millions de $	8436 millions de $
Exportations	298 millions de $	5102 millions de $	8700 millions de $

Colibri rubis et topaze

Les Antilles

Plantation de canne à sucre

Le peuplement des Antilles

Les Espagnols s'installent dans les îles Caraïbes, du nom des Indiens qui les peuplent, au début du XVIᵉ siècle. Le sous-sol regorge d'or, et les Espagnols contraignent les Indiens à exploiter les mines. L'or s'épuise, et les Indiens sont exterminés. Les Espagnols utilisent alors des esclaves africains dans les plantations de canne à sucre. Après l'abolition de l'esclavage, les Anglais font venir des Indiens d'Inde, qui habitent toujours Trinidad et la Guadeloupe.

Dans les îles, «habitants blancs» et descendants d'esclaves se métissent.

*D'un blanc et d'une négresse vient un
    mulâtre
D'un blanc et d'une mulâtre vient un
    quarteron
D'un blanc et d'une quarteronne vient un
    métis
D'un blanc et d'une métisse vient un
    mamelouque.
D'un nègre et d'une blanche naît un
    mulâtre...*

Moreau de Saint-Méry

Le créole

Les créoles sont les Blancs nés dans les anciennes colonies : Antilles, île Maurice, Guyane... Le créole est la langue à base de français ou d'anglais parlée dans les îles Caraïbes.

Carnaval et couleurs

Chaque île des Antilles a son propre carnaval, préparé des mois à l'avance par l'ensemble de la population. Le plus somptueux, celui de Trinidad, se déroule le jour du mardi gras.

Les révoltes

Les Noirs supportent de plus en plus mal la domination des colons blancs. Quand éclate la Révolution française, les Antilles grondent.

En 1791, en Haïti, le Noir Boukman chante la révolte et la liberté. Puis, commence l'aventure de Toussaint-Louverture, premier Noir à proclamer une république noire. Il sera vaincu et mourra en France.

CUBA

Peuplée de descendants de colons blancs et d'esclaves noirs, Cuba devient indépendante, sous la protection des Etats-Unis, en 1901. Combattant l'influence américaine et la dictature de Batista, Fidel Castro chasse ce dernier en 1959. Cuba devient une démocratie populaire, modèle et soutien des mouvements révolutionnaires d'Amérique du Sud.

Musicien de la Trinité, patrie de la musique steel-band. Les orchestres de steel-band sont nés pendant la Première Guerre mondiale : la pénurie obligea alors les musiciens à bricoler des instruments à partir de barils de pétrole découpés. Ces instruments incomparables leur permettent de jouer sambas, rumbas, valses et aussi mélodies classiques.

A une heure de bateau, un grapillon d'îles, au sud de la Guadeloupe : le petit archipel des Saintes. Une côte déchiquetée où alternent pointes et anses aux belles plages de sable blond.

Scène de carnaval

GRANDES ANTILLES

1/CUBA (La plus vaste des îles des Grandes Antilles : 114 524 km², 1200 km de long, 25 à 145 km de large)
2/La Havane (2013700 hab. Principal port et centre commercial. Une des plus belles villes d'Amérique latine avec ses vieux quartiers coloniaux. Cathédrale, XVIIᵉ-XVIIIᵉ s.)
3/Eponges
4/JAMAIQUE
(10962 km²; cultures d'exportation : bananes, cannes à sucre, ananas, agrumes, café...
La Jamaïque est le 3ᵉ producteur mondial de bauxite, minerai d'aluminium)
5/Bauxite
6/HAITI (27750 km².Un des pays les plus pauvres d'Amérique latine)
7/Cap-Haïtien (Palais Sans-Souci construit par le roi Henri-Christophe, au début du XIXᵉ s., sur le modèle du château de Potsdam)
8/Port-au-Prince
(472900 hab.)
9/Les Cayes (Centre touristique; dans les environs, très belles plages bordées de cocotiers, telle celle de Macaya)
10/REPUBLIQUE DOMINICAINE (Dans la partie orientale de l'île d'Haïti, 48 442 km². Abondantes ressources minières)
11/Saint-Domingue
(1410000 hab. La première ville espagnole fondée en Amérique, en 1496, par Bartolomé Colomb, frère du célèbre Christophe. Cathédrale Santa Maria la Menor, XVIᵉ s., la plus vieille cathédrale du Nouveau Monde)
12/PORTO RICO (Etat associé aux Etats-Unis)

Adieu Madras, Adieu foulard,
Adieu grains d'or, Adieu colliers, choux,
Doudou à moin, Ka pati,
Hélas, hélas, cé pou toujou!
Chanson martiniquaise

GRANDES ANTILLES

N

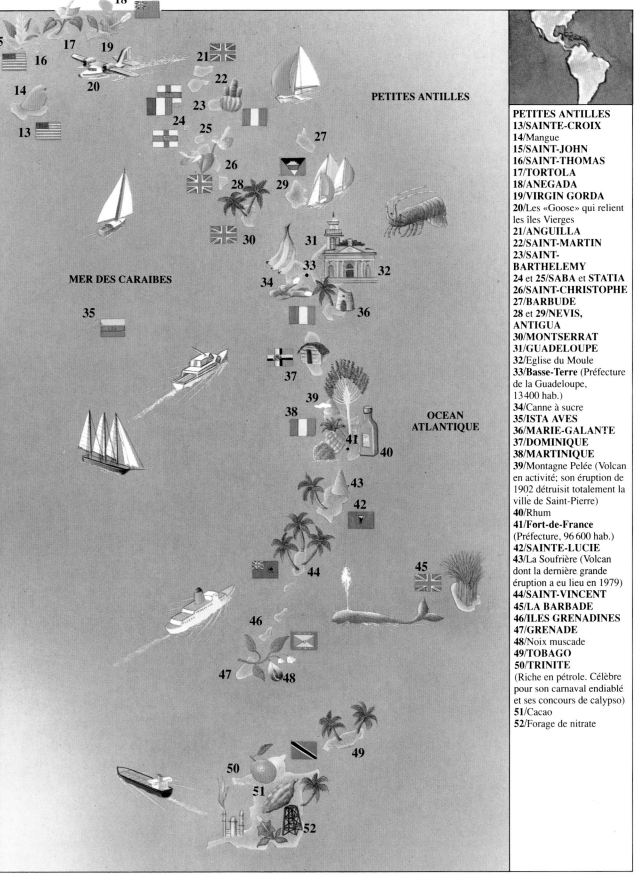

18

5

17   19

16

14

20

13

21

22

23

24   25

26   27

28   29

30   31

33

34   32

MER DES CARAIBES

35   36

PETITES ANTILLES

37

39

38   OCEAN
ATLANTIQUE

41   40

43

42

44   45

46

47   48

49

50

51

52

PETITES ANTILLES
13/SAINTE-CROIX
14/Mangue
15/SAINT-JOHN
16/SAINT-THOMAS
17/TORTOLA
18/ANEGADA
19/VIRGIN GORDA
20/Les «Goose» qui relient
les îles Vierges
21/ANGUILLA
22/SAINT-MARTIN
**23/SAINT-
BARTHELEMY**
24 et 25/SABA et **STATIA**
26/SAINT-CHRISTOPHE
27/BARBUDE
**28 et 29/NEVIS,
ANTIGUA**
30/MONTSERRAT
31/GUADELOUPE
32/Eglise du Moule
33/Basse-Terre (Préfecture
de la Guadeloupe,
13 400 hab.)
34/Canne à sucre
35/ISTA AVES
36/MARIE-GALANTE
37/DOMINIQUE
38/MARTINIQUE
39/Montagne Pelée (Volcan
en activité; son éruption de
1902 détruisit totalement la
ville de Saint-Pierre)
40/Rhum
41/Fort-de-France
(Préfecture, 96 600 hab.)
42/SAINTE-LUCIE
43/La Soufrière (Volcan
dont la dernière grande
éruption a eu lieu en 1979)
44/SAINT-VINCENT
45/LA BARBADE
46/ILES GRENADINES
47/GRENADE
48/Noix muscade
49/TOBAGO
50/TRINITE
(Riche en pétrole. Célèbre
pour son carnaval endiablé
et ses concours de calypso)
51/Cacao
52/Forage de nitrate

L'Equateur, le Pérou, la Bolivie, le Brésil

EQUATEUR
1/Quito (1 337 700 hab. Centre industriel et universitaire. Eglise de la Compania, XVIIᵉ s., une des plus belles d'Amérique latine. Intéressants musées : archéologie, art colonial et religieux. Splendide musée des Instruments de musique. La ligne de l'équateur est à 24 km au nord de Quito)
2/Guayaquil (Centre industriel et port exportateur de bananes, cacao et café)

PEROU
3/Cajamarca (Eglise de Belém, XVIIᵉ-XVIIIᵉ s.)
4/Trujillo (Musée archéologique, collections importantes de l'époque chavin – 1000 av. J.-C. – jusqu'à la période inca)
5/Lima (5 875 900 hab. Centre industriel et commercial. Au musée national d'Anthropologie et d'Archéologie : les plus riches collections de céramiques et de tissus précolombiens d'Amérique latine)
6/Cultures en terrasses
7/Cuzco (Ancienne capitale de l'Empire inca. Cathédrale du XVIᵉ s.)
8/Arequipa (Ville-oasis, aux nombreuses constructions coloniales, édifiée au pied d'un gigantesque volcan éteint, le Misti, 5821 m)
9/Lac Titicaca (6900 km². Avec les roseaux – totoras – qui bordent ses rives, les Indiens fabriquent leurs barques de pêche. L'une de ses îles, celle de Taquila, est un véritable conservatoire des traditions des «gens du lac»)

Iles Galapagos
(EQUATEUR)

BOLIVIE
10/La Paz (992 600 hab. Centre industriel, culturel. Eglise San Francisco, XVIIIᵉ s.)
11/Tiahuanaco (Site archéologique précolombien. Célèbre porte du Soleil, monument monolithique de 3 m de hauteur et 4 m de largeur)
12/Vallée de la Lune
13/Grandes orgues
14/Muraille inca
15/Santa Cruz
16/Potosi (C'est là que les Espagnols découvrent et commencent à exploiter, en 1545, d'énormes gisements d'argent. Eglise San Lorenzo, XVIIIᵉ s.)

COLOMBIE

OCEAN PACIFIQUE

CHILI

PARAGUAY

ARGENTINE

O Viracocha*, Seigneur du monde,
que tu sois mâle ou femelle,
Seigneur de la chaleur et de la conception,
Pareil à Celui dont la salive est magique !
Qui es-Tu ? Puisse Ton fils ne s'éloigner de Toi !
Il peut être en haut, il peut être en bas,
et Tu demeures près de Ton trône éclatant, de Ton sceptre.
Ecoute-moi depuis la mer céleste où Tu résides,
O Créateur du monde, Toi qui as fait l'homme,
Seigneur des seigneurs !

Poème quechua

*Le Dieu suprême, le Soleil.

GUYANES

OCEAN ATLANTIQUE

OCEAN ATLANTIQUE

N

BRESIL

17/Manaus (Ville née du *boom* du caoutchouc, à la fin du XIXᵉ s. Célèbre opéra de 1896, l'un des vestiges de l'époque glorieuse de la cité)

18/Belém (Centre commercial et universitaire relié à Brasilia par l'un des axes de la route transamazonienne. Important musée Goeldi : archéologie, sciences naturelles, ethnographie)

19/Fortaleza

20/Recife (Anciennement Pernambouc, à l'extrême est du pays, construite sur un ensemble d'îles et de presqu'îles. Port actif, industries)

21/Cuiaba

22/**Brasilia** (1 576 650 hab. Capitale depuis 1960. Création de l'urbaniste Lucio Costa et de l'architecte Oscar Niemeyer. Place des Trois-Pouvoirs et palais du Gouvernement)

23/Salvador (Ancienne Bahia. Port et centre industriel actif. Nombreux édifices religieux des XVIIᵉ et XVIIIᵉ s. Musée d'Art sacré. Beaucoup de fêtes religieuses ou profanes très animées et colorées, bruyantes : processions, chants, danses, feux d'artifice...)

24/Ouro Preto (Véritable ville-musée qui contient des trésors d'architecture, de peinture et de sculpture. Eglise Saint-François d'Assise, XVIIIᵉ s., selon les plans du grand architecte et sculpteur Aleijadinho)

25/São Paulo (Capitale économique du Brésil, grand centre industriel. L'indépendance du pays y fut proclamée en 1822)

26/Rio de Janeiro (Dans la fameuse baie, le Pain de Sucre, 390 m, la plage de Copacabana et ses buildings de luxe qui bordent la superbe Avenida Atlantica; et, tout proches, les bidonvilles misérables, les *favelas)*

27/Torres

28/Porto Alegre (Ville d'aspect très moderne, port, industries, centre universitaire)

29/Chutes de l'Iguaçu (Sur cet affluent du Parana, 274 chutes atteignant des hauteurs de 55 à 73 m. Non loin de là, immense parc national, très riche réserve de flore et de faune tropicales)

147

La baie de Rio
et le Pain de Sucre

La baie de Rio, l'un des plus beaux sites du monde. C'est pourquoi les Cariocas (les habitants de Rio), très fiers de leur ville, affirment avec malice que Dieu créa le monde en six jours et Rio de Janeiro le septième.

Recife, 1 300000 hab., a été construite à l'abri d'une barrière de récifs d'une centaine de km de long, d'où son nom.

Je viens de ce royaume
généreux
où les hommes issus de sa
verdure
restent captifs et oubliés...
Viens connaître avec moi
le fleuve et ses lois
Viens apprendre la science
des tourbillons,
viens écouter les oiseaux
de nuit
dans le silence magique de
l'igapō
couvert d'étoiles
émeraude.

Thiago de Mello

L'Amazone.
La masse de ses eaux représente 1/5 de la masse des eaux courantes du globe. Sa couleur boueuse se voit jusqu'à 160 km des côtes.

LE BRESIL

Beaucoup de races et de peuples sont représentés au Brésil. Les premiers, les colons portugais se métissèrent aux Indiens, puis aux Noirs. Vers la fin du XVIIIe siècle arrivèrent des émigrés d'Italie, d'Espagne, du Japon et d'Allemagne. On peut dire que chaque Brésilien a sa façon de parler et son accent.

Rio de Janeiro

Tout le monde est sur le pont
Nous sommes au milieu des montagnes
Un phare s'éteint
On cherche le Pain de Sucre partout et dix personnes le découvrent à la fois dans cent directions différentes, tant ces montagnes se ressemblent dans leur piriformité.

Blaise Cendrars

La Transamazonienne

Dès 1960, les monstres broyeurs de forêts taillèrent dans la jungle des chemins de huit mètres de large à la cadence de six kilomètres à l'heure. L'épine dorsale du Brésil reliant Brasilia à Belém était en place, par où s'engouffrèrent des milliers de nouveaux cultivateurs avides de faire main basse sur «l'or vert» qu'on leur avait promis. (...) En quinze ans sont réalisés 15000 kilomètres de voies ferrées, 3000 de liaisons pavées, 14000 de chemins de terre battue et la fameuse Transamazonienne
qui, sur 4300 kilomètres, de Cruzeiro do Sul à Joao Pessoa, traverse le Brésil d'ouest en est. La construction de la «grande route» fut une véritable épopée. (...) De la Guyane au Pérou, de Porto Velho à Manaus, de Cuiaba à Santarem , on brûla, viola, défricha. (...) La forêt amazonienne n'est pas ce que l'on croyait. Le colosse a des pieds d'argile. Son exubérance tient au climat, pas à la richesse du sol. La culture itinérante sur brûlis, la seule envisageable sur cette terre sans épaisseur et privée d'humus, permet tout au plus quelques récoltes de manioc, de céréales, de riz et de tabac. En deux saisons, la terre épuisée, lavée par les pluies et les crues, redevient totalement stérile.

Guy-Pierre Bennet

Le sertao*

Il se tenait sur ces terrains vagues, sans arbres et caillouteux, qu'il y a dans tous les villages du sertao au croisement des rues principales, et qui auraient pu s'appeler des places s'il y avait eu des bancs, un square, des jardins, ou si elles avaient conservé ceux de naguère, qui furent détruits par la sécheresse, les calamités, la négligence.

Mario Vargas Llosa

*Zone semi-aride du nord-est du Brésil où l'on pratique l'élevage extensif.

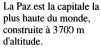

La Paz,
capitale de la Bolivie

LA BOLIVIE

La Bolivie, qui doit son nom à Simon Bolivar (1783-1830), héros national dit le Libérateur, *el libertador,* est un des pays d'Amérique latine où les Indiens, descendants des anciens Incas, sont les plus nombreux – 55 % d'Indiens sur l'ensemble de la population, et même plus de 85 % dans la région andine.

La Bolivie de la plaine est la région la plus vaste et la plus peuplée. La Bolivie « andine », où les sommets atteignent plus de 6000 mètres – le Sajama, à 6520, l'Illimani, à 6458 mètres –, est le lieu où les traces de l'ancienne grandeur inca sont les plus impressionnantes. Un monde « ancien et somptueux », disent les voyageurs.

La Paz

La capitale, La Paz, se dresse dans la « plaine élevée », l'Altiplano, à 3700 mètres d'altitude. Pays où l'on peut passer de 6000 à 200 mètres d'altitude, la Bolivie, quatrième producteur d'étain du monde, n'a aucun débouché sur la mer ; elle possède, à la frontière du Pérou, le lac le plus élevé du monde.

Perché dans les Andes, le lac Titicaca est bordé de roseaux et survolé d'oiseaux. Les Indiens le traversent sur des barques de paille et de peau. Il arrive que de très violentes tempêtes l'agitent.

Le quechua

La majorité des Indiens de Bolivie parle des langues venues du fond des temps. Principalement le guarani et surtout le quechua, ou quichua. Celui-ci était parlé dans presque toutes les régions d'Amérique du Sud où dominait la civilisation des Incas, qui étaient en fait la classe dirigeante des Indiens quechuas. Les missionnaires en firent une langue d'évangélisation, ce qui étendit son influence dans toute l'Amérique latine où le quechua est parlé, un quechua très fortement imprégné d'espagnol. La vie de cette langue indienne et de quelques autres, en Bolivie, en Colombie, au Pérou, etc., est un des facteurs qui ont contribué à maintenir la survivance d'une grandeur passée impressionnante.

Pot à eau Mochica (vers le Ve siècle) : divinité du maïs entourée d'épis de maïs.

C'est le grain de maïs blanc, petit touya,
il est très doux à manger, petit touya,
petit touya, petit touya!

Il est très tendre, petit touya,
et les feuilles sont encore vertes, petit
  touya,
petit touya, petit touya!

Chanson quechua

La Paz est la capitale la plus haute du monde, construite à 3700 m d'altitude.

La naissance du maïs selon la mythologie aztèque : *Une fois de plus, les dieux disent «O Dieux, que mangeront les hommes?» Et ils s'en vont partout à la recherche du maïs. Ce fut alors que la fourmi alla chercher du maïs égréné à la colline qui nous nourrit et, rencontrant la fourmi, Quetzalcoatl lui dit : «Dis-moi, où as-tu été le prendre?» Mais elle ne voulait pas lui dire où, et plus il insistait, moins elle le voulait, jusqu'à ce que, enfin émue par tant de prières, elle lui montrât l'endroit. Quetzalcoatl se mue en fourmi noire et va prendre le maïs, il l'apporte aux dieux qui le consomment et disent : «Grâce à lui, nous sommes devenus forts!»*

Bolivien en costume traditionnel : le poncho, couverture rectangulaire en poil de vigogne, percé au milieu pour laisser passer la tête.

Le lac Titicaca. Situé à 3 800 m d'altitude, il est partagé entre la Bolivie et le Pérou.

Géoglyphes, dessins nazcas
gravés sur le plateau
désertique entre Palpa et
Nazca, sur une superficie
de 500 km²

Ce réseau, qui combine des lignes et d'autres tracés de caractère astronomique avec des pistes et des figures à usage rituel ou cérémoniel, a déconcerté de nombreux voyageurs et observateurs, intrigués par le côté apparemment mystérieux de ces gigantesques représentations sur les pampas désertiques.
Danièle Lavallée
et Luis G. Lumberas

LE PEROU

L'Inca, qui se disait fils du soleil, était le roi des Indiens quechuas. Les Incas construisaient des passerelles en liane, des routes et des citadelles. Leur roi se reposait trois ans à Cuzco, la capitale, visitait son royaume trois ans, puis passait trois ans à conquérir des terres nouvelles.

Machu Picchu

La fabuleuse cité construite par les Incas dans les Andes est restée ignorée des conquistadores et n'a été découverte qu'en 1911 :

C'était peut-être (...) un temple du Soleil. Il suivait le dessin naturel du rocher et y était assemblé par l'un des plus fins ouvrages de maçonnerie que j'aie jamais vus. (...) Les lignes savamment dessinées, la symétrie des pierres de taille et la réduction graduelle des assises s'alliaient pour créer un effet prodigieux, plus harmonieux et plus plaisant que celui produit par les temples de marbre du Vieux Monde. (...) Ce spectacle avait toute l'apparence d'une chimère.

Hiram Bingham

Poterie paraca (Incas des bords de mer), dont les motifs sont très proches des motifs nazcas.

	PEROU	BOLIVIE	BRESIL
Espace et population			
Superficie	1285216 km²	1098581 km²	8511965 km²
Population	20,21 M hab.	6,55 M hab.	138,6 M hab.
Densité	15,7 hab./km²	6 hab./km²	16,3 hab./km²
Taux de natalité	35,5 ‰	44 ‰	29 ‰
Taux de mortalité	10 ‰	15,9 ‰	8 ‰
Croissance annuelle	2,6 %	2,8 %	2,2 %
Taux de mortalité infantile	94 ‰	114 ‰	69 ‰
Espérance de vie	59 ans	51 ans	63,4 ans
Population urbaine	67,4 %	47,7 %	74,5 %
Capitale	Lima (5875900 hab.)	La Paz (992600 hab.)	Brasilia (1576650 hab.)
Données culturelles			
Langues	espagnol, quechua	espagnol, quechua	portugais
Analphabètes	15,2 %	37 %	22,3 %
Scolarisation			
Second degré	75,7 %	41,2 %	67,3 %
Troisième degré	21,5 %	16,4 %	11,3 %
Postes de TV	51 pour 1000 hab.	64 pour 1000 hab.	127 pour 1000 hab.
Livres publiés par an	546 titres	301 titres	19179 titres
Médecins pour 1000 hab.	0,81	0,51	0,8
Economie			
Monnaie	inti (1I = 0,29FF)	boliviano (1B = 2,74FF)	cruzeiro (1C = 0,10FF)
PIB	17,83 milliards de $	3,01 milliards de $	222 milliards de $
PIB par hab.	905 $	472 $	1637 $
Croissance annuelle du PIB	8,5 %	- 3,5 %	8,5 %
Dette extérieure	14,3 milliards de $	3,34 milliards de $	101,8 milliards de $
Production d'énergie	16,32 millions de TEC	4,5 millions de TEC	62,4 millions de TEC
Consommation d'énergie	12,4 millions de TEC	1,98 million de TEC	92,5 millions de TEC
Importations	2598 millions de $	492 millions de $	13900 millions de $
Exportations	2509 millions de $	623 millions de $	22400 millions de $

Rempart gardant la citadelle de Cuzco, capitale de l'Empire inca (Cuzco signifie en quechua « nombril de la Terre »). Les travaux durèrent 90 ans et nécessitèrent 20000 ouvriers venus de différentes provinces.

Le Chili, l'Argentine, le Paraguay, l'Uruguay

CHILI
1/Lama des Andes
2/Condor
3/Cordillère d'Antofagasta
(Sources chaudes)

BRESIL

4
Ile de Pâques

OCEAN PACIFIQUE

N

OCEAN ATLANTIQUE

DETROIT DE MAGELLAN

4/Ile de Pâques (162,5 km², 2050 hab. D'origine volcanique, célèbre pour ses statues géantes, les moais, représentant des êtres humains stylisés)
5/Valparaiso (1er port du Chili, centre industriel, tête de ligne du chemin de fer transandin qui va jusqu'à Buenos Aires)
6/Santiago (4804200 hab. Palais de la Moneda, siège du gouvernement, très endommagé par les combats accompagnant le coup de force militaire de 1973 contre le président Allende qui y trouva la mort. Maintenant restauré)
7/Puerto Montt
8/Monts Colorado
9/Alpaga
10/Punta Arenas
11/Cap Horn (Dans un îlot de la Terre de Feu; c'est le point le plus austral du continent américain)
12/Terre de Feu (Archipel à l'extrême sud de l'Amérique. La plus grosse des îles est partagée entre le Chili à l'ouest et l'Argentine à l'est)

ARGENTINE
13/Iles Falkland (Ou Malouines. Ont été le théâtre d'une guerre entre l'Argentine et l'Angleterre en 1982)
14/Lièvre de Patagonie
15/Anaconda
16/Capybaras
17/Jaguar
18/Cerf des Pampas
19/Buenos Aires
(2924000 hab., soit près du 1/3 de la population. Grand port, grand centre industriel. Casa Rosada, la « Maison Rose », palais présidentiel)
20/Guanaco

URUGUAY
21/Montevideo (1 261 000 hab. Cathédrale)

PARAGUAY
22/Asuncion (477 000 hab. Vaste église de l'Incarnation, XXe s., de style hispano-colonial)

Estancia

Immenses propriétés réservées à l'élevage, les estancias sont très éloignées les unes des autres.

Puerto Montt : dernière île habitée avant la Terre de Feu.

L'île de Pâques doit son nom à sa découverte le jour de Pâques 1722. Ses statues d'êtres humains stylisés sont sans doute les vestiges d'une civilisation polynésienne disparue.

LE CHILI

En indien, *Chile* signifie «là où se termine la terre». Le Chili s'étend sur 4200 km du nord au sud, pour une largeur moyenne de 200 km. L'unité géographique du pays provient de la cordillère des Andes, sorte d'épine dorsale volcanique.

Commencée vers 1536 par Almagro, la conquête du Chili par les Espagnols fut réalisée entre 1540 et 1560. Depuis son indépendance en 1818, de nombreux régimes politiques se sont succédé.

Après avoir connu un gouvernement socialiste de 1970 à 1973 avec le président Allende, le Chili fut le théâtre d'un coup de force militaire en 1973, et le général Augusto Pinochet, «chef suprême de la nation», instaura un régime dictatorial.

Le Chili est un pays long et étroit, les lignes de chemin de fer sont rares, et les transports de marchandises et de matières premières se font par route. Les transporteurs constituent d'ailleurs une force de pression considérable, et c'est en grande partie en s'appuyant sur eux que le général Pinochet prit le pouvoir.

L'île de Pâques (Chili)

L'île de Pâques, constituée de volcans éteints, est célèbre pour ses statues gigantesques (les moais), dont l'origine reste une énigme.

Outre ces impressionnants mégalithes qui tournent le dos à l'océan Pacifique, on a retrouvé dans l'île de Pâques des statuettes masculines et féminines en bois, très schématisées, aux torses décharnés,

ainsi que des tablettes de pierre couvertes de signes dont certains semblent être des pictogrammes. Mais ces inscriptions, comme l'origine ethnique, la chronologie et la signification symbolique de ces différents témoignages d'une culture sont à peu près indéchiffrables et restent l'une des grandes énigmes de l'ethnographie et de l'archéologie.

J'écris pour une terre
    à peine sèche, encore
fraîche de fleurs,
    de pollen, de mortier,
j'écris pour des volcans
    dont les dômes de craie
répètent leur vide rond
    auprès de la neige pure (...)

Pablo Neruda

L'ARGENTINE

La pampa couvre un quart du pays. C'est une vaste prairie herbue, complètement plate, sans arbres, ni roches, ni cailloux. Le climat y est doux. Mais souvent un vent froid, le pampero, venu de Patagonie, la balaie par rafales.

Avant l'arrivée des Espagnols, l'Argentine n'était habitée que par de rares tribus indiennes. En 1853, une constitution libérale et fédérale est proclamée qui durera jusqu'au premier coup d'Etat de 1929.

Gaucho argentin

Le tango

Chevaux, lions de bois,vous
   m'apportez l'écho,
Circuits jaunes aux terrains vagues
   de village,
Des tangos d'Arolas, des tangos de Greco
Que l'on dansait sur les trottoirs de
   mon jeune âge.

Jorge Luis Borges

LE PARAGUAY

Le Paraguay fut colonisé par les Espagnols au début du XVIe siècle. Depuis 1954, une dictature s'exerce sur un pays marqué par la pauvreté du plus grand nombre et par un grand retard économique : 75% des habitants y vivent de l'agriculture.

L'URUGUAY

Enjeu des Espagnols et des Portugais au XVIIIe siècle, devenu indépendant en 1828, l'Uruguay est un pays d'agriculture et d'élevage.

Dans l'Uruguay sur l'Atlantique
L'air était si liant, facile,
Que les couleurs de l'horizon
S'approchaient pour voir les maisons…

Jules Supervielle

Vallée de la Lune dans le désert d'Atacama (Chili)

Lama

Guamaco

Alpaga

	CHILI	ARGENTINE	PARAGUAY
Espace et population			
Superficie	756945 km²	2766889 km²	406752 km²
Population	12,35 M hab.	31,03 M hab.	3,79 M hab.
Densité	16,3 hab./km²	11,21 hab./km²	9,3 hab./km²
Taux de natalité	21,7 ‰	25 ‰	33,1 ‰
Taux de mortalité	6,1 ‰	9 ‰	3,8 ‰
Croissance annuelle	1,7 %	1,6 %	3 %
Taux de mortalité infantile	23 ‰	35 ‰	44 ‰
Espérance de vie	67 ans	69,7 ans	65 ans
Population urbaine	83,6 %	83,7 %	41,5 %
Capitale	Santiago	Buenos Aires	Asuncion
	(4804200 hab.)	(2924000 hab.)	(477000 hab.)
Données culturelles			
Langue	espagnol	espagnol	espagnol
Analphabètes	5,6 %	4,5 %	11,8 %
Scolarisation			
Second degré	91,3 %	74 %	51,2 %
Troisième degré	15,8 %	36,4 %	9,7 %
Postes de TV	116 pour 1000 hab.	199 pour 1000 hab.	24 pour 1000 hab.
Livres publiés par an	1 653 titres	4 216 titres	
Médecins pour 1000 hab.	0,88	2,6	0,62
Economie			
Monnaie	peso chilien	austral	guarani
	(1 P = 0,025 FF)	(1 A = 1,67 FF)	(1 G = 0,01 FF)
PIB	16,8 milliards de $	65,1 milliards de $	5,41 milliards de $
PIB par hab.	1362 $	2132 $	1 427 $
Croissance annuelle du PIB	5,7 %	5,9 %	0,0 %
Dette extérieure	20,69 milliards de $	50,3 milliards de $	1,89 milliard de $
Production d'énergie	6,68 millions de TEC	61 millions de TEC	0,14 million de TEC
Consommation d'énergie	10,72 millions de TEC	55 millions de TEC	0,99 million de TEC
Importations	3125 millions de $	4500 millions de $	578 millions de $
Exportations	4205 millions de $	6900 millions de $	234 millions de $

Steppe de Patagonie (sud de l'Argentine).
La Patagonie est une région faiblement peuplée et dont les ressources principales sont l'élevage des moutons et le pétrole.

L'OCEANIE

Art océanien : peinture sur écorce de palmier

Formation d'un atoll

Une éruption sous-marine crée une île volcanique

Le volcan s'enfonce, sur ses flancs se forme une barrière de corail

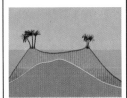

Le volcan immergé, il ne reste plus que l'anneau de corail : l'atoll

L'OCEANIE

L'Océanie est une des cinq parties «traditionnelles» du monde, l'un des cinq continents, et comprend :
– l'Australie ;
– la Nouvelle-Zélande ;
– les groupes d'îles qui s'égrènent dans l'océan Pacifique entre l'Asie et l'Amérique : la Mélanésie, ou «îles noires», la Micronésie, ou «petites îles», la Polynésie, ou «îles nombreuses».

Selon une légende maorie, «l'ancêtre aux mille tours» pêcha les milliers d'îles de l'océan Pacifique.

Ces îles, parfois minuscules, sont des volcans plus ou moins anciens ou des récifs de corail.

C'est dans cette région du monde que l'on trouve le plus d'atolls, anneaux de corail formés autour d'un volcan qui s'est peu à peu immergé. A l'intérieur de l'atoll, les eaux calmes et peu profondes du lagon communiquent avec l'océan par d'étroites «passes».

Le peuplement des îles

Les Polynésiens venaient d'Asie du Sud-Est. Du moins le pense-t-on. Leur origine est en fait très variée, ainsi que leurs mœurs et leurs coutumes religieuses. Par ailleurs, chaque île a une population qui lui est propre et une langue spécifique. Mais chacune de ces langues est très voisine de toutes les autres. Très peu d'entre elles possèdent une écriture.

Atoll et lagon

Habiles navigateurs, les Polynésiens explorèrent toutes les îles du Pacifique sur leurs pirogues à balancier. Ils s'orientaient d'après les vents. Ils emportaient leurs chiens et leurs cochons, ainsi que des ignames, des noix de coco et des patates douces, qu'ils plantaient sur les terres nouvelles.

Corail, véritable «fleur de pierre»

A part la Mélanésie, essentiellement peuplée de Noirs, les Blancs et les Asiatiques dominent l'Océanie : les Chinois, en particulier, sont relativement nombreux partout et constituent les principaux milieux commerçants.

Ces régions, «de rêve» pour les touristes, vivent pauvrement de cultures exotiques : agrumes, caoutchouc, et de «tourisme» précisément. On raconte que les peuples de la Polynésie sont doux et accueillants. La coutume veut que chaque visiteur reçoive, pour l'honorer, un collier de fleurs. La réalité est moins fleurie et, sous leur nonchalance et leur décontraction apparentes – voir les tableaux du peintre Paul Gauguin, mort à Atuana, aux îles Marquises, en 1903 –, les Polynésiens sont des femmes et des hommes mélancoliques, vivant assez chichement.

Océan

Lagon

L'Australie

Pays à l'échelle d'un continent, l'Australie, abordée en 1605 par le Hollandais Willem Janszoon, ne fut vraiment explorée et colonisée qu'au XVIIIᵉ siècle par le navigateur anglais Cook. Aujourd'hui membre du Commonwealth, c'est un Etat fédéral.

Ecorce peinte aborigène

Les Australiens «de souche» sont les descendants de *convicts*, c'est-à-dire de bagnards anglais qui furent déportés dans le pays de 1788 – première installation de ces «colons» en Nouvelle-Galles du Sud à 1850. L'Australie devint un Etat indépendant rattaché au Commonwealth en 1901, et les Australiens participèrent activement à la Première et à la Seconde Guerre mondiale; au cours de cette dernière, le pays fut menacé d'invasion par les forces armées japonaises.

Aborigènes

Les Australiens vivent «au large», étant peu nombreux dans leur immense pays (2 habitants au km²). Proches d'une nature très différente de la nôtre, voisins de la culture aborigène, dont l'origine se perd dans la nuit des temps, ils sont cependant étroitement liés au «vieux monde» par la langue et la culture anglaises.

Les aborigènes

Premiers habitants de l'Australie, ils ont longtemps été considérés comme les derniers hommes préhistoriques. Chasseurs nomades, ignorant le métal, ils utilisaient le boomerang et le woomera – qui, plus lourd, assomme les animaux –, des lances et des pointes d'os ou de coquillage. Leur culture, leur poésie et leurs écorces peintes témoignent d'une conception très particulière du monde.

... Le long du sentier sous ces buissons
épais,
Ils bondissent pour gravir le ravin.
Ils apparaissent parmi les éboulis de
galets ;
Ils s'arrêtent soudain, observant, attentifs.
Le petit kangourou au bord du précipice
Regarde par en bas sans bouger.

Chant aranda et borija d'Australie centrale

Le cricket et la voile sont des sports très pratiqués par les Australiens.

Le grand phalanger volant vit sur les eucalyptus, dont il se nourrit. Ses sauts peuvent atteindre 100 mètres.

Le koala, mammifère grimpeur de l'ordre des marsupiaux, vit, comme le phalanger, sur les eucalyptus et se nourrit de ses feuilles.

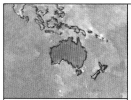

1/Figuier banian
2/Baobab
3/Darwin (Détruite par les avions japonais en 1942, puis par le cyclone Tracy en 1974. A 220 km à l'est, parc national de Kakadu au riche patrimoine naturel – crocodiles et buffles entre autres –, et historique)
4/Fleur de Banskia
5/Perth (Capitale de l'Australie-Occidentale, elle «décolle» dans les années 50 avec la découverte au nord de l'Etat de très importants gisements de minerais : fer, bauxite, nickel... Au large se déroulent les régates de l'America's Cup)
6/La Vague («Wave Rock», spectaculaire rocher en forme de vague pétrifiée, 15 m de hauteur)
7/Mines d'or (Dans la région de Kalgoorlie, le métal jaune fut découvert en 1887-1888, déclenchant une «ruée vers l'or». Le déclin commence dès le début du XXe s.)
8/Patte de kangourou (Fleur)
9/Varan
10/Ayers Rock (Enorme dôme rocheux : 350 m d'altitude, 3,5 km de long, 2,5 km de large, aux pentes raides de pierre rouge. Extraordinaire spectacle des reflets du soleil couchant sur le célèbre «Rock»)
11/Billes du Diable (Pierres rondes)
12/Lézard à collerette
13/Eucalyptus
14/Oiseau à berceau
15/Dingo
16/Moloch
17/Mines d'opale
18/Pois du désert
19/Emeu
20/Ecureuil volant
21/Broken Hill (Dans ses environs et dans ceux de la «ville fantôme» de Silverton ont été tournés des classiques du cinéma australien, tel *Razorback*»)
22/Adelaïde (Centre culturel, industriel et commercial)

MER D'ARAFUR

MER DE TIMOR

GRANDE BAIE
AUSTRALIENNE

OCEAN INDIEN

N

MER DE CORAIL

GRANDE BARRIERE DE CORAIL

23/Melbourne (Musées d'arts intéressants, dont la National Gallery of Victoria)
24/Canberra (285800 hab. Sa construction est réalisée de 1913 à 1927. Beaucoup d'édifices de style contemporain comme la Haute Cour de Justice ou l'Australian National Gallery)
25/Parkers (Radiotélescopes)
26/Tabac
27/Brisbane (Ville la plus verte d'Australie : palmiers, bougainvillées, frangipaniers. La Gold Coast, au sud, est le paradis des amateurs de surf)
28/Koala
29/Sydney (Grande ville, grand port, exportant notamment des peaux de moutons, viande et blé, centre industriel, commercial : 1er marché mondial de la laine. Célèbre Opéra, dû à l'architecte danois Joern Utzon et inauguré en 1973)

TASMANIE
30/Diable de Tasmanie

Le soir la yole revint de la pêche avec deux pastenades qui pesaient ensemble près de six cents livres. Monsieur Banks et le docteur Solander trouvèrent dans cette baie une si grande quantité de plantes que je lui donnai le nom de «baie de la Botanique».(...) Les naturels ne semblent pas être nombreux, ni vivre en société, mais dispersés par petites bandes le long de la côte, au bord de l'eau. Ceux que je vis étaient à peu près de la taille des Européens, d'un brun très foncé, mais pas noirs, et leurs cheveux n'étaient ni laineux ni crépus, mais lisses et plats comme les nôtres et de couleur noire.
James Cook

DETROIT DE BASS

MER DE TASMAN

De gauche à droite :
le paradisier;
l'ornithorynque –
à bec de canard,
à corps de loutre
et à queue de castor –;
l'iguane.

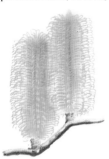

Fleurs de « la baie de la Botanique » – ainsi baptisée par James Cook, en 1730,

pour la richesse de ses spécimens de flore – Banksia et l'emblème de la Nouvelle-Galles du Sud.

Termitière géante

Aborigène armé d'un boomerang, chassant le kangourou

... Le bleu intact du ciel, la silhouette farouche et sombre des eucalyptus, à quelques pas de là, et puis, les cris d'étranges oiseaux, cris éclatants d'étranges et rutilants oiseaux, passant comme des ombres. Seuls ces cris et parfois comme le coassement d'une grenouille interrompaient ce silence indescriptible, absolu, millénaire, de la brousse australienne...

D. H. Lawrence

Un niveau de vie élevé

L'Australie, c'est une île immense, un continent où coexistent des déserts sans limites et des villes modernes, où le climat, relativement modéré et comme méditerranéen au sud, tropical au nord, aride au centre, entraîne des contrastes saisissants de végétation et de paysages. Ce territoire très étendu compte une population relativement réduite, concentrée sur les côtes et dans les ports, et dont le niveau de vie est élevé, comparable à celui de la RFA.

L'Australie exporte largement viande – 1er troupeau ovin du monde –, laine, sucre de canne et blé; ses ressources en minerais sont considérables.

Un immense désert

Au centre, un énorme désert semé de rochers géants et de cratères lunaires couvre la moitié du pays. Sur les côtes, des pluies très abondantes favorisent une végétation tropicale où se mêlent fougères et orchidées. Dans le *bush*, région de terre rouge et d'épineux, les moutons sont dix fois plus nombreux que les hommes.

Une faune et une flore originales

L'Australie, en dehors de ses immenses troupeaux de moutons mérinos et de bovins, est le pays de ces drôles d'animaux sauteurs, les kangourous, des marsupiaux dont la particularité est, pour les femelles, de garder leurs petits dans une poche ventrale. La multiplication des kangourous et les dégâts qu'ils causent aux cultures amènent les Australiens à les détruire cruellement.

On voit également en Australie, au milieu d'immenses forêts d'eucalyptus – l'arbre national –, des troupeaux de chevaux sauvages. C'est en Australie que vivent encore d'étranges animaux survivant à la préhistoire, comme l'ornithorynque – mammifère ovipare.

Espace et population				
Superficie	7682300 km²		Postes de TV	429 pour 1000 hab.
Population	16 M hab.		Livres publiés par an	3294 titres
Densité	2,1 hab./km²		Médecins pour 1000 hab.	1,9
Taux de natalité	15,2 ‰		**Economie**	
Taux de mortalité	7,5 ‰		Monnaie	dollar australien
Croissance annuelle	1,4 %			(1 DA = 3,98 FF)
Taux de mortalité infantile	10 ‰		PIB	161,4 milliards de $
Espérance de vie	74,4 ans		PIB par hab.	10104 $
Population urbaine	86,8 %		Croissance annuelle du PIB	1,25 %
Capitale	Canberra (285800 hab.)		Production d'énergie	150,5 millions de TEC
Données culturelles			Consommation d'énergie	95,4 millions de TEC
Langue	anglais		Importations	26100 millions de $
Analphabètes			Exportations	22600 millions de $
Scolarisation				
Second degré	94 %			
Troisième degré	27,1 %			

La Nouvelle-Zélande

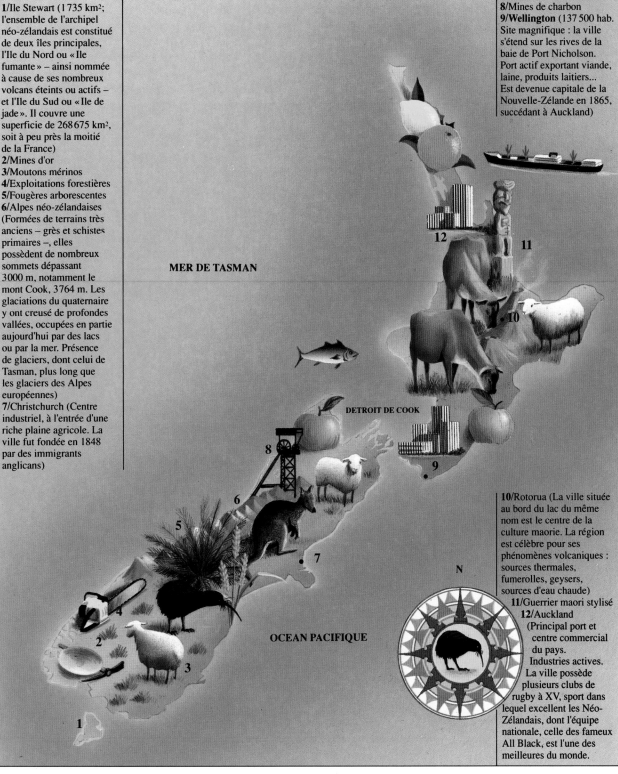

1/Ile Stewart (1 735 km²; l'ensemble de l'archipel néo-zélandais est constitué de deux îles principales, l'Ile du Nord ou « Ile fumante » – ainsi nommée à cause de ses nombreux volcans éteints ou actifs – et l'Ile du Sud ou « Ile de jade ». Il couvre une superficie de 268 675 km², soit à peu près la moitié de la France)

2/Mines d'or

3/Moutons mérinos

4/Exploitations forestières

5/Fougères arborescentes

6/Alpes néo-zélandaises (Formées de terrains très anciens – grès et schistes primaires –, elles possèdent de nombreux sommets dépassant 3000 m, notamment le mont Cook, 3764 m. Les glaciations du quaternaire y ont creusé de profondes vallées, occupées en partie aujourd'hui par des lacs ou par la mer. Présence de glaciers, dont celui de Tasman, plus long que les glaciers des Alpes européennes)

7/Christchurch (Centre industriel, à l'entrée d'une riche plaine agricole. La ville fut fondée en 1848 par des immigrants anglicans)

8/Mines de charbon

9/Wellington (137 500 hab. Site magnifique : la ville s'étend sur les rives de la baie de Port Nicholson. Port actif exportant viande, laine, produits laitiers... Est devenue capitale de la Nouvelle-Zélande en 1865, succédant à Auckland)

10/Rotorua (La ville située au bord du lac du même nom est le centre de la culture maorie. La région est célèbre pour ses phénomènes volcaniques : sources thermales, fumerolles, geysers, sources d'eau chaude)

11/Guerrier maori stylisé

12/Auckland (Principal port et centre commercial du pays. Industries actives. La ville possède plusieurs clubs de rugby à XV, sport dans lequel excellent les Néo-Zélandais, dont l'équipe nationale, celle des fameux All Black, est l'une des meilleures du monde.

MER DE TASMAN

DETROIT DE COOK

OCEAN PACIFIQUE

N

Elevage d'ovins : mérinos importés d'Australie

Dans l'économie de la Nouvelle-Zélande, l'élevage joue un rôle important, en particulier celui des ovins (quatrième troupeau du monde, 71 millions de têtes).

Le kiwi, ou aptéryx, ne possède pas de queue, ses ailes sont presque inexistantes et ses plumes ressemblent à des soies.

Hei Tiki, divinité maorie souvent portée comme une amulette.

La Nouvelle-Zélande est formée de deux îles. L'île du Nord est surnommée l'Ile fumante parce que l'on y rencontre des volcans en activité, des geysers, des fumerolles, des sources chaudes. L'île du Sud est appelée l'Ile de jade, parce que l'on y trouve de la néphrite, une des deux variétés du jade.

Tournée vers l'élevage, la Nouvelle-Zélande a transformé en prairies et terres de pâturage intensif des forêts de conifères.

Peuplée par les Maoris, la Nouvelle-Zélande fut découverte par le navigateur hollandais Abel Tasman, en 1642. Et, en 1769, James Cook démontra, en longeant ses côtes que c'était une île.

Dans le groupe avec lequel nous étions en conversation, quelques-uns portaient autour du cou trois ou quatre rangs d'une cordelette faite avec de la fourrure, et d'autres avaient une étroite bande de peau de kangourou attachée à la cheville. Je donnai à chacun une médaille et un rang de perles de verroterie qui me semblèrent leur causer quelque plaisir. Mais ils avaient l'air de n'attacher aucun prix aux outils de fer. Ils ignoraient même l'usage du harpon, à en juger par leur façon de regarder ceux que nous leur montrâmes.

James Cook

Les Maoris

Le sens artistique de ce peuple très spirituel se manifestait et se manifeste encore par d'admirables tatouages géométriques qu'ils se dessinent sur le visage et sur tout le corps. Chaque groupe obéissait à un chef qui prononçait le tabou, c'est-à-dire l'interdiction de toucher à certains objets, de manger certains aliments ou de prononcer certains noms.

Premier pays au monde à accorder le droit de vote aux femmes, dès 1893, et la retraite aux travailleurs de plus de soixante-cinq ans, en 1898, il n'acquiert son indépendance totale au sein du Commonwealth qu'en 1931.

Espace et population		Livres publiés par an	3452 titres
Superficie	268676 km²	Médecins pour 1000 hab.	2,4
Population	3,28 M hab.	**Economie**	
Densité	12,2 hab./km²	Monnaie	dollar néo-zélandais
Taux de natalité	15,8 ‰		(1 DNZ = 3,48 FF)
Taux de mortalité	8,4 ‰	PIB	26,1 milliards de $
Croissance annuelle	0,9 %	PIB par hab.	7957 $
Taux de mortalité infantile	13 ‰	Croissance annuelle du PIB	2,1 %
Espérance de vie	74 ans	Production d'énergie	9 millions de TEC
Population urbaine	83,7 %	Consommation d'énergie	11 millions de TEC
Capitale	Wellington (137500 hab.)	Importations	6059 millions de $
Données culturelles		Exportations	5912 millions de $
Langue	anglais		
Scolarisation			
Second degré	85 %		
Troisième degré	28,5 %		
Postes de TV	288 pour 1000 hab.		

Maisons de Wellington, capitale de Nouvelle-Zélande, construites en bois, car les tremblements de terre sont fréquents.

La Micronésie, la Mélanésie, la Polynésie

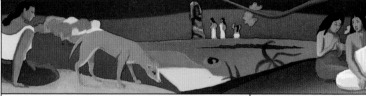

LA MICRONESIE

On appelle Micronésie des îles situées à l'est des Philippines; des îles dont les noms font rêver : les Mariannes, les Carolines, les Marshall, les îles Gilbert, l'île isolée de Nauru (la plus petite république du monde). Guam est la plus grande des îles Mariannes, «îles des merveilles» mais souvent ravagées par de terribles typhons.

LA MELANESIE

La Mélanésie, ce sont les «îles noires» situées dans la partie sud-ouest de l'océan Pacifique. Ce sont la Nouvelle-Guinée, les îles Salomon, les Nouvelles-Hébrides, les îles Fidji et la Nouvelle-Calédonie, territoire français que l'on a surnommé le Caillou.

LA POLYNESIE

Quant à la Polynésie, c'est la région des «îles nombreuses», l'île de Pâques, Hawaï, Wallis et Futuna et les îles de la Polynésie française, comme Tahiti, qui, dit-on, ressemble à un paradis.

L'Ile au Trésor

C'est aux îles Samoa que l'auteur de *L'Ile au trésor*, Stevenson, passa la fin de ses jours. Il fut surnommé Tusitala, «celui qui raconte des histoires».

Taaora est la clarté.
Taaora est le centre.
Taaora est le germe.
Taaora est la base.
Taaora est l'incorruptible.
Taaora est le fort
qui créa l'univers,
l'univers grand et sacré
qui n'est que la coquille de Taaora.
C'est lui qui l'anime, qui en fait
l'harmonie...

Prière tahitienne

Paysage de Tahiti, à la manière du peintre Gauguin (1848-1903)

TONGA (Polynésie)		Capitale	Nuku'Alofa (28900 hab.)
Espace et population		**Données culturelles**	
Superficie	699 km²	Langues	anglais, tongien
Population	97000 hab.	Médecins pour 1000 hab.	0,38
Densité	139 hab./km²	**Economie**	
Taux de natalité	28,9 ‰	Monnaie	pa'anga (1 P = 4,2 FF)
Taux de mortalité	3,5 ‰	PIB	0,07 milliard de $
Croissance annuelle	0,0 %	PIB par hab.	722 $
Taux de mortalité infantile	21 ‰	Croissance annuelle du PIB	3,4 %
Espérance de vie	62,9 ans	Dette extérieure	0,024 milliard de $
Population urbaine	31,8 %	Consommation d'énergie	0,022 million de TEC
		Importations	39,1 millions de $
		Exportations	6,9 millions de $

Chef papou (Nouvelle-Guinée), paré de plumes de casoar et de paradisier. Il a le nez percé d'une défense de cochon sauvage.

Pirogue à balanciers : très répandue dans toutes les îles du Pacifique.

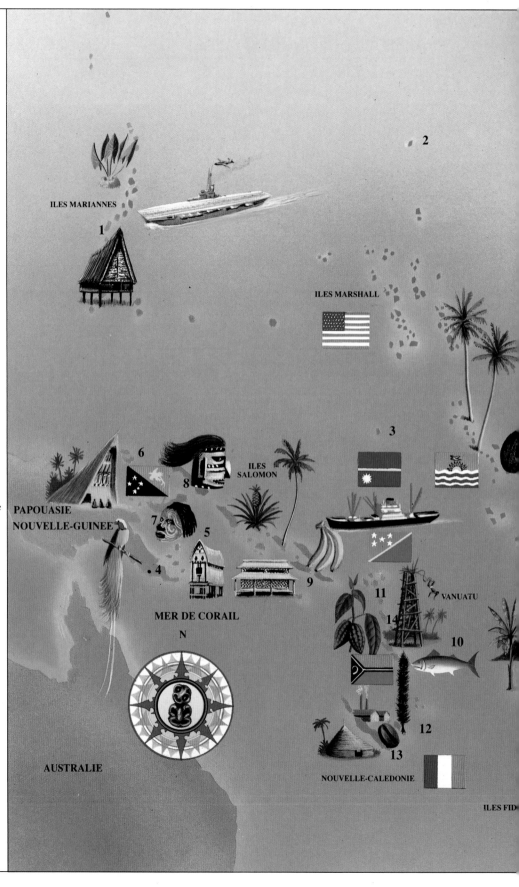

MICRONESIE

1/Guam (Ile de l'archipel des Mariannes. Fut sans doute découverte par Magellan en 1521. Pendant la Seconde Guerre mondiale, reprise par les Américains aux Japonais en 1944, devient la base principale des bombardiers chargés d'attaquer le Japon à la fin de la guerre)

2/Wake (Ile)

3/Mauru (Ile)

MELANESIE

4/**Port Moresby** (ville et port du territoire de Papouasie, Nouvelle-Guinée du sud-est)

5/Trobriand (Iles)

6/Iles de l'Amirauté (Découvertes par les Hollandais en 1616)

7/Nouvelle-Bretagne (2ᵉ île principale de l'archipel Bismarck, possède plusieurs volcans actifs sur son territoire de 37000 km²)

8/Nouvelle-Irlande (Ile de l'archipel Bismarck)

9/Guadalcanal (Ile volcanique et montagneuse de l'archipel des Salomon. Sa reconquête par les Américains, après de violents combats contre les Japonais, en 1942, fut le premier grand succès des Alliés dans le Pacifique)

10/Ile de la Pentecôte (L'une des quarante composant l'archipel des Nouvelles-Hébrides)

11/Iles Santa-Cruz

12/Iles Loyauté (Dépendances de la Nouvelle-Calédonie; 3 îles principales : Ouvéa, Lifou, Maré)

13/Nouméa (60100 nab., chef-lieu de la Nouvelle-Calédonie, territoire français d'outre-mer – TOM –, dans lequel s'est développé depuis quelques années un important mouvement indépendantiste, recrutant ses militants dans la communauté canaque. La Nouvelle-Calédonie a des ressources minières importantes : chrome, cobalt, manganèse et surtout nickel : 4ᵉ rang mondial)

14/Malekula (Ile)

ILES MARIANNES

ILES MARSHALL

ILES SALOMON

PAPOUASIE NOUVELLE-GUINEE

MER DE CORAIL

N

AUSTRALIE

VANUATU

NOUVELLE-CALEDONIE

ILES FID

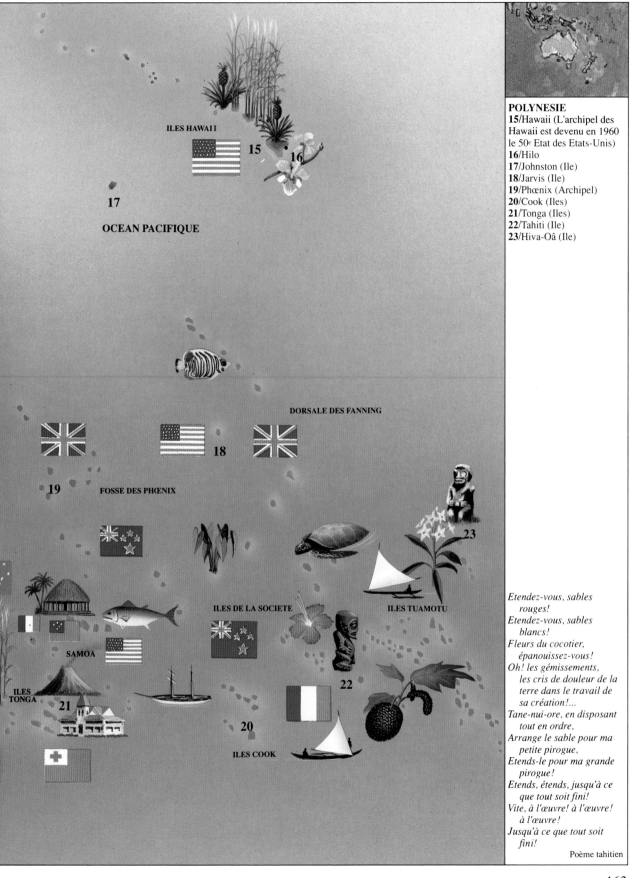

ILES HAWAII

15

16

17

OCEAN PACIFIQUE

DORSALE DES FANNING

18

19   FOSSE DES PHŒNIX

23

ILES DE LA SOCIETE

ILES TUAMOTU

SAMOA

22

ILES
TONGA

21

20

ILES COOK

Etendez-vous, sables rouges!
Etendez-vous, sables blancs!
Fleurs du cocotier, épanouissez-vous!
Oh! les gémissements, les cris de douleur de la terre dans le travail de sa création!...
Tane-nui-ore, en disposant tout en ordre,
Arrange le sable pour ma petite pirogue,
Etends-le pour ma grande pirogue!
Etends, étends, jusqu'à ce que tout soit fini!
Vite, à l'œuvre! à l'œuvre! à l'œuvre!
Jusqu'à ce que tout soit fini!

Poème tahitien

163

L'Arctique

Les Esquimaux se sédentarisent et vivent de plus en plus dans de petites agglomérations.

Toi, qui n'as ni père ni mère,
Toi, cher petit orphelin,
Donne-moi des kamiks de caribou,
Fais-moi un cadeau
Un animal, un de ceux qui fournissent
* de la bonne soupe au sang*
Un animal des profondeurs marines,
Et non des plaines de la terre,
Toi petit orphelin
Fais-moi un cadeau.

Poème esquimau

Le pôle Nord est un point... dans la mer ou sous la banquise. L'Arctique s'étend au-delà du cercle polaire, englobant le nord de l'Amérique – Alaska et Nord canadien –, le nord de l'Europe et de la Sibérie, et le Groenland – terre danoise. De nombreux explorateurs y ont trouvé la mort, dont le commandant français Charcot, qui disparut en mer après plusieurs expéditions, en 1936. Charcot eut de nombreux disciples, et parmi eux, un homme comme Paul-Emile Victor, qui vécut au Groenland la vie des Esquimaux et témoigna de l'originalité et de la vitalité de leur culture.

Le pôle Nord n'a été atteint qu'en 1909, par l'Américain Peary, tandis que le

CANADA
1/Ile Victoria
2/Iles de la Reine Elisabe
3/Terre Ellesmere
4/Terre de Baffin

GROENLAND
5/Godthaab (10 900 hab. Centre de radio-communication)
6/Angmagssalik

NORVEGE
7/Hammerfest (Ville la plus septentrionale d'Europe; port de pêche)
8/Cap Nord

URSS
9/Mourmansk
10/Doudinka
11/Nordvik
12/Verkhoïansk

Tupilaks

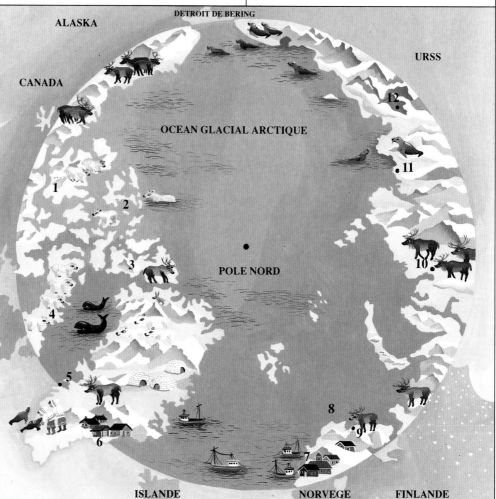

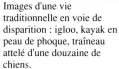

Groenland, découvert, dit-on, par le navigateur grec Pithéas en 700 av. J.-C., a été redécouvert en 983 par le Viking Erik le Rouge.

Richesses naturelles

Le volume de glace que représente le Groenland constitue la plus grande réserve d'eau douce de l'hémisphère Nord. L'Arctique est riche en pétrole. Des centres industriels apparaissent qui bouleversent la vie et les traditions des Esquimaux.

Ces pêcheurs et chasseurs de phoques, suprêmement habiles dans l'art de conduire leurs bateaux en peau de phoque, ou kayaks, abandonnent en effet peu à peu leur vie nomade pour se regrouper dans les agglomérations où ils se livrent à la pêche industrielle et au commerce des fourrures. Mais leur art est resté très raffiné !

Il n'y a pas si longtemps, les Esquimaux tuaient le phoque, chassaient le caribou, l'ours et le bœuf musqué. Dans des traîneaux tirés par des chiens, ils parcouraient de longues distances. Les chiens flairent bien l'ours polaire et repèrent les glaces fragiles...

Au printemps, ils s'abritaient sous des tentes en peau. Lorsque la neige revenait, ils la découpaient en blocs pour construire des igloos.

Les hommes travaillaient par équipes en taillant la neige avec leurs longs couteaux, ils en libéraient et soulevaient de gros blocs et les dressaient en cercle l'un contre l'autre. Le constructeur à l'intérieur de chaque maison neuve ne mettait jamais le pied dehors. Il édifiait tout l'igloo en n'utilisant que les blocs qu'il avait découpés dans le sol de neige à l'intérieur.

John Houston

Tout en contant des récits de chasse, les Esquimaux exécutaient des figures avec des ficelles passées autour des doigts ou sculptaient des monstres mythiques dans des dents de cachalot : les tupilaks.

Images d'une vie traditionnelle en voie de disparition : igloo, kayak en peau de phoque, traîneau attelé d'une douzaine de chiens.

Femme du Groenland (costume traditionnel)

Peary (1856-1920)

L'Antarctique

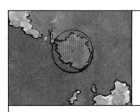

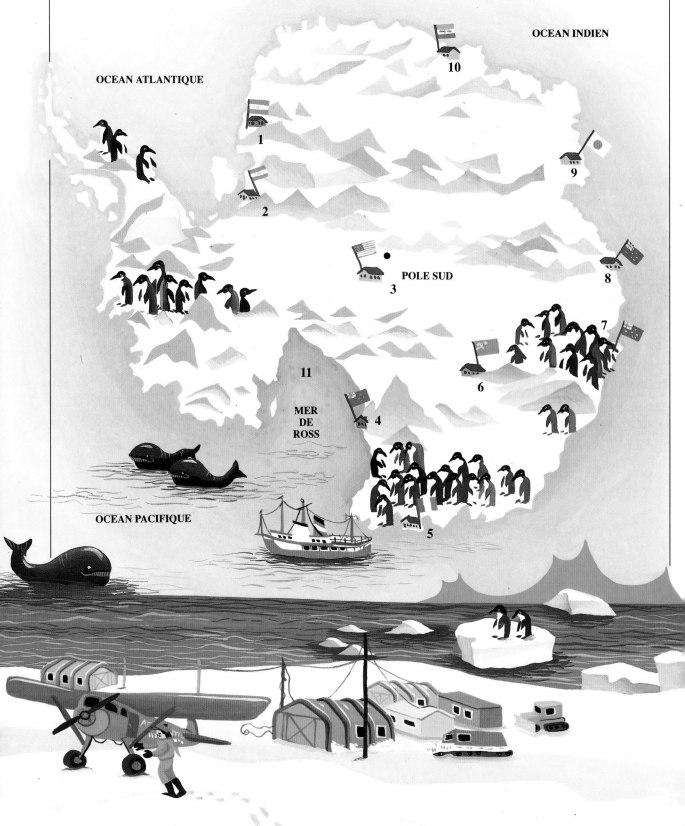

OCEAN ATLANTIQUE

OCEAN INDIEN

OCEAN PACIFIQUE

MER
DE
ROSS

POLE SUD

Manchots : il en existe cinq espèces, dont la plus répandue est le manchot Adélie.

Antarctique veut dire opposé à l'Arctique : relatif à l'Ourse, à la Petite Ourse bien sûr. L'Arctique est la région où on a la constellation de la Petite Ourse au-dessus de la tête. En Antarctique on ne la voit pas, mais on en voit d'autres, en particulier, la célèbre Croix du Sud.

André Cailleux

Explorateurs

Le premier, le Norvégien Amundsen atteint le pôle Sud, le 14 décembre 1911. Le 17 janvier 1912, l'Anglais Scott, croyant arriver le premier, y découvre le drapeau norvégien. Il meurt sur le chemin du retour, mais on a retrouvé son corps et un carnet sur lequel il avait tracé ces dernières lignes :

Tout le temps nous nous sommes tenus prêts à partir pour le dépôt, distant de 20 km, mais dehors toujours d'épais tourbillons de neige chassés par la tempête. Maintenant, tout espoir doit être abandonné. Nous tiendrons, jusqu'à la fin, mais nous nous affaiblissons graduellement ; la mort ne peut plus être loin.
C'est épouvantable, je ne puis en écrire plus long.
Pour l'amour de Dieu, occupez-vous des nôtres.

Robert Falcon Scott

Depuis ces temps héroïques, le continent antarctique a été exploré, malgré la dureté extrême du climat – moyennes annuelles de -55°C –, par de nombreuses nations qui y ont établi des bases de recherches scientifiques. Les conditions du «partage de l'Antarctique» étaient tellement anarchiques que plusieurs Etats entreprirent une exploration en commun de ce continent en 1957-1958, lors de l'Année géophysique internationale. Les Etats signèrent un traité, et, depuis, une soixantaine de stations – 19 pour la Grande-Bretagne, 11 pour l'URSS, 10 pour l'Argentine, 8 pour les Etats-Unis, 6 pour le Chili, 3 pour l'Australie, 3 pour la France – fonctionnent, dont 39 situées dans l'Antarctique occidentale, certaines en permanence, les équipes de savants, de météorologues se renouvelant régulièrement.

L'Antarctique n'est donc plus un continent inconnu, mais on ne saurait trop saluer le courage et l'audace de ceux qui osèrent les premiers conquérir ce pays du froid et de la glace !

Base dans l'Antarctique. Il n'y a pas d'habitants permanents dans cette partie du monde, tant le climat y est rude. Les grandes puissances y ont installé des bases de recherches scientifiques ravitaillées par bateau et par avion.

1/Gal O'Higgins (Argentine)
2/Sobral (Argentine)
3/Amundsen-Scott (Etats-Unis)
4/Base Scott (N.-Zél.)
5/Dumont d'Urville (France)
6/Vostock (URSS)
7/Davis (Australie)
8/Maurson (Australie)
9/Syowa (Japon)
10/Borg Massivet (Afrique du Sud)
11/Banquise de Ross (Cette vaste plate-forme flottante de glace, presque aussi grande que la France avec ses 540 000 km², est située dans l'angle sud de la mer de Ross)

Albatros

Eléphant de mer

Les drapeaux du monde

A l'époque des Croisades, chaque seigneur possédait son blason et ses étendards, qu'il faisait flotter en tête de son armée, ou au-dessus de son château fort.

Naissance de l'emblème national

Lorsqu'un de ces seigneurs étendait son pouvoir sur plusieurs provinces, son drapeau personnel finissait par symboliser un domaine important : c'était le cas des multiples principautés d'Italie et d'Allemagne. Quelques républiques aussi avaient été fondées au Moyen Age, Gênes, Venise par exemple, dont l'activité était surtout maritime. Pour marquer leur appartenance à la patrie, les navires marchands arboraient des pavillons; mais pour être vus de loin en mer, ces pavillons devaient être simples et très colorés; c'est pourquoi les dessins des anciennes bannières ont été simplifiés, ramenés à des bandes de couleurs faciles à reconnaître de loin. Plus tard, quand les révolutionnaires français imposent le drapeau bleu, blanc, rouge à la place du drapeau royal blanc, le drapeau devient vraiment symbole national.

L'Allemagne est faite pour y voyager, l'Italie pour y séjourner, l'Angleterre pour y penser, la France pour y vivre.

D'Alembert

AFGHANISTAN · AFRIQUE DU SUD · ALBANIE · ALGERIE · ALLEMAGNE (RDA) · ALLEMAGNE (RFA)

ANDORRE · ANGOLA · ARABIE SAOUDITE · ARGENTINE · AUSTRALIE · AUTRICHE

BANGLADESH · BELGIQUE · BENIN · BIRMANIE · BOLIVIE · BRESIL

BULGARIE · BURKINA-FASO · BURUNDI · CAMBODGE (Kampuchéa) · CAMEROUN · CANADA

CENTRAFRICAINE (Rép.) · CHILI · CHINE · CHYPRE · COLOMBIE · CONGO (Rép. pop.)

COREE DU NORD · COREE DU SUD · COTE-D'IVOIRE · CROIX-ROUGE · CUBA · DANEMARK

DJIBOUTI · DOMINICAINE (Rép.) · EGYPTE · EMIRATS ARABES UNIS · EQUATEUR · ESPAGNE

ETATS-UNIS · ETHIOPIE · EUROPE (Conseil de l') · FINLANDE · FRANCE · GABON

GAMBIE · GHANA · GRANDE-BRETAGNE · GRECE · GUATEMALA · GUINEE

HAITI · HONDURAS · HONGRIE · INDE · INDONÉSIE · IRAN

IRAK · IRLANDE (EIRE) · ISLANDE · ISRAEL · ITALIE · JAMAIQUE

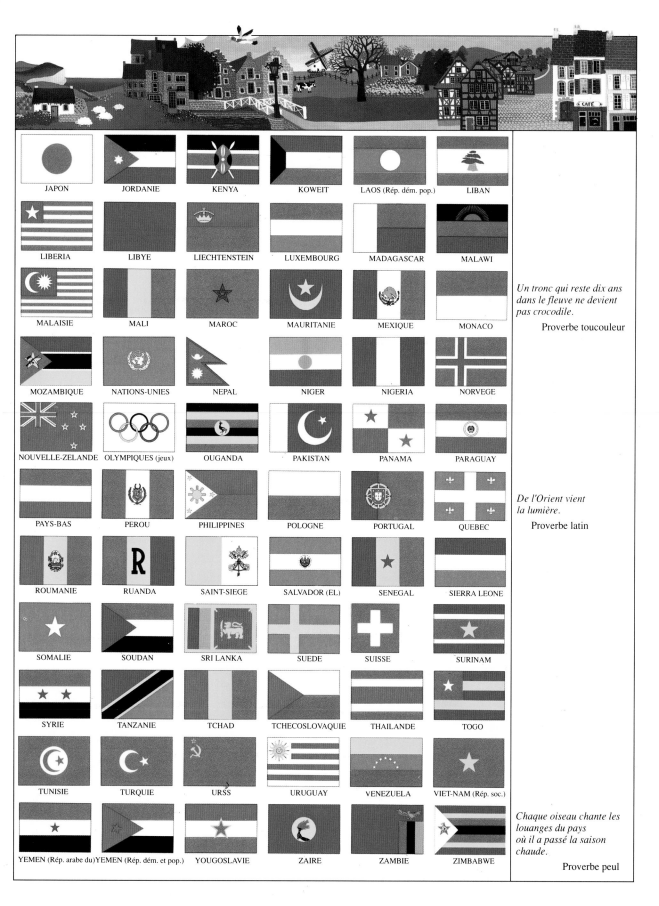

JAPON — JORDANIE — KENYA — KOWEIT — LAOS (Rép. dém. pop.) — LIBAN

LIBERIA — LIBYE — LIECHTENSTEIN — LUXEMBOURG — MADAGASCAR — MALAWI

MALAISIE — MALI — MAROC — MAURITANIE — MEXIQUE — MONACO

Un tronc qui reste dix ans dans le fleuve ne devient pas crocodile.

Proverbe toucouleur

MOZAMBIQUE — NATIONS-UNIES — NEPAL — NIGER — NIGERIA — NORVEGE

NOUVELLE-ZELANDE — OLYMPIQUES (jeux) — OUGANDA — PAKISTAN — PANAMA — PARAGUAY

PAYS-BAS — PEROU — PHILIPPINES — POLOGNE — PORTUGAL — QUEBEC

De l'Orient vient la lumière.

Proverbe latin

ROUMANIE — RUANDA — SAINT-SIEGE — SALVADOR (EL) — SENEGAL — SIERRA LEONE

SOMALIE — SOUDAN — SRI LANKA — SUEDE — SUISSE — SURINAM

SYRIE — TANZANIE — TCHAD — TCHECOSLOVAQUIE — THAILANDE — TOGO

TUNISIE — TURQUIE — URSS — URUGUAY — VENEZUELA — VIET-NAM (Rép. soc.)

YEMEN (Rép. arabe du) — YEMEN (Rép. dém. et pop.) — YOUGOSLAVIE — ZAIRE — ZAMBIE — ZIMBABWE

Chaque oiseau chante les louanges du pays où il a passé la saison chaude.

Proverbe peul

Monnaies du monde

Rand (AFRIQUE DU SUD)

Ostmark (ALLEMAGNE : RDA)

Deutsche mark (ALLEMAGNE ; RFA)

Dollar australien (AUSTRALIE)

Dinar (BAHREIN)

Franc belge (BELGIQUE)

Cruzeiro (BRESIL)

Franc CFA (CAMEROUN)

Dollar canadien (CANADA)

Yuan (CHINE)

Couronne danoise (DANEMARK)

Livre égyptienne (EGYPTE)

Peseta (ESPAGNE)

Dollar US (ETATS-UNIS)

Franc français (FRANCE)

Livre sterling (GRANDE-BRETAGNE)

Drachme (Grèce)

Franc CFA (HAUTE-VOLTA)

L'argent fait un chemin dans la mer
Proverbe arabe

Rupiah (INDONESIE)

Rial (IRAN)

Livre irlandaise (IRLANDE)

Shekel (ISRAEL)

Yen (JAPON)

Dinar jordanien (JORDANIE)

Shilling kenyan (KENYA)

Franc malgache (MADAGASCAR)

Dirham (MAROC)

Peso mexicain (MEXIQUE)

Dollar néo-zélandais (NOUVELLE-ZELANDE)

Florin (PAYS-BAS)

Inti (PEROU)

Zloty (POLOGNE)

Rouble (URSS)

Couronne suédoise (SUEDE)

Dinar (YOUGOSLAVIE)

Livre turque (TURQUIE)

L'index des pays et des capitales

A

Abidjan (Côte-d'Ivoire), 114
Abou Dhabî (Emirats Arabes Unis), 97
Abuja (Nigeria), 114
Accra (Ghana), 114
Addis-Abeba (Ethiopie), 111
Aden (Sud-Yémen), 97
AFGHANISTAN (Asie), 93
AFRIQUE DU SUD (Afrique), 120
ALBANIE (Europe), 54
Alger (Algérie), 104
ALGERIE (Afrique), 104
ALLEMAGNE DE L'EST, RDA (Europe), 47
ALLEMAGNE DE L'OUEST, RFA (Europe), 46
Amman (Jordanie), 99
Amsterdam (Pays-Bas), 28
ANDORRE (Europe), 35
ANGLETERRE (Europe), voir ROYAUME-UNI
ANGOLA (Afrique), 121
Ankara (Turquie), 98
Antananarivo (Madagascar), 123
ANTARCTIQUE, 167
ANTILLES, GRANDES (Amérique), 144
ANTILLES, PETITES (Amérique), 145
ARABIE SAOUDITE (Asie), 96
ARCTIQUE, 164
ARGENTINE (Amérique), 151
Asuncion (Paraguay), 151
Athènes (Grèce), 58
AUSTRALIE (Océanie), 156
AUTRICHE (Europe), 44

B

Bagdad (Irak), 99
BAHREIN (Asie), 97
Bamako (Mali), 114
Bangkok (Thaïlande), 78
BANGLADESH (Asie), 69
Bangui (Rép. Centrafricaine), 116
Belfast (Irlande du Nord), 26

BELGIQUE (Europe), 29
Belgrade (Yougoslavie), 54
BENELUX : BElgique, NEderland, LUXembourg (Europe), 28
BENIN (Afrique), 114
Berlin-Est (Allemagne de l'Est, RDA), 47
Berne (Suisse), 42
Beyrouth (Liban), 99
BHOUTAN (Asie), 69
BIRMANIE (Asie), 78
Bissau (Guinée-Bissau), 114
Bogota (Colombie), 141
BOLIVIE (Amérique), 146

Bonn (Allemagne de l'Ouest, RFA), 46
BOTSWANA (Afrique), 121
Brasilia (Brésil), 147
Brazzaville (Rép. du Congo), 117
BRESIL (Amérique), 147
Bruxelles (Belgique), 29
Bucarest (Roumanie), 54
Budapest (Hongrie), 51
Buenos Aires (Argentine), 151
Bujumbura (Burundi), 117

BULGARIE (Europe), 55
BURKINA-FASO (Afrique), ancienne HAUTE-VOLTA, 114
BURUNDI (Afrique), 117

C

CAMBODGE (Asie), 78
CAMEROUN (Afrique), 116
CANADA (Amérique), 128
Canberra (Australie), 157
Caracas (Venezuela), 141
CENTRAFRICAINE, REP. (Afrique), 116
CHILI (Amérique), 151
CHINE (Asie), 82
CHYPRE (Asie/Europe), 98
COLOMBIE (Amérique), 141
Colombo (Sri Lanka), 72
Conakry (Guinée), 114
CONGO, REP. DU (Afrique), 117
Copenhague (Danemark), 19
COREE DU NORD (Asie), 83
COREE DU SUD (Asie), 83
COSTA RICA (Amérique), 141
COTE-D'IVOIRE (Afrique), 114
CUBA (Amérique), 144

D

Dacca (Bangladesh), 69
Dakar (Sénégal), 114
Damas (Syrie), 99
DANEMARK (Europe), 19
Djakarta (Indonésie), 74
DJIBOUTI, REP. DE (Afrique), 111
Dodama (Tanzanie), 117
Doha (Qatar), 97
DOMINICAINE, REP (Amérique), 144
Dublin (Irlande du Sud), 26

E

ECOSSE (Europe), voir ROYAUME-UNI

EGYPTE (Afrique), 107
EMIRATS ARABES UNIS (Asie), 97
EQUATEUR (Amérique), 146
ESPAGNE (Europe), 34
ETATS-UNIS (Amérique), 132
ETHIOPIE (Afrique), 111

F

FINLANDE (Europe), 19
FRANCE (Europe), 32
Freetown (Sierra Leone), 114

G

GABON (Afrique), 117
Gaborone (Botswana), 121
Georgetown (Guyana), 141
GHANA, (Afrique), 114
Gibraltar (Europe), 35
Godthaab (Groenland), 164
GRANDE-BRETAGNE (Europe), voir ROYAUME-UNI
GRECE (Europe), 58

GROENLAND (Arctique), 164
GUATEMALA (Amérique), 140
Guatemala (Guatemala), 140
GUINEE (Afrique), 114
GUINEE-BISSAU (Afrique), 114
GUINEE EQUATORIALE (Afrique), 117
GUYANA (Amérique), 141

H

HAITI (Amérique), 144
Hanoi (Viêt-nam), 78
Harare (Zimbabwe), 120
HAUTE-VOLTA (Afrique), voir BURKINA-FASO

Helsinki (Finlande), 19
HONDURAS (Amérique), 140
HONGRIE (Europe), 51

I

INDE (Asie), 68
INDONESIE (Asie), 74
IRAK (Asie), 99
IRAN (Asie), 92
IRLANDE, EIRE (Europe), 26
IRLANDE DU NORD, ULSTER (Europe), voir ROYAUME-UNI, 26
Islamabad (Pakistan), 68
ISLANDE (Europe), 18
ISRAEL (Asie), 99
ITALIE (Europe), 39

J

JAMAIQUE (Amérique), 144
JAPON (Asie), 86
Jérusalem (Israël), 99
JORDANIE (Asie), 99

K

Kaboul (Afghanistan), 93
Kampala (Ouganda), 116
KAMPUCHEA (Asie) voir CAMBODGE
Katmandou (Népal), 69
KENYA (Afrique), 116
Khartoum (Soudan), 107
Kigali (Rwanda), 117
Kinshasa (Zaïre), 116
KOWEIT (Asie), 97
Koweit (Koweit), 97
Kuala-Lumpur (Malaisie), 74

L

Lagos (Nigeria), 114
La Havane (Cuba), 144
LAOS (Asie), 78
La Paz (Bolivie), 146
Le Caire (Egypte), 107
LESOTHO (Afrique), 120
LIBAN (Asie), 99
LIBERIA (Afrique), 114
Libreville (Gabon), 117

LIBYE (Afrique), 105
LIECHTENSTEIN
(Europe), 42
Lilongwe (Malawi), 120
Lima (Pérou), 146
Lisbonne (Portugal), 35
Lomé (Togo), 114
Londres (Royaume-Uni),
24
Luanda (Angola), 121
Lusaka (Zambie), 121
LUXEMBOURG (Europe),
29
Luxembourg
(Luxembourg), 29

M
MADAGASCAR
(Afrique), 123
Madrid (Espagne), 34
Malabo (Guinée
équatoriale), 117
MALAISIE (Asie), 74
MALAWI (Afrique), 120
MALI (Afrique), 114
Managua (Nicaragua), 141
Manama (Bahreïn), 97
Manille (Philippines), 74
Maputo (Mozambique),
120
MAROC (Afrique), 104
Mascate (Oman), 97
Maseru (Lesotho), 120
MAURICE, île (Afrique),
123
MAURITANIE (Afrique),
114
Mbabane (Ngwane), 120
MELANESIE (Océanie),
162
Mexico (Mexique), 137
MEXIQUE (Amérique),
136
MICRONESIE (Océanie),
162
Mogadiscio (Somalie), 111

MONGOLIE (Asie), 63
Monrovia (Liberia), 114
Montevideo (Uruguay), 151
Moscou (URSS), 62
MOZAMBIQUE (Afrique),
120

N
Nairobi (Kenya), 117
NAMIBIE (Afrique), 121
Ndjaména (Tchad), 114
NEPAL (Asie), 69
New Delhi (Inde), 68
NGWANE, ancien SWAZI-
LAND (Afrique), 120
Niamey (Niger), 114
NICARAGUA
(Amérique), 141
Nicosie (Chypre), 98
NIGER (Afrique), 114
NIGERIA (Afrique), 114
NORVEGE (Europe), 18
Nouakchott (Mauritanie),
114
NOUVELLE-ZELANDE
(Océanie), 159

O
OMAN (Asie), 97
Oslo (Norvège), 18
Ottawa (Canada), 129
Ouagadougou
(Burkina-Faso), 114
OUGANDA (Afrique), 116
Oulan-Bator (Mongolie),
63

P
PAKISTAN (Asie), 68
PANAMA (Amérique), 141
Panama (Panama), 141

PARAGUAY (Amérique),
151
Paramaribo (Surinam), 141
Paris (France), 32
PAYS DE GALLES (Euro-
pe), voir ROYAUME-UNI
PAYS-BAS (Europe), 28
Pékin (Chine), 83
PEROU (Amérique), 146
PHILIPPINES (Asie), 74
Phnom Penh (Cambodge),
78
POLOGNE (Europe), 50
POLYNESIE (Océanie),
163
Port-au-Prince (Haïti), 144
Port-Louis (île Maurice),
123
Porto-Novo (Bénin), 114
PORTUGAL (Europe), 35
Prague (Tchécoslovaquie),
51
Pretoria (Afrique du Sud),
120
Punakha (Bhoutan), 69
Pyong Yang
(Corée du Nord), 83

Q
QATAR (Asie), 97
Quito (Equateur), 146

R
Rabat (Maroc), 104
Rangoon (Birmanie), 78
Reykjavik (Islande), 18
Riyad (Arabie Saoudite), 96
Rome (Italie), 39
ROUMANIE (Europe), 54
ROYAUME-UNI (Europe),
24
RWANDA (Afrique), 117

S
Saint-Domingue (Rép.
Dominicaine), 144
SAINT-MARIN, REP. DE
(Europe), 39
SALVADOR, EL
(Amérique), 140
Sanaa (Nord-Yémen), 97

San José (Costa Rica), 141
San Salvador
(El Salvador), 140
Santiago (Chili), 151
SENEGAL (Afrique), 114

Séoul (Corée du Sud), 83
SIERRA LEONE
(Afrique), 114
SINGAPOUR (Asie), 74
Singapour (Singapour), 74
Sofia (Bulgarie), 55
SOMALIE (Afrique), 111
SOUDAN (Afrique), 107
SRI LANKA (Asie), 72
Stockholm (Suède), 19
SUEDE (Europe), 19
SUISSE (Europe), 42
SURINAM (Amérique),
141
SYRIE (Asie), 99

T
Taipei (Taiwan), 83
TAIWAN (Asie), 83
TANZANIE (Afrique), 117
TASMANIE (Océanie), 157
TCHAD (Afrique), 114

TCHECOSLOVAQUIE
(Europe), 51
Tegucigalpa (Honduras),
140
Téhéran (Iran), 92
THAILANDE (Asie), 78
Thimbu (Bhoutan), 69
Tirana (Albanie), 54
TOGO (Afrique), 114
Tokyo (Japon), 86
Tripoli (Libye), 105
Tunis (Tunisie), 105
TUNISIE (Afrique), 105
TURQUIE (Asie/Europe),
98

U
URSS (Europe), 62
URUGUAY (Amérique),
151

V
Vaduz (Liechtenstein), 42
Varsovie (Pologne), 51
VENEZUELA
(Amérique), 141
Vienne (Autriche), 44
Vientiane (Laos), 78
VIET-NAM (Asie), 78

W
Washington (Etats-Unis),
133
Wellington (Nouvelle-
Zélande), 159
Windhoek (Namibie), 121

Y
Yaoundé (Cameroun), 116
YEMEN, NORD- (Asie),
97
YEMEN, SUD (Asie), 97
YOUGOSLAVIE (Europe),
54

Z
ZAIRE (Afrique), 116
ZAMBIE (Afrique), 121
ZIMBABWE (Afrique),
120

Les mots clés

La plupart des pays cités sont représentés par un tableau sur fond de couleur faisant apparaître leurs caractéristiques géographiques, économiques, sociales et culturelles. Ont été retenus les tableaux des pays les plus significatifs, dont les données se prêtent à la comparaison.

Population
L'abréviation de millions «d'habitants» s'écrit : M hab.

Densité de population
Nombre d'habitants par kilomètre carré (km2). On calcule la densité de population d'un pays en divisant le nombre total des habitants par celui des kilomètres carrés de la superficie de l'Etat en question.

Taux de natalité
Nombre de naissances en un an pour mille habitants (pour mille s'écrit : ‰)

Taux de mortalité
Nombre de décès, en un an, pour mille habitants.

Croissance annuelle de la population
Mesure de l'augmentation du nombre d'habitants en un an. Elle est exprimée en pourcentage (%) de la population totale du pays. Pour certains Etats, cette

croissance est nulle (si la population n'augmente pas), ou même «négative» (lorsque le nombre des habitants diminue).

Taux de mortalité infantile
Il indique, pour mille nouveau-nés, le nombre de ceux qui meurent avant d'avoir atteint l'âge de un an.

Espérance de vie
Nombre moyen d'années qu'une personne peut espérer vivre. Ici il s'agit de l'espérance de vie à la naissance; mais on peut calculer aussi l'espérance de vie à 60 ans, à 70 ans. Une espérance de vie élevée est un bon indice du niveau de développement économique et social d'un pays.

Population urbaine
Celle des villes (par opposition à la population rurale : celle des campagnes).

Monnaie
L'abréviation de «francs français» s'écrit : FF

PIB*, produit intérieur brut
Valeur des biens et des services produits en un an sur le territoire d'un Etat (on appelle «services» les activités qui n'aboutissent pas à la production d'un bien matériel : par exemple un transporteur routier, un commerçant, un postier, un médecin sont des fournisseurs de «services»).

PNB*, produit national brut
Valeur des biens et des services produits en un an par une nation, quel que soit le lieu de la production. Ainsi dans le PNB des Etats-Unis, on comptabilise la valeur du Coca-Cola ou des automobiles Ford produites par des usines

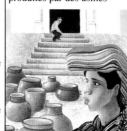

américaines installées hors des Etats-Unis, en Europe par exemple, ou en Amérique latine.

PIB* par habitant
Valeur moyenne obtenue en divisant le PIB d'un pays par le nombre des habitants qui le peuplent.

Croissance annuelle du PIB
Elle s'exprime en pourcentage du montant total du PIB. Lorsque celui-ci est stagnant, cette croissance est nulle; elle peut aussi être négative (-1%, - 2,3%, etc.) lorsque le PIB a diminué d'une année à l'autre.

Dette extérieure
L'argent - les économistes disent les "capitaux"- qu'un état a emprunté à un ou plusieurs pays étrangers et qu'il doit rembourser chaque année, en y ajoutant bien sûr les intérêts dus au créancier. La plupart des pays du tiers monde ont une dette extérieure très lourde.

TEC, tonne d'équivalent-charbon
Unité de mesure permettant d'apprécier et de comparer le pouvoir calorifique des diverses sources d'énergie par rapport à celui du charbon. Les équivalences sont les suivantes :
- 1 tonne de houille = 1 TEC.
- 1 tonne de produits pétroliers = 1,5 TEC (à poids égal ces produits fournissent donc une fois et demie plus d'énergie que le charbon).
- 1000 m3 de gaz naturel = 1,4 TEC
- 1000 kWh d'électricité = 0,4 TEC.

*Pour qu'ils soient plus simples d'accès les tableaux comportent tous les mêmes rubriques : PIB et PIB par habitant. Toutefois il faut préciser que pour les pays suivants les chiffres mentionnés sont ceux correspondant au PNB et au PNB par habitant : Algérie, Belgique, Canada, Iran, Japon, Luxembourg, Pays-Bas, Philippines, Turquie, Etats-Unis. D'autre part, dans les pays d'économie socialiste, tels l'URSS ou la Chine, le PIB ne prend en compte que la production de biens matériels industriels et agricoles, et la partie des «services» directement liée à cette production, notamment les transports.

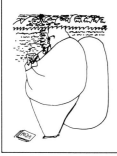

LES AUTEURS

Georges Jean est né en 1920 à Besançon. Ancien élève de l'Ecole Normale de Saint-Cloud, il a enseigné la linguistique à l'Université du Mans. Il est aussi animateur de « Peuple et Culture ». Il a publié de nombreux recueils de poèmes, des anthologies et des essais. S'il aime les mots, il aime aussi les voyages, réels ou imaginaires. Peut-être est-ce pour cela qu'il a épousé une géographe? Sa géographie à lui passe par ce que lui disent les poètes de tous les pays, les villes, les paysages, la vie quotidienne, les coutumes, la cuisine des peuples du monde.

Marie-Raymond Farré. Marie et Raymond écrivent ensemble des livres pour enfants. *Le Livre de tous les pays* - leur quinzième ouvrage - leur a donné le plaisir d'échanger des idées avec leurs amis étrangers et de les entendre raconter leur enfance. Ils dédient ce livre à Annie Hubert.
Jacques Drimaracci est professeur d'histoire et de géographie, co-auteur de manuels scolaires et collaborateur de nombreuses publications pédagogiques. Il conçoit l'histoire et la géographie comme des disciplines qui permettent de mieux comprendre l'époque où l'on vit, de mieux voir et apprécier les pays que l'on traverse.

Nous remercions Messieurs les auteurs et éditeurs qui nous ont autorisés à reproduire textes ou fragments de texte dont ils gardent l'entier copyright (texte original ou traduction). Nous avons par ailleurs, en vain, recherché les héritiers ou éditeurs de certains auteurs. Leurs œuvres ne sont pas tombées dans le domaine public. Un compte leur est ouvert à nos éditions.

Le cahier
des cartes du monde
et des continents

POINTS CULMINANTS DES ÉTATS EUROPÉENS

ALBANIE	Mt Korab	2751 m
RDA	Fichtelberg	1214 m
RFA	Zugspitze	2963 m
ANDORRE	Coma Pedrosa	2949 m
AUTRICHE	Grossglockner	3798 m
BELGIQUE	Signal de Botrange	694 m
BULGARIE	Moussala	2925 m
CHYPRE	Mt Olympe	1953 m
DANEMARK	Yding Skovhoj	173 m
ESPAGNE	Mulhacen	3481 m
FINLANDE	Haltiatunturi	1328 m
FRANCE	Mt Blanc	4808 m
GRÈCE	Mt Olympe	2911 m
HONGRIE	Mt Kebes	1015 m
IRLANDE	Carrantuohill	1040 m
ISLANDE	Oraefajökull	2119 m
ITALIE	Mt Blanc	4808 m
LIECHTENSTEIN	Grauspitz	2599 m
LUXEMBOURG	Huldange	559 m
MALTE	Nadur Tower	240 m
MONACO	Chemin des Revoires	162 m
NORVÈGE	Glittertinden	2479 m
PAYS-BAS	Vaalserberg	321 m
POLOGNE	Mt Rysy	2499 m
PORTUGAL	Cruz Alta	1993 m
ROUMANIE	Pic Moldoveanu	2544 m
ROYAUME-UNI	Ben Nevis	1343 m
SAINT MARIN	Titano	749 m
SUÈDE	Kebnekaise	2123 m
SUISSE	Dufourspitze	4634 m
TCHÉCOSLOVAQUIE	Gerlakhovsky	2663 m
TURQUIE	Mt Ararat	5165 m
URSS	Elbrouz	5633 m
YOUGOSLAVIE	Mt Trilav	2864 m

Echelle 1 : 15 mill.

0 100 200 300 400 500 600 700 800 km

Dépression
continentale
Marais
Canal

L'Europe

les capitales sont soulignées

Chemin de fer	⬠ Supérieur à 5 000 000 hab.
Bac - Ch de fer	⬢ 1 000 000 à 5 000 000 hab.
Ruines, vestiges	⬤ 500 000 à 1 000 000 hab.

◉ 100 000 à 500 000 hab.
◎ 50 000 à 100 000 hab.
⊙ 20 000 à 50 000 hab.
○ inférieur à 20 000 hab.

rs d'eau poraire (Oued)	Etendue d'eau douce
due d'eau variable	Lac salé
	Cuvette salée (chott)

Glacier	Limites d'Etat
Toundra	
Espace désertique	Limite entre les 2 Allemagnes

Cartographie : Patrick Mérienne pour l'adaptation française

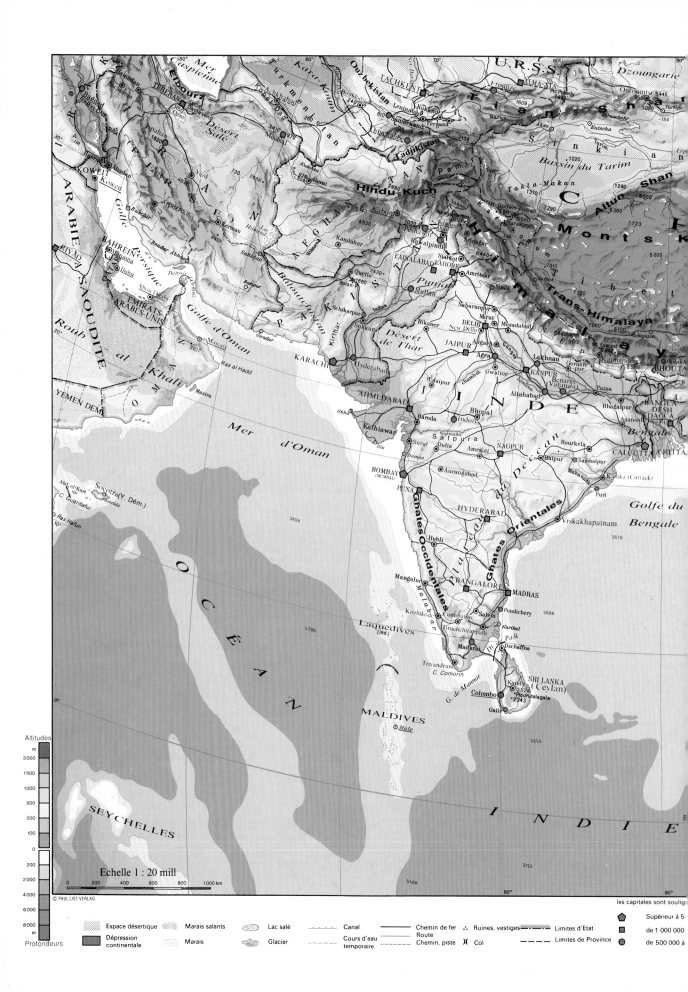

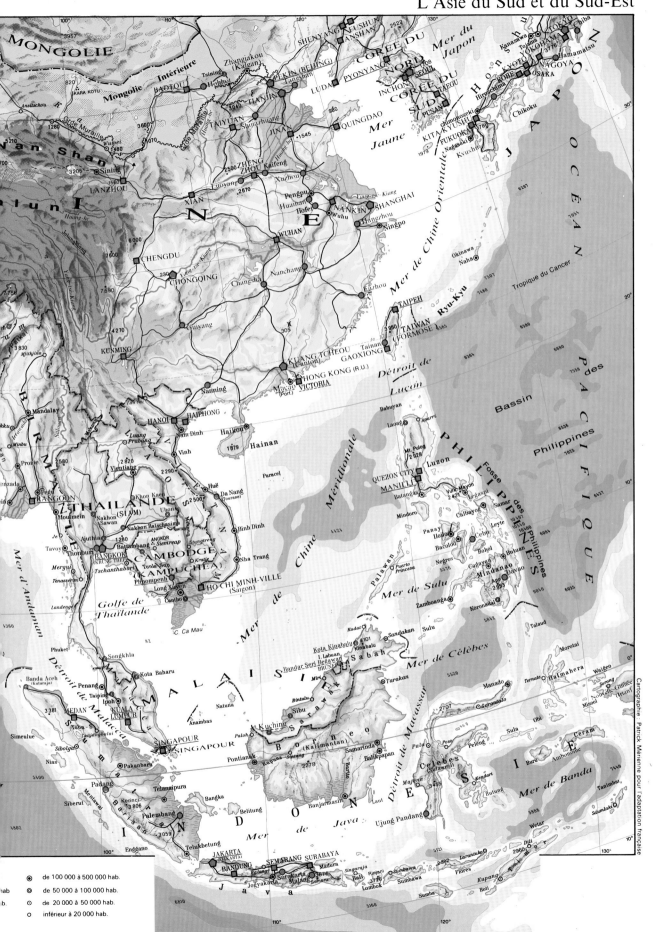

L'Asie du Sud et du Sud-Est

MONGOLIE

Mongolie Intérieure

BAOTOU Tsining Hohhé Zhangjiakou (Kalgan)

Antsischou KARA-KOTU PÉKIN (BEIJING) Tangshan SHENYANG FUSHUN ANSHAN

Grde Muraille Wupei SHENYANG

Nan Shan Sining TAIYUAN Shijiazhuang TIANJIN LUDA

CORÉE DU NORD PYONGYANG Mer du Japon

Hon TOKYO Chiba

Kanasawa KYOTO NAGOYA YOKOHAMA HAMAMATSU

INCHON SÉOUL CORÉE DU SUD TAEGU PUSAN KOBE OSAKA

Kalun I LANZHOU XIAN ZHENG ZHOU Kaifeng Xuzhou Quingdao

Mer Jaune chimonoseki KITA-KYUSHU FUKUOKA Nagasaki Kyushu Chikoku

C H I N E

Luoyang Pengpu Huainan Hofei NANKIN SHANGHAI

Wuhu Hangzhou Ningpo

Mer de Chine Orientale Okinawa Naha

Ryu-Kyu Tropique du Cancer

CHENGDU Changsha Nanchang

CHONGQING Guiyang Fuzhou

KUNMING TAIPEH TAIWAN (FORMOSE)

KUANG TCHÉOU (Canton) Tainan GAOXIONG

HONG KONG (R.U.) VICTORIA Macao (Port.)

Détroit de Luçon

Nanning Bassin des

BIRMANIE Mandalay HANOI HAIPHONG Haikou

Luang Prabang Nam Dinh Vinh Hainan Paracel

Babuyan Laoag Aparri PHILIPPINES Philippines

PACIFIQUE

Minbu Prome Vientiane Huê Da Nang (Tourane)

Pégu RANGOON THAÏLANDE (SIAM) Binh Dinh Mt Pulog Luzon

QUEZON CITY MANILLE Batangas Vulc.Mayon Legaspi

Moulmein Nakhon Sawan Khon Kaen Ubon Mindoro Calbayog Samar

 Je Ajuthia Nakhon Ratschasima ANGKOR Siemreap Stungtreng Panay Iloilo Bacolod Cebu Leyte

Tavoy BANGKOK (KRUNG THEP) Battambang Kratie Bohol Butuan

Thonburi CAMBODGE (KAMPUCHÉA) Puerto Princesa Palawan Negros Cagayan Mindanao Davao

Mergui Tschanthaburi Phnompenh Long Xuyen HO CHI MINH-VILLE (Saigon)

Tenasserim Cantho Nha Trang Mer de Sulu Zamboanga Koronadal Talaud

Landeng Golfe de Thaïlande C. Ca Mau Kudat Sandakan Sulu

Mer de Chine Méridionale Mer de Célèbes Morotai

Mer d'Andaman Phuket Songkhla Kota Baharu Kota Kinabalu Kinabalu Sabah Manado Ternate Halmahera Waïgeo

Banda Aceh (Kutaraja) Penang Taiping Ipoh Natuna Bandar Seri Begawan BRUNEI Miri Tarakan Sorong NOUVELLE-GUINÉE (Iria)

Simeulue KUALA LUMPUR MALAISIE Anambas Bintulu Sibu Manado Garonto Obi Misool

Toba Panjangbiang SINGAPOUR Kuching Sarawak Borneo (Kalimantan) Samarinda Balikpapan Palu Poso Sula Peleng Ceram Buru Ambon

Sibolga MEDAN Pontianak Kapuas Sintang Manado

Nias Pakanbaru Majene Celèbes (Sulawesi) Kendari Butung Mer de Banda

Mentawai Padang Kerinci Telanaipura Banjarmasin Ujung Pandang

Siberut Bangka Belitung INDONÉSIE

Enggano Palembang Telukbetung Mer de Java

Telukbetung Larantuka Wetar

JAKARTA (DJAKARTA) SEMARANG SURABAYA Madura Singaraja Rimjani Sumbawa

BANDUNG Batang Surakarta Malang Bali Lombok Sumbawa Flores Sumba Kupang Roti

Jogyakarta Java

OCÉAN

Cartographie : Patrick Mérienne pour l'adaptation française

- ⊙ de 100 000 à 500 000 hab.
- ⊙ de 50 000 à 100 000 hab.
- ⊙ de 20 000 à 50 000 hab.
- ○ inférieur à 20 000 hab.

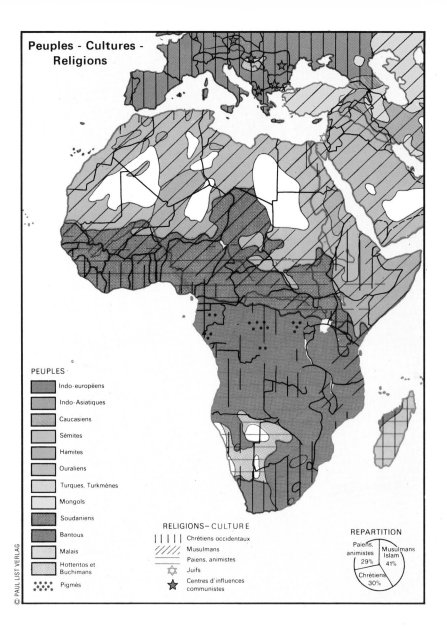

Peuples - Cultures - Religions

PEUPLES

- Indo-européens
- Indo-Asiatiques
- Caucasiens
- Sémites
- Hamites
- Ouraliens
- Turques, Turkmènes
- Mongols
- Soudaniens
- Bantous
- Malais
- Hottentots et Buchimans
- Pigmés

RELIGIONS– CULTURE

- ||||| Chrétiens occidentaux
- Musulmans
- Païens, animistes
- ✡ Juifs
- ★ Centres d'influences communistes

REPARTITION

Païens, animistes 29%
Musulmans Islam 41%
Chrétiens 30%

© PAUL LIST VERLAG

PAYS	SUPERFICIE	ANNÉE D'INDÉP.
AFRIQUE DU SUD	1 221 037 Km²	1910
ALGÉRIE	2 381 741 Km²	1962
ANGOLA	1 246 700 Km²	1975
BÉNIN	112 620 Km²	1960
BOTSWANA	600 380 Km²	1966
BURKINA FASO	274 200 Km²	1960
BURUNDI	27 835 Km²	1962
CAMEROUN	475 439 Km²	1960
CAP VERT	4 033 Km²	1975
CENTRAFRIQUE	622 985 Km²	1960
COMORES	1 862 Km²	1975
CONGO	342 000 Km²	1960
COTE D'IVOIRE	323 465 Km²	1960
DJIBOUTI	23 200 Km²	1977
ÉGYPTE	1 001 450 Km²	1922
ÉTHIOPIE	1 221 000 Km²	Antiquité
GABON	267 670 Km²	1960
GAMBIE	11 295 Km²	1965
GHANA	238 538 Km²	1957
GUINÉE	245 858 Km²	1958
GUINÉE BISSAU	36 125 Km²	1974
GUINÉE ÉQUATORIALE	28 050 Km²	1968
KENYA	582 640 Km²	1963
LÉSOTHO	30 355 Km²	1966
LIBÉRIA	111 370 Km²	1847
LIBYE	1 759 540 Km²	1951

PAYS	SUPERFICIE	ANNÉE D'INDÉP.
MADAGASCAR	587 040 Km²	1960
MALAWI	118 484 Km²	1964
MALI	1 240 000 Km²	1960
MAROC	450 000 Km²	1956
MAURICE	1 865 km²	1968
MAURITANIE	1 030 700 Km²	1960
MOZAMBIQUE	799 380 Km²	1925
NAMIBIE	823 172 Km²	1989
NIGER	1 267 000 Km²	1960
NIGÉRIA	923 768 Km²	1960
OUGANDA	236 580 Km²	1962
RUANDA	26 338 Km²	1962
SAO TOMÉ ET PRINCIPE	964 Km²	1975
SÉNÉGAL	196 192 Km²	1960
SEYCHELLES	453 Km²	1976
SIERRA LÉONE	71 740 Km²	1961
SOMALIE	637 658 Km²	1960
SOUDAN	2 505 810 Km²	1956
SWAZILAND	17 440 Km²	1968
TANZANIE	945 090 Km²	1961
TCHAD	1 284 000 Km²	1960
TOGO	56 785 Km²	1960
TUNISIE	163 610 Km²	1956
ZAIRE	2 345 410 Km²	1960
ZAMBIE	752 620 Km²	1964
ZIMBABWE	390 580 Km²	1980

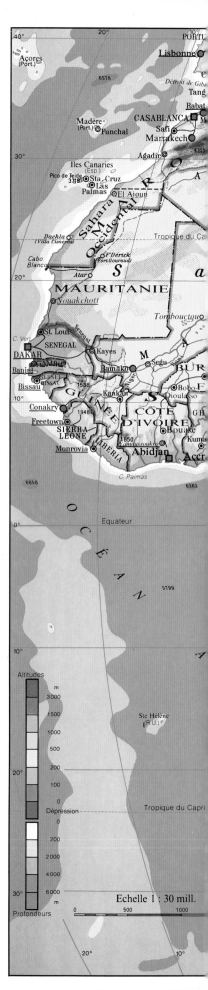

Echelle 1 : 30 mill.

Altitudes
m
3000
1500
1000
500
200
100
Dépression
0
200
1000
2000
4000
6000
m
Profondeurs

L'Afrique

Légende

- Chute d'eau
- Canal
- Cours d'eau temporaire (Oued)
- Etendue d'eau variable
- Etendue d'eau douce
- Lac salé, salines
- Cuvette salée
- Espace désertique
- Col
- Ruines, vestiges
- Limites d'Etat
- Route
- Chemin de fer

Supérieur à 5 000 000 h
1 000 000 à 5 000 000 h
500 000 à 1 000 000 h
100 000 à 500 000 h
50 000 à 100 000 h
20 000 à 50 000 h
inférieur à 20 000 hab.

les capitales sont soulignées

Valence · Sardaigne · NAPLES · GRECE · ISTANBUL · ANKARA · BAKOU · EREVAN · Kr.
Baléares · Cagliari · Palerme · Reggio · ITALIEN · Izmir · TROIE · Adana · Tabriz · Mer Caspienne
ALGER · Annaba · Tunis · Sicile · Catane · ATHENES · Héraklion · Nicosie · Homs · ALEP · SYRIE · Hamadan · TEH.
Oran · Constantine · Sousse · MALTE · Crète · CHYPRE · Beyrouth · DAMAS · IRAK · Bagdad · Ispahan
Sidi-bel-Abbès · Sfax · Mer Méditerranée · Tel Aviv-Jaffa · Amman · BABYLONE · Abadan · Bassora
Béchar · Gabès · TRIPOLI · Benghazi · Gr. Syrte · ALEXANDRIE · Said · JORD. · Akaba · KOWEIT · Dammam
El-Golea · Ghadamès · Misurata · Tobruk · Cyrenaika · LE CAIRE · Suez · Sinaï · ARABIE · RIYAD · BAHREIN · Hofuf
In Salah · LIBYE · Fezzan · MEMPHIS · El-Fayoum · El Minya · Médine · Néfoud · SAOUDITE
Ghat · Désert de Libye · Assiout · O. Farafra · Louxor · Mer Rouge · La Mecque · Roub al-Khali
Ahaggar · Tamanrasset · Désert du · EGYPTE · Assouan · Lac Nasser · Djedda · YEMEN · Mukalla
Air · Bilma · Ténéré · Wadi Halfa · Nubie · Dongola · Port Soudan · Asmara · Sana · Hodeida · Aden · Golfe d'Aden · Socotra
NIGER · Agadès · Ennedi · Atbara · Omdourman · Khartoum · Kassala · Mokka · Assab · DJIBOUTI · Djibouti · Berbera · Ras Hafun
Niamey · Sokoto · Katsina · Lac Tchad · Ndjamena · TCHAD · Darfur · El-Obeid · Kordofan · Sennar · Gondar · Harar · Hargeisa
Kano · Kaduna · Maiduguri · Bornou · Nyala · SOUDAN · Wad Medani · ADDIS ABEBA · ETHIOPIE
NIGERIA · Bauchi · REP. CENTRAFRICAINE · Wau · Kodok · Sobat · Djimma · SOMALIE
IBADAN · LAGOS · Benin · Onitsha · CAMEROUN · Bangui · Bondo · Isiro · UGANDA · Turkana · Mogadiscio
Harcourt · Douala · Yaoundé · Buta · Lisala · Kisangani · KENYA · Mogadishu
Bioko · GUINEE EQUATORIALE · Mbandaka · Boyoma · Kampala · Kisumu · Nairobi · OCEAN INDIEN
SÃO TOMÉ PRÍNCIPE · Libreville · GABON · ZAÏRE · Ubundu · Lac Victoria · Mombasa · SEYCHELLES · Mahé
Lambaréné · Bassin du Congo · Lac Mobutu · RWANDA · Kigali · Serengeti · Malindi · Amirantes
Brazzaville · Kindu · Lac Kivu · BURUNDI · Bujumbura · Mwanza · Kilimandjaro · Tanga · Zanzibar
Pointe-Noire · KINSHASA · Kasongo · Kigoma · Tabora · TANZANIE · Dodoma · Dar es Salaam · Mafia
Cabinda · Boma · Matadi · Kalemie · Lac Tanganjika · Providence · Aldabra · C. Delgado
Luanda · Kananga · Kamina · Katanga · Likasi · Lubumbashi · Lindi · Agalega
ANGOLA · Lunda · Ndola · Bangweolo · COMORES · Moroni · Antseranana · Mayotte
Lobito · Huambo · ZAMBIE · Lusaka · Tete · Blantyre · Nampula · Mahajanga
Benguela · Lubango · Livingstone · Kariba · Harare · Kilimane · Antsirabe
Namibe · Chutes Victoria · ZIMBABWE · Bulawayo · Beira · Tananarive · Toamasina · MAURICE
NAMIBIE · Otavi · Gaborone · BOTSWANA · Pretoria · Inhambane · MADAGASCAR · Fianarantsoa · Réunion
Brandberg · Windhoek · Kalahari · Transvaal · Pietersburg · Toliara · C. Ste Marie
Swakopmund · Walvis Bay · Lobatse · Mafeking · Johannesburg · Germiston · Maputo · SWAZILAND
Lüderitz · Keetmanshoop · Kimberley · Welkom · Pietermaritzburg · Durban · LESOTHO
Port Nolloth · Bloemfontein · De Aar · AFRIQUE DU SUD · East London
Le Cap · C. de Bonne Espérance · C. des Aiguilles · Port Elizabeth · Queenstown

OCEAN ATLANTIQUE

Cartographie : Patrick Mérienne pour l'adaptation française · © PAUL LIST VERLAG

L'Amérique du Nord

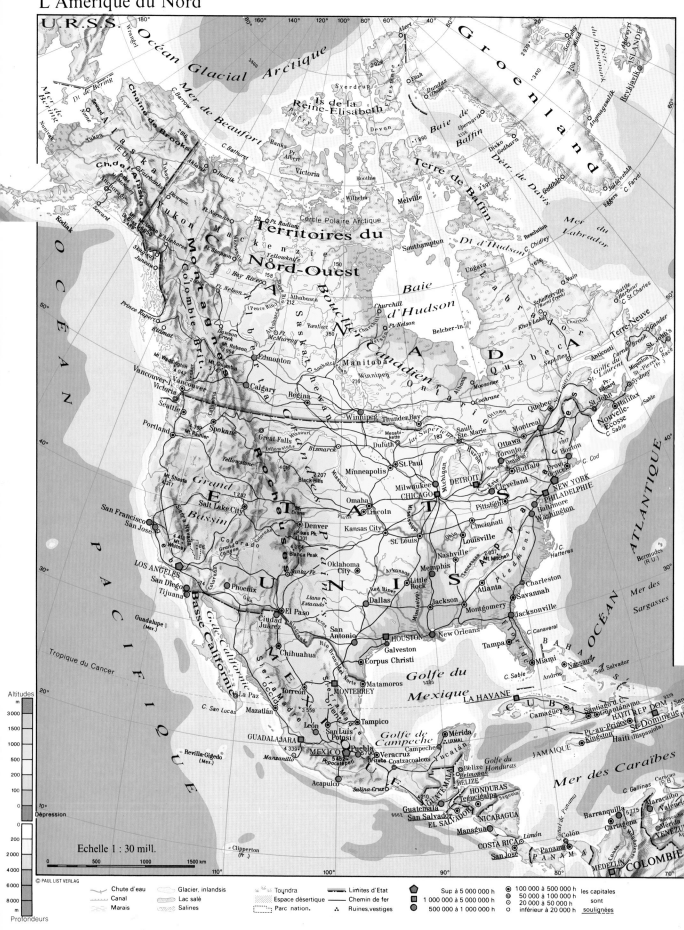

L'Amérique du Sud

Echelle 1 : 30 mill.

0   500   1000   1500 km

Chute d'eau	Glacier
Canal	désert
Marais	Lac salé

Limites d'Etat	
Chemin de fer	
Col	

⬠ Supérieur à 5 000 000 h
◼ 1 000 000 à 5 000 000 h
● 500 000 à 1 000 000 h

⊙ 100 000 à 500 000 h
⊙ 50 000 à 100 000 h
○ 20 000 à 50 000 h
○ inférieur à 20 000 h

les capitales
sont
soulignées

L'Australie

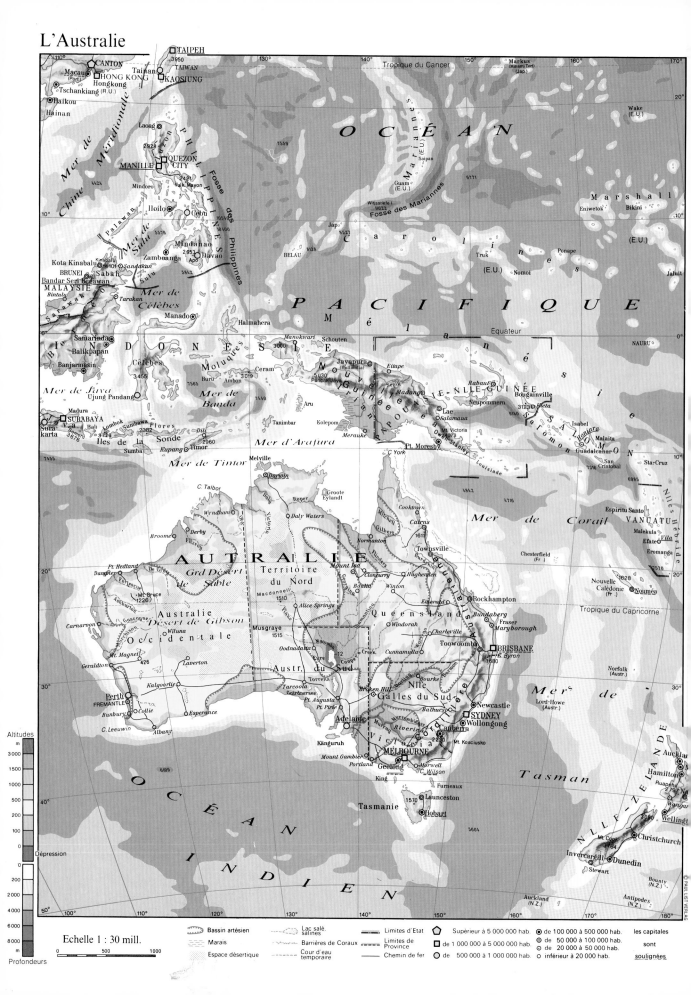

TAIPEH
CANTON
Macau (Port.)
HONG KONG
Hongkong
Tschankiang (R.U.)
Haikou
Hainan
Tainan
TAIWAN
KAOSIUNG

Tropique du Cancer

Markus (Minami Tori) (Jap.)

OCÉAN

Wake (E.U.)

Mer de Méridionale

Laoag
2828

QUEZON CITY
MANILLE
2421
Vulk. Mayon
Mindoro
Iloilo
Cebu

Saipan
Guam (E.U.)

Marianne

Fosse des Marianes

Fosse des Philippines
10400
5576

Marshall

Eniwetok   Bikini

Chine   Mindanao
2953
Davao
Apo

Caroline

Jap.
8527

8138

(E.U.)

Zamboanga
Kota Kinabalu
Kinabalu
4101
Sandakan
Sabah
BRUNEI
Bandar Seri Begawan
MALAYSIE
5842
Sulu
Mer de Sulu

Truk (E.U.)

Ponape

Nomoi

Jaluit

PACIFIQUE

Bintulu
Sarawak

Mer de Célèbes
Manado

Halmahera

NAURU

Samarinda
Balikpapan
Banjarmasin

Célèbes
3455

Moluques
Buru
Ambon
3019

Ceram
7565

Manokwari
Schouten
3000

Jayapura (Hollandia)
5030
Puncak Jaya
Sepik

Equateur

Eitape

Rabaul
Neupommern

Bougainville
3123
Buka

Mer de Java
Ujung Pandang

Mer de Banda
7440

Aru

Madang
Lae
Salamaua
9140

Isabel
Huntara
Malaita

Surakarta
SURABAYA
Madura
Bali
Semeru
3676
3726
Lombok
Sumbawa
2382
Flores
2960
Timor
Dili
Iles de la Sonde
Sumba
Kupang

Tanimbar

Kolepom
Merauke

Mt. Victoria
4073
Owen Stanley
Pt. Moresby
Louisiade

Guadalcanar
San Cristobal
7316

Sta-Cruz
6985

Mer d'Arafura

C. York

Melville
Darwin

Nlles Hébride
Espiritu Santo
VANUATU
Malekula
Efate
Vila
Eromanga

Mer de Timor

C. Talbot

Groote Eylandt

4842

4716

Mer de Corail

Chesterfield (Fr.)

Wyndham
Daly
Roper
Daly Waters

Cooktown
Mitchell
Cairns
1611

Broome
Derby
Fitzroy

Normanton
Flinders
Gilbert

Townsville

Nouvelle Calédonie (Fr.)
1628
Nouméa

Pt. Hedland
Dampier
De Grey
Forrescue
Mt. Bruce
1226
Ashburton

Grd Désert de Sable

Territoire du Nord

Mount Isa

Cloncurry
Hugheden

AUSTRALIE
Macdonnell
1510

Badia
Winton

Australie
Désert de Gibson
Occidentale

Alice Springs
Finke

Emerald

Rockhampton
Bundaberg
Maryborough
Fraser

Tropique du Capricorne

Carnarvon
Gascoyne
Wiluna

Musgrave
1515

Windorah
Queensland

Norfolk (Austr.)

Mt. Magnet
426
Geraldton
Laverton

Oodnadatta
Eyre
12
Coopers Creek

Cunnamulla
Charleville
Toowoomba

BRISBANE
B. Byron
1680

Perth
FREMANTLE
Kalgoorlie
Tarcoola
Gairdnersee
Austr. du Sud
Torrens

Bunbury
Collie
Esperance
C. Leeuwin
Albany

Pt. Augusta
Pt. Pirie

Broken Hill

Bourke

Nlle
Galles du Sud

Mer   de

Lord-Howe (Austr.)

Adelaide
Känguruh

Murray
Riverina

Newcastle
Bathurst
SYDNEY
Wollongong

Mount Gambier
Portland
Geelong
King

MELBOURNE
Morwell
C. Wilson

Victoria
Mt. Kosciusko

Canberra
2230

NLLE-ZÉLANDE
Auckland
Hamilton

Furneaux

Tasman

Ruapehu
2797
Wanga

Tasmanie
1570
Launceston
Hobart

5604

Wellingt

Mt. Cook
3764

Christchurch

OCÉAN

Invercargill
Dunedin
Stewart

Bounty (N.Z.)

INDIEN

Auckland (N.Z.)

Antipodes (N.Z.)

Altitudes
m
3000
1500
1000
500
200
100
0

Dépression

0
200
2000
4000
6000
8000
m

Profondeurs

Echelle 1 : 30 mill.

0   500   1000

Bassin artésien
Marais
Espace désertique

Lac salé, salines
Barrières de Coraux
Cour d'eau temporaire

Limites d'Etat
Limites de Province
Chemin de fer

Supérieur à 5 000 000 hab.
de 1 000 000 à 5 000 000 hab.
de 500 000 à 1 000 000 hab.

de 100 000 à 500 000 hab.
de 50 000 à 100 000 hab.
de 20 000 à 50 000 hab.
inférieur à 20 000 hab.

les capitales
sont
soulignées

© PAUL LIST VERLAG

ARCTIQUE

1. Point Barrow
2. Fairbanks
3. Anchorage
4. Inuvik
5. Mould Bay
6. Alert
7. Resolute
8. Yellowknife
9. Churchill
10. Igloolik
11. Frobisher Bay
12. Thule
13. Tromso
14. Abisko
15. Kiruna
16. Sodansyla
17. Mourmansk
18. Kirovsk
19. Arkhangelsk
20. Syktyvkar
21. Salekhard
22. Amderma
23. Krenkel
24. Norilsk
25. Dikson
26. Tcheliouskine
27. Iakoutsk
28. Tiksi
29. Magadan
30. Pevek
31. Shmidta
32. Shemya
33. Kodiak
34. Nome
35. Dikson
36. Vladivostok
37. Provideniya

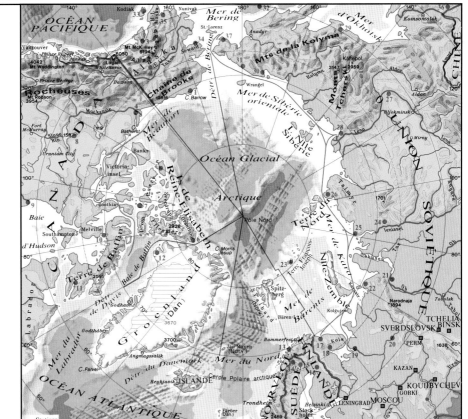

ANTARCTIQUE

1. Arctowski (Pologne)
2. Bellingshausen (URSS)
3. Presidente Frei (Chili)
4. Arturo Prat (Chili)
5. Petrel (Argentine)
6. Esperanza (Argentine)
7. Gal B. O' Higgins Marambio (Argentine)
8. Vicecomodoro Marambio (Argentine)
9. Teniente Matienzo (Argentine)
10. Almirante Brown (Argentine)
11. Palmer (États-Unis)
12. Faraday (Royaume-Uni)
13. Rothera (Royaume-Uni)
14. Gal San Martin (Argentine)
15. Orcadas (Argentine)
16. Signy (Royaume-Uni)
17. Siple (États-Unis)
18. Gal Belgrano (Argentine)
19. Druzhnaya (URSS)
20. Sanae (Afrique du Sud)
21. Haley (Royaume-Uni)
22. Amundsen-Scott (États-Unis)
23. Mc Murdo (États-Unis)
24. Scott (Nouvelle-Zélande))
25. Novolazarevskaya (URSS)
26. Leningradskaya (URSS)
27. Showa (Japon)
28. Molodezhnaya (URSS)
29. Mizuho (Japon)
30. Vostok (URSS)
31. Dumont d'Urville (France)
32. Mawson (Australie)
33. Davis (Australie)
34. Mirnyy (URSS)
35. Casey (Australie)
36. Bird (États-Unis)
37. Neumayer (RFA)

Altitudes
m
3 000
2 000
1 000
500
200
0 Dèpres
sion
0
200
2 000
4 000
6 000
8 000
m
Profondeurs

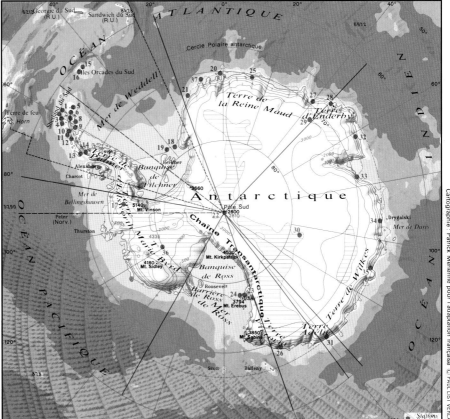

Cartographie : Patrick Mérienne pour l'adaptation française © PAUL LIST VERLAG

Le Monde physique

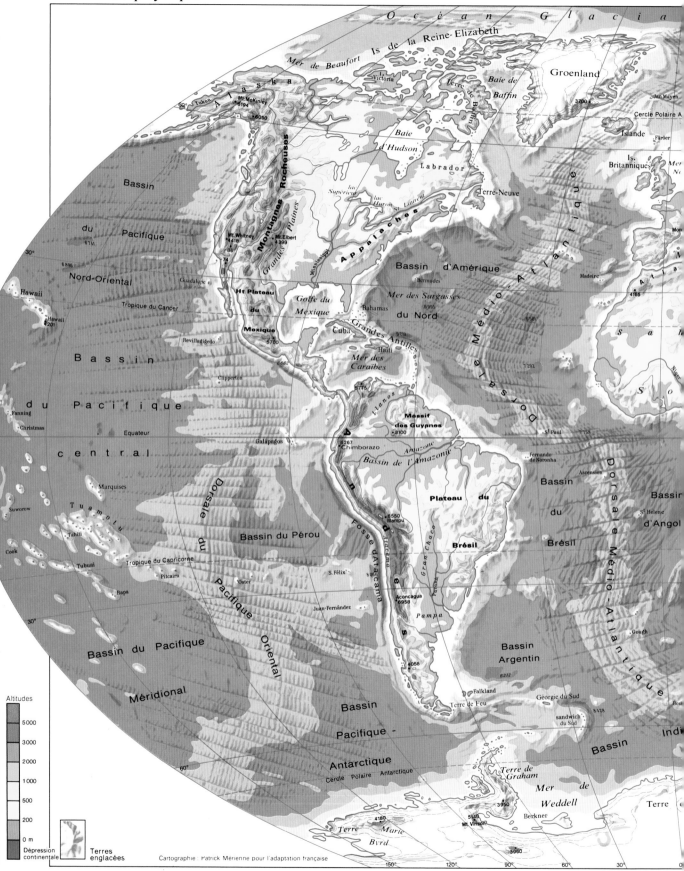

Océan Glacia

Mer de Beaufort   Is de la Reine-Elizabeth

Groenland

Jan Mayen

Cercle Polaire A

Islande   Färöer

I. Victoria

Terre de Baffin

Baie de Baffin

•3700 •

60° Yukon   Alaska   Mt. McKinley •6194
•6050

Baie d'Hudson

Is. Britanniques

Mer No

Labrador

Terre-Neuve

Mon

Mer
N

lac Supérieur
lac Huron   St Laurent

Bassin   du   Pacifique

Mt. Whitney •4418
•86 •   Mt. Elbert •4399
74   Grandes Plaines

Mississippi   Appalaches

Bermudes

Bassin   d'Amérique

Madère   4185 •

Atla

•6741

6896 •

Nord-Oriental

Tropique du Cancer

Guadalupe

Ht Plateau du

Golfe du Mexique

Bahamas

du   Nord

Mer des Surgasses

6095 •

5290 •

S   a   h

S

Hawaii

Hawaii •4201

Mexique •5700

Cuba   Grandes Antilles
Haïti

5900 •

7292 •

a

Revillagigedo

Clipperton

6662 •

Mer des Caraïbes

5775 •

S Paul   7755 •

Niger

S   o

B   a   s   s   i   n

Fanning

du   Pacifique

Galápagos

Llanos   Massif des Guyanes •3100

Amazone   Bassin de l'Amazonie

Fernando de Noronha

Ascension

Bassin   du   Brésil

Bassin d'Angol

•Christmas

Equateur

6267 •Chimborazo

c   e   n   t   r   a   l

Marquises

Tuamotu

Suworow

Tahiti

Plateau   du

Brésil

S¹ Hélène

Bassir

Cook

Bassin du Pérou

•6550 Illampu

A

Gran Chaco

Tubuai   Tropique du Capricorne

Pitcairn

•Oster

S. Félix

8600 •

Rapa   Juan-Fernández

Aconcagua •6958

Pampa

Gough

Bassin du Pacifique

Dorsale du Pacifique Oriental

Bassin Argentin

6212 •

Méridional

30°   Bassin du Pacifique

•4058

Falkland

Georgie du Sud

8428 •

sandwich du Sud

Indi

60°

Bassin

Pacifique -

Antarctique

Cercle Polaire Antarctique

Terre de Graham

Bassin

Terre de Feu

Terre Marie Byrd

4180 •

Mt Vinson 5140 •

•3950

Berkner

Mer   de   Weddell

Terre

3960 •

Altitudes

5 000	
3 000	
2 000	
1 000	
500	
200	
0 m	
Dépression continentale	Terres englacées

Cartographie : Patrick Mérienne pour l'adaptation française

Arctique

Spitzberg

Terre Franz-Joseph-

Mer de Barents

Nouvelle-Zemble

andinavie

Plateau de Sibérie Centrale

Ob

Plaine de Sibérie Occidentale

Ienisseï

Lena

3147

Kolyma

Oural

60°

Mer de Béring

Is. Aléoutiennes

8822

10 542

d'Okhotsk

4750

Bassin du Pacifique

Nord-occidental

30°

Altaï
4506

lac Baïkal

Mer d'Okhotsk

Volga

-28

Mer Noire

Elbrouz
5633

Mer Casp.

Balkan

Mer d'Aral

Tian-shan

Gobi

Mer du Japon

3776

6671

6892

Midway

Tarim

Pamir

-154

Tian-shan

Plateau d'Iran

7439

7495

Hindu-Kuch

8611

Mts Kunlun

8000

Tibet

Himalaya

Mt Everest
8848

Mer de Chine Orientale

7507

Bonin

6987

Tropique du Cancer

diterranée

5015

Euphrate

402

-134

Arabie

G. Persique

4420

Plateau du Déccan

Gange

Indus

Brahm.

7590

Mékong

Yang Tsé Kiang

Plateau de Chine du Sud

Bassin des Philippines

Marianne

6771

Marschall

Nil

3415

Mer Rouge

3760

G. d'Oman

Mer d'Oman

Golfe du Bengale

Ceylan

Fosse des Philippines

6920

Gilbert

4820

G. d'Aden

Massif éthiopien

4101

Moluques

9140

oudan

Bassin du Congo

lac Victoria
5895

Kilimandjaro

Tanganyika

Amirantes

Seychelles

Sumatra

Borneo

Îles de la Sonde

Nouvelle-Guinée

5030

Salomon

Java

3455

Mer d'Arafura

Mer de Corail

Kalahari

Madagascar

Canal de Mozambique

Crête de l'Océan Indien Central

Bassin Central Indien

Dorsale du Bengale

6840

6459

Bassin de l'Australie du Nord-Ouest

Tropique du Capricorne

Désert de Victoria

12

Nouvelle-Calédonie

7570

Tonga

10 882

2680

6400

Bassin de l'Océan Indien Sud-Occidental

St Paul

Crozet

Kerguelen

Heard

6972

6857

Bassin de l'Australie Méridionale

Tasmanie

Cordillère australienne

2230

Mer de Tasman

Nouvelle-Zélande

10 047

3764

Chatham

30°

Fosse des Kermadec

antique - Antarctique

Crête de l'Océan Indien Méridional

Bassin Indien - Antarctique

Macquarie

Auckld.

Terre d'Enderby

Terre de Wilkes

Cercle Polaire Antarctique

Balleny

Reine Maud

3180

Terre Victoria

4520

Mer de Ross

4000

Echelle 1 : 75 mill.

© PAUL LIST VERLAG

30° 60° 90° 120° 150° 180°

Profondeurs

200
2000
4000
6000
m

187

P.B.　　　　　Pays-Bas
R.D.A.　　　　République Démocratique Allemande
R.F.A.　　　　République Fédérale d'Allemagne
S.　　　　　　Suisse
S.M.　　　　　San Marin
TCHECOSL.　　Tchécoslovaquie

Barc　　　　　Barcelone
Bln.　　　　　Berlin
Buc.　　　　　Bucarest
Hmbg　　　　Hambourg
Kit.　　　　　Kitakiushu
V.　　　　　　Vienne

les capitales sont soulignées

A　　　　　　Andorre
ALB.　　　　　Albanie
AUTR.　　　　Autriche
B　　　　　　Belgique
BH　　　　　　Bhoutan
BULG.　　　　Bulgarie
E.A.U.　　　　Emirats arabes unis
ISR.　　　　　Israel
JOR.　　　　　Jordanie
L.　　　　　　Luxembourg
LIB.　　　　　Liban
M.　　　　　　Monaco